市场型环境政策体系与绿色创新：
内在机理及优化路径

廖中举 等 著

本书系研究阐释党的十九届四中全会精神国家社会科学基金重大项目"完善推进绿色创新的市场型环境政策体系研究"（20ZDA088）成果

科 学 出 版 社
北 京

内 容 简 介

在碳达峰、碳中和的背景下，研究市场型环境政策体系与绿色创新的内在机理及其优化路径具有十分重要的意义。本书基于制度理论、创新理论、波特假说等，沿着"制度—行为—绩效"的逻辑路线，采用文本分析、元分析、仿真研究等多种方法，着重开展了五方面的研究。根据研究结论，本书从单一政策工具和政策工具组合的视角，提出了完善推进绿色创新的市场型环境政策体系的对策建议。本书在弥补以往研究不足的同时，为政府优化市场型环境政策体系以提升企业的绿色创新水平提供了较好的借鉴。

本书对政府和企业工作人员具有重要的参考价值，也可以作为高校师生的用书。

图书在版编目（CIP）数据

市场型环境政策体系与绿色创新：内在机理及优化路径 / 廖中举等著. —北京：科学出版社，2022.12
ISBN 978-7-03-073966-7

Ⅰ. ①市… Ⅱ. ①廖… Ⅲ. ①企业创新 – 无污染技术 – 专利 – 研究 Ⅳ. ①G306.3

中国版本图书馆 CIP 数据核字（2022）第 226960 号

责任编辑：陶 璇 / 责任校对：贾娜娜
责任印制：张 伟 / 封面设计：有道设计

科学出版社出版
北京东黄城根北街 16 号
邮政编码：100717
http://www.sciencep.com
北京中科印刷有限公司印刷
科学出版社发行 各地新华书店经销
*
2022 年 12 月第 一 版 开本：720×1000 1/16
2022 年 12 月第一次印刷 印张：16 1/4
字数：330 000
定价：**178.00 元**
（如有印装质量问题，我社负责调换）

前　　言

　　环境问题的凸显、自然资源的减少等，使得采用绿色创新来应对环境挑战、增加社会福利及实现经济增长成了各国的重要选择。例如，2021 年 3 月，中央财经委员会第九次会议强调，要推动绿色低碳技术实现重大突破，抓紧部署低碳前沿技术研究……，凸显了绿色创新对实现"碳达峰、碳中和"的重要支撑作用。然而，绿色创新具有知识溢出和环境溢出效应，存在"市场失灵"的现象。因此，需要政府制定一系列的政策进行合理干预。与命令控制型和自愿型环境政策工具相比，市场型环境政策工具为企业进行绿色创新提供了更多选择方式。

　　以往学者围绕市场型环境政策与绿色创新之间的关系展开了大量的研究，取得了丰富的成果，但也存在不足之处。例如，以往的研究侧重于分析单一类别的市场型环境政策工具对绿色创新某一环节的影响，未将不同类别市场型环境政策工具与绿色创新的不同阶段纳入一个研究框架之中；针对相同的市场型环境政策工具，以往的研究却得出了相反的结论；绿色创新是否有利于企业绩效的提升，以及促进企业绿色创新及其绩效提升的最优市场型环境政策工具组合是什么，以往的研究未给出清晰的答案。为弥补市场型环境政策工具与绿色创新研究中存在的不足，以及为市场型环境政策工具的优化、企业绿色创新水平和绩效的提升提供理论依据，本书基于制度理论、创新理论、波特假说等，沿着"制度—行为—绩效"的逻辑路线，着重开展五方面的研究：一是我国绿色创新的现状及市场型环境政策的内在特征研究；二是不同类别的市场型环境政策工具及其组合对绿色创新的不同阶段的影响作用研究；三是绿色创新与企业绩效之间的关系及其内在机理研究；四是促进企业绿色创新及绩效提升的市场型环境政策仿真研究；五是国内外推进绿色创新的典型经验及完善我国推进绿色创新的市场型环境政策体系的对策建议研究。

　　本书选取我国及主要省区市出台的推进绿色创新的政策文本、重污染行业的企业等作为研究样本，采用元分析、文本分析、模糊集定性分析、扎根研究、仿真研究等多种研究方法，借助 Eviews、Vensim、Nvivo 等软件，主要得出以下研究结论：其一，2011 年以来，我国企业绿色专利申请量逐渐增长，专利结构以实用新型为主；我国绿色创新专利总体质量并不理想；我国各省区市绿色创新发展不平衡，绿色专利数量相差悬殊。其二，1982~2020 年，我国促进企业绿色创新的市场型环境政策数量呈现稳定增长趋势，环保补助政策工具的运用次数最多；绿色信贷、环保补助、税收优惠和绿色采购的内部措施之间的关系较为紧密，但环境税的内部措施的构成比较松散；我国促进企业绿色创新的市场型环境政策主要应用于绿色创新的成果推广阶段，而技术吸收和产品研发阶段的政策工具偏少；此外，各地方政府"关于构建市场导向的绿色技术创新体系实施方案"可分为激励型、机制创新型、引导型、服务型、规范型和开放型六类政策，引导型政策最受地方政府重视，开放型政策相对关注度较低；六种类型的绿色技术创新体系政策互相关联紧密，多元化趋势明显，但缺乏重点。其三，市场型环境政策工具对不同区域的绿色创新的三个阶段具有差异性的影响；重污染企业的绿色创新并不依赖于某个必要条件，而是由五类市场型环境政策工具组合作用的结果；五类市场型环境政策工具形成了四条路径，可以归纳为激励+惩罚、金融支持、补助+需求三类模式；省级层面的绿色创新路径有 11 条，可将其归纳为金融支持型、惩罚型、惩罚+激励型及惩罚+采购型四种模式。其四，绿色创新对企业财务绩效和环境绩效均具有正向促进作用；在发达国家和东方文化背景下，绿色创新对企业财务绩效的影响作用更强；绿色创新与企业环境绩效之间的关系也受到国家经济发展水平和数据类型的调节。其五，五类市场型环境政策的综合仿真表明，当所有政策工具均翻倍时，并没有出现优于单个政策工具的优化情况，绿色创新呈现缓慢增长态势，有波动现象，但幅度较小；经济绩效的增幅虽然高于绿色创新，也呈现波动性，但达到临界点后小幅度下降，整体增长缓慢。其六，国外推进绿色创新综合运用了环保补助、税收优惠、环境税、绿色采购和绿色信贷五类市场型环境政策工具；五类市场型环境政策工具运用于绿色创新的多个环节，并且有相关的法律体系以确保政策工具作用的发挥；在市场型环境政策的设计中，综合考虑了政策的严厉性、预期灵活性与政策工具的组合，以及影响这些政策设计特征的因素。

　　针对得出的结论，结合国外和国内典型省区市打造推进绿色创新的市场型环境政策工具的经验，本书从单一政策工具和政策工具组合的视角提出了完善推进绿色创新的市场型环境政策工具的对策建议。从单一政策工具视角，提出"强化环保补助的事后监督，提高环保补助的使用效率，完善税收优惠的法律体系，全方位促进企业的绿色创新"等对策建议。从政策工具组合视角，提出"根据不同的创新阶段设置具有针对性的市场型环境政策组合，实现协同效应最大化；根据地区差异确定各项政策的实施力度，实现政策组合与实施环境的最优匹配；根据行业差异确定激励型政策工具与约束型政策工具的比例，实现正向激励与反向激励的最优综合管理"等对策建议。本书不仅弥补了以往研究的不足，也为促进绿色创新的市场型环境政策工具的完善和优化提供了理论依据，同时还对企业开展绿色创新以提升自身绩效具有重要的借鉴意义。

目　　录

第 1 章　绪　　论

本章介绍研究背景、主要的研究问题及其理论和现实意义，为解决研究问题所需要的研究方法，以及潜在的创新点、研究框架等。

1.1　研究背景与问题提出

气候变化与环境保护正成为国际社会的焦点问题。近年来，我国在保持经济较快增长的同时，也逐渐注重对环境的保护（Zhao and Sun，2016）。2019年10月31日，十九届四中全会提出"推进市场导向的绿色技术创新，更加自觉地推动绿色循环低碳发展"[①]；2021年3月15日，国家主席习近平主持召开中央财经委员会第九次会议，研究实现碳达峰、碳中和的基本思路和主要举措，提出"要推动绿色低碳技术实现重大突破抓紧部署低碳前沿技术研究"，"要完善绿色低碳政策和市场体系"[②]。绿色创新，也称为生态创新、环境创新等（戴鸿轶和柳卸林，2009；Hojnik and Ruzzier，2016），是一类在显著降低环境影响的同时，为企业和消费者带来价值的创新（Fussler and James，1996）。环境问题的凸显、自然资源的减少和总体经济增长动力的不足，使得采用绿色创新来应对环境挑战、增加社会福利及实现经济增长成了各国的重要选择（Starik and Marcus，2000；Miklenčičová and Čapkovičová，2014；Shukla，2019）。

然而，绿色创新具有 R&D（research and development，科学研究与试验发展）溢出效应和正外部环境效应，该"双重外部性"削弱了企业绿色创新的动机（Rennings，2000）。按照新古典经济学、庇古理论等，市场型环境政策无疑是解决双重外部性的有效措施（Pigou，1920；朱小会和陆远权，2017）。因此，我国

---

① 转引自 https://www.cgs.gov.cn/xwl/ddyw/201911/t20191108_497279.html
② 转引自 http://www.gov.cn/xinwen/2021-03/15/content_5593154.htm

也相继出台了一系列市场型环境政策以促进绿色创新。但是，各类市场型环境政策工具在作用目标和影响方面可能并不一致（Kivimaa and Kern，2016）：一些政策工具有利于企业绩效的提升，但不利于绿色技术 R&D；另一些市场型环境政策工具有利于绿色技术 R&D，但不利于企业绩效的提升（Costantini et al.，2017a）。因此，这导致当不同的市场型环境政策工具组合使用时，一些市场型环境政策工具组合会产生"协同"效应，另一些市场型环境政策工具组合则会产生"对冲"效应。那么不同类别的市场型环境政策工具的效果如何，以及企业实施绿色创新后，是否提升了自身的绩效，这些问题都成了理论界和学术界关注的焦点。

以往学者围绕市场型环境政策工具与绿色创新之间的关系展开了大量的研究，但仍存在些许不足。第一，以往的研究侧重于分析单一类别的市场型环境政策工具对绿色创新某一环节的影响，尤其是环境税（Lin and Jia，2018；Mardones and Cabello，2019；Mardones and Mena，2020）和环保补助（Li et al.，2018；Xia et al.，2022）的影响作用，没有将不同类别市场型环境政策工具与绿色创新的不同阶段纳入一个研究框架之中。第二，针对相同的市场型环境政策工具，以往的研究却得出了相反的结论。例如，Li 等（2018）、Xia 等（2022）认为政府补助可以补偿企业用于绿色创新的成本，降低绿色创新的风险；但是，Bai 等（2018）、范莉莉和褚媛媛（2019）、封红旗等（2019）指出部分企业虽然获得了政府的财政扶持，但并未做出有利于绿色创新的活动。因此，以往研究缺乏"市场型环境政策—绿色创新"之间情境变量的研究。第三，绿色创新是否有利于企业绩效的提升，以及促进企业绿色创新及其绩效提升的最优市场型环境政策工具组合是什么，以往的研究未给出清晰的答案。例如，Chiou 等（2011）、Zailani 等（2015）、Tang 等（2018）等发现绿色创新有利于提高企业的绩效，但 de Azevedo Rezende 等（2019）、Ghisetti 和 Rennings（2014）、El-Kassar 和 Singh（2019）等却发现并非所有的绿色创新都对企业绩效具有正向促进作用。

为弥补市场型环境政策工具与绿色创新研究中存在的不足，以及为市场型环境政策工具的优化、企业绿色创新水平和绩效的提升提供理论依据，本书基于制度理论、创新理论、波特假说等，沿着"制度—行为—绩效"的逻辑路线，着重开展以下五方面的研究：第一，采用内容分析法，剖析我国及主要省区市推进绿色创新的市场型环境政策工具的内在特征；第二，探究环保补助、税收优惠、环境税、绿色采购和绿色信贷五类市场型环境政策工具对绿色创新的不同阶段的影响作用，以及不同市场型环境政策工具的组合作用；第三，分析绿色创新与企业绩效之间的关系，以及潜在的情境因素；第四，采用仿真研究，寻找促进企业绿色创新及绩效提升的最优市场型环境政策工具组合；第五，结合国内外的典型经验，提出完善推进绿色创新的市场型环境政策体系的对策建议。

1.2　研究意义

1.2.1　理论意义

其一，在将市场型环境政策划分为环保补助、税收优惠、环境税、绿色采购和绿色信贷五类政策工具的基础上，检验它们对绿色创新的影响，弥补以往制度理论研究存在的不足。制度理论提出企业要想确保其合法性、获取外部资源并继续生存下去，就必须要遵循相应的规章制度（Meyer and Rowan，1977）。在监管政策的压力下，企业为了获取合法性和规避处罚，会开展绿色创新活动（Hojnik and Ruzzier，2016）。基于制度理论，以往研究侧重于检验环境管制对绿色创新的影响，或市场型环境政策的单一类别工具对绿色创新的影响，未将不同类别的市场型环境政策纳入研究框架之中。因此，本书基于制度理论，对市场型环境政策工具进行进一步的划分，研究环保补助、税收优惠、环境税、绿色采购和绿色信贷五类政策工具对绿色创新的影响作用，丰富和发展了制度理论。

其二，从情境因素的视角，打开了绿色创新与企业绩效之间的"黑箱"，丰富和完善了绿色创新理论。在绿色创新的作用结果方面，González-Blanco 等（2018）、Fernando 等（2019）、Ong 等（2019）、Putri 和 Sari（2019）等以往研究得出了正向、负向、无影响等多种结论，这些异质性的结论使得人们对绿色创新是否有利于改善环境和提高企业财务绩效提出了质疑（González-Blanco et al.，2018）。为了识别和厘清绿色创新的作用结果，本书采用 Meta 分析方法，检验绿色创新与企业财务绩效、环境绩效之间的关系，以及国家经济发展水平、文化背景、行业多样性等变量的调节作用。本书将有助于梳理出以往实证研究的结论，并从情境因素的视角，对其异质性给出客观的解释，同时也有助于丰富和完善绿色创新理论。

其三，本书构建了市场型环境政策工具、绿色创新与企业绩效的关系模型，采用仿真研究，并对三者之间的关系进行了探究，拓展和丰富了波特假说。20 世纪 90 年代初，Porter 和 van der Linde（1995a）提出波特假说，认为严格的环境法规会通过触发绿色创新来提高企业的生产率和绩效。波特假说认为环境规制对受规制的边缘型企业的创新行为和竞争力具有积极的影响，由法规触发的新开发的环境技术和产品甚至可能为企业带来先发制人的优势（Horbach，2020）。在以往的研究中，多数学者基于"法规—创新"的思路，研究了环境法规对企业绿色创新的影响（Zailani et al.，2015），部分学者基于"法规—创新—绩效"的思路，研究了环境管制、绿色创新与企业创新绩效三者间的关系（Huang et al.，2016），却少有学者在此基础上做进一步的延伸，研究市场型环境政策工具、绿色创新与企业绩效的关系，以及不同市场型环境政策工具组合的影响作用。本书在波特假说的基础上，建立"市场型环境政策—绿色创新—企业绩效"的研究模型，进一步探究了五类市场型环境政策工具、绿色创新与企业绩效之间的关系，拓展了波特假说。

1.2.2　现实意义

第一，为推进绿色创新的市场型环境政策工具的完善和优化提供了理论依据。本书剖析市场型环境政策对绿色创新的作用机制，为政府制定和实施绿色发展战略提供了理论参考，对推动可持续发展和实现碳达峰、碳中和具有重要的现实意义。由于绿色创新实现了从源头上减少环境污染，改善生态环境（Chen et al.，2006），以及能够实现经济绩效和环境绩效双重目标（Zailani et al.，2015），国家出台了大量的市场型环境政策以促进绿色创新。因此，检验不同类别的市场型环境政策工具对企业绿色创新的作用，为下一步市场型环境政策的完善和优化提供了理论依据。

第二，对企业开展绿色创新以提升自身绩效具有重要的借鉴意义。以往研究也表明，绿色创新是企业在技术上进行变革，增加研发投入，最终处于领先地位（Rennings，2000；解学梅和朱琪玮，2021）；同时，绿色创新可以通过低成本优势和差异化优势，塑造绿色形象，提高企业的竞争力（Chiou et al.，2011；Liao，2016；Tu and Wu，2021）。本书在区分行业环境、文化背景等的基础上，分别检验绿色创新对企业环境绩效和财务绩效的影响作用，为企业根据情境因素，有针对性地开展绿色创新活动以提高自身绩效提供了参考。

1.3　研究创新点

其一，从文本分析的视角，研究了我国推进绿色创新的市场型环境政策体系。以往学者在探究市场型环境政策时，多集中于市场型环境政策的某单一类别，对市场型环境政策不同类别的综合研究较少。本书基于1982~2020年我国出台的相关政策文本，从政策工具和创新链的视角，采用共词分析、多维尺度分析等方法，深入剖析了我国推进企业绿色创新的市场型环境政策。此外，选取12个省区市关于构建市场导向的绿色技术创新体系的方案作为研究对象，剖析了地方政府推进企业绿色创新的市场型环境政策。

其二，从创新链的视角，研究市场型环境政策体系对绿色创新全过程的影响效应，具有一定的创新性。以往研究侧重于检验市场型环境政策对绿色 R&D 投入、绿色产品创新和绿色工艺创新的影响作用，如 Arias 和 van Beers（2013）、Liao（2016）、Torani 等（2016）、Yu 等（2016）分析了环境政策对绿色产品创新和绿色工艺创新的影响作用。然而，绿色创新是由一个链条构成的，可分为绿色技术吸纳、绿色技术创新和绿色技术转化三个环节。因此，从创新链的视角，研究市场型环境政策体系对绿色创新全过程的影响效应，有利于弥补先前研究侧重于单一创新链条环节的不足。

其三，采用模糊集定性比较分析（fuzzy-set qualitative comparative analysis，fsQCA）研究方法，研究了不同类型的市场型环境政策工具的组合作用，具有一定的创新性。定性比较分析方法对于解释多重并发前因条件下的因果非对称性关系有着突出的优势（Wu et al.，2014），但在市场型环境政策领域的应用缺乏。本书从复杂性理论视角出发，假设变量间的不对称及非线性，即导致同一结果的路径不唯一，且单一的前因产生的作用效果也不尽相同（Wu et al.，2014），采用模糊集定性比较分析方法，探讨环保补助、税收优惠、环境税、绿色采购及绿色信贷五类市场型环境政策工具的组合对企业绿色创新的影响作用，阐释了市场型环境政策工具对企业绿色创新的影响及其路径选择。

其四，采用系统动力学的研究方法，研究了不同类型的市场型环境政策工具的组合作用，具有一定的创新性。系统动力学被广泛应用于经济管理（Sterman，1986）、能源政策（Naill，1992；Ford，2001）、医疗政策（Ghaffarzadegan et al.，2011）等多个领域。例如，系统动力学可以用来研究碳排放对环境的影响，以及如何设计有效的政策来降低这种影响（Fiddaman，2002）。然而，系统动力学研究方法在市场型环境政策领域的应用相对偏少，其应用的广度和深度还不够。鉴于此，本书在构建"市场型环境政策—绿色创新—企业绩效"关系模型的基础上，采用系统动力学的研究方法，寻找促进绿色创新和企业绩效提升的市场型环境政策工具组合，具有一定的创新性。

其五，采用系统性文献综述的研究方法，梳理了国外推进绿色创新的市场型环境政策的经验。系统性文献综述是一种结构化的研究方法，与以往常见的叙事性综述不同，它的研究内容是已经发表的学术成果（Tranfield et al.，2003）；系统性文献综述方法可以通过提供研究人员的研究和决策过程，使得其他研究人员对文献综述进行修订和更新更加方便（Cook et al.，1997）。市场型环境政策与绿色创新领域积累了大量的文献（Cantner et al.，2016；Reichardt and Rogge，2016；Uyarra et al.，2016）。基于 Science Direct、Web of Science 等数据库，本书采用系统性文献综述方法，梳理了国外推进绿色创新的市场型环境政策的经验，总结出市场型环境政策工具该如何更好地发挥推动绿色创新的经验，以期为市场型环境政策的优化提供借鉴。

1.4　研　究　设　计

1.4.1　研究方法

1. 文献研究

为了探究市场型环境政策工具与绿色创新之间的关系，本书采用文献研究法，通过对环保补助、税收优惠、环境税、绿色采购、绿色信贷、绿色创新等变量的国内外相关文献的梳理和分析，归纳和整理各个变量的概念内涵、维度构成、测量方法、影响因素、作用结果及研究中存在的不足。此外，在制度理论、波特假说等理论的基础上，分析市场型环境政策工具与绿色创新之间的内在关系，建立相应的研究模型。

2. 文本分析

由于本书要解决的问题涉及"中国推进绿色创新的市场型环境政策体系"，文本分析方法可以更好地把握相关市场型环境政策工具的构成、强度、方向等。鉴于此，本书系统收集整理了 1982~2020 年中国出台的关于推进企业绿色创新的市场型环境政策，采用文本分析法，从政策工具和创新链的视角对其进行了深入剖析。此外，也通过文本分析法，结合关键词，剖析了主要省区市推进绿色创新的市场型环境政策。

3. 二手数据

为了确保样本数据的可靠性，本书以 31 个省区市、上市公司等作为实证研究对象。首先，根据环保补助、税收优惠、环境税、绿色采购、绿色信贷、绿色创新等变量的文献综述，借鉴以往的测量方法，形成本书的变量的测量方法；其次，分别从《中国环境统计年鉴》《中国统计年鉴》、上市公司年报、政府网站、国泰安数据库等收集样本数据；最后，对样本数据进行筛选，得到有效样本数据，为进一步验证研究模型提供数据支撑。

4. 扎根研究

扎根理论通过自下而上的方式从经验及事实中提取和挖掘出新的概念和范畴，通过不断分析和比较建立范畴间的联系从而形成理论框架（Robrecht，1995）。扎根理论包括开放性编码、主轴性编码、选择性编码及理论饱和度检验四个步骤（Strauss，1987）。本书将《浙江日报》作为样本来源，通过中国知网搜索《浙江日报》发表的与浙江省市场型环境政策及企业的绿色创新、绿色发展相关的文章，采用扎根研究的方法，提炼市场型环境政策、绿色创新与企业绩效之间的关系。

5. 元分析

元分析又被称为 Meta 分析或荟萃分析，最早应用于医学领域，近年来被引入管理学领域（张慧和周小虎，2019）。元分析在管理学领域的主要应用有两种：一是对多项研究之间的差异性结论进行综合评价，检验两个变量之间的关系强度，发现独立研究中无法显现但对变量间关系有影响的情境因素，即发现潜在的调节变量；二是针对某一主题进行定量的文献综述（崔淼等，2019）。在绿色创新的作用结果方面，学者们从多个角度出发，探讨和检验了绿色创新与企业绩效之间的关系，得出了正向、负向、无影响等多种结论（廖中举和黄超，2017）。为了识别和厘清绿色创新的作用结果，本书采用 Meta 分析方法，检验绿色创新与企业财务绩效、环境绩效之间的关系，以及潜在变量的调节作用。

6. 仿真研究

仿真研究被定义为"一种使用计算机软件对现实世界的过程、系统或事件的运行进行建模的方法"（Davis et al.，2007）；该方法允许学者在受控实验中隔离和改变计算模型的关键参数，同时产生大量用于统计分析的数值数据（Beese et al.，2019；Dong，2019）。市场型环境政策体系、绿色创新与企业绩效由众多单元共同构成，通过建立"市场型环境政策—绿色创新—绩效"系统的一般模型，对系统进行仿真模拟，为市场型环境政策体系的优化和选择提供支撑。

7. 定量数据分析

在获取有效样本数据的基础上，需要对样本数据进行进一步的分析，以检验本书的研究假设。根据市场型环境政策工具、绿色创新与企业绩效之间的关系，建立相应的回归模型。运用 Eviews7.0、fsQCA、Vinsim 等软件，对样本数据进行描述性统计、相关分析和多元线性回归分析，以及检验市场型环境政策工具对绿色创新的作用机制，生态创新对企业绩效的作用机制，以及行业环境、文化环境等的调节作用。

1.4.2 研究结构安排

本书围绕"市场型环境政策体系与绿色创新"这一研究主题，主要分 10 章展开研究，主要内容如下。

第 1 章，绪论。本章基于市场型环境政策工具与绿色创新的现实背景及理论背景，提出研究问题，并阐述研究目的，以及本书的理论意义和实践意义；指出本书的创新点；最后，针对研究设计，分别从研究方法、研究结构安排和研究技术路线三方面进行阐述。

第 2 章，文献回顾。本章主要对环保补助、税收优惠、环境税、绿色采购、绿色信贷、绿色创新等变量的国内外相关文献进行梳理，并从变量的概念内涵、维度和测量、影响机制和作用结果等方面进行述评，为本书奠定理论基础，为后续研究做好铺垫。

第 3 章，中国区域企业绿色创新水平测度。本章选取绿色、循环、节能、减排、低碳、清洁、再利用、可持续等 17 类关键词作为绿色专利检索的依据，分别对 2011~2020 年我国及 31 个省区市的专利进行检索。在数据获取后，除了对数量进行评价以外，本章还采用引用非专利文献数、被引用次数、权项数、说明书的页数、布局国家数和转移转化六个指标对绿色创新的质量进行评价。

第 4 章，中国推进绿色创新的市场型环境政策文本研究。本章在梳理市场型环境政策的内容和绿色创新链的基础上，构建"市场型环境政策—绿色创新"二维框架，采用文本分析方法，运用 Nvivo 和 SPSS 软件，对我国推进绿色创新的市场型环境政策进行系统分析。此外，选择主要的省区市作为研究对象，对其推进绿色创新的政策进行质性分析。

第 5 章，市场型环境政策工具与绿色创新：创新链的视角。按照创新链的视角，本章将绿色创新划分为绿色技术引进、绿色技术创新和绿色技术转化，检验环保补助、税收优惠、环境税、绿色采购和绿色信贷五类市场型环境政策工具对绿色创新三个阶段的影响作用。此外，本章还检验了不同类别的市场型环境政策工具对绿色创新三个阶段的交互影响作用，以及不同区域之间的差异。

第 6 章，市场型环境政策工具组合与绿色创新：基于模糊集定性比较分析。本章从政策工具组合的视角，分析企业绿色创新的驱动因素。选取重污染行业 2012~2017 年 A 股上市的 209 家公司为样本，采用模糊集定性比较分析方法，检验环保补助、税收优惠、环境税、绿色采购和绿色信贷五类市场型环境政策工具对企业绿色创新的影响作用。同时，选择 30 个省区市作为研究样本，检验环保补助、税收优惠、环境税、绿色采购和绿色信贷五类市场型环境政策工具对绿色技术引进、绿色技术创新和绿色技术转化的影响作用。

第 7 章，绿色创新与企业绩效：元分析。本章主要运用元分析的方法，检验绿色创新与企业绩效之间的关系，以及潜在变量的调节作用。选择 33 篇实证研究文献作为研究样本，借助元分析软件 CMA2.0，分析绿色创新与企业经济绩效、环境绩效之间的关系，并检验国家经济发展水平、文化背景、行业多样性和数据类型 4 类变量的调节作用。

第 8 章，市场型环境政策工具、绿色创新与企业绩效：政策仿真及优化路径。本章利用系统动力学，通过 Vensim 软件仿真模拟市场型环境政策工具对企业绿色创新和企业绩效的影响，为市场型环境政策的优化提供依据。为了确保仿真结果的稳健性，并进一步检验每类政策工具对绿色创新的影响，本章通过调整模型中环保补助、税收优惠、环境税、绿色采购和绿色信贷的值进行灵敏度分析，对模型的输出结果进行比较。

第 9 章，基于国内外典型经验视角的推进绿色创新的市场型环境政策研究。为了挖掘国内外推进绿色创新的市场型环境政策体系的经验，本章采用系统性文献综述的方法，选择 132 篇核心文献作为研究样本，对文献中涉及的国外市场型环境政策工具的类型、政策工具的严厉性、政策工具的组合等进行剖析。同时，以浙江省为研究对象，选择《浙江日报》113 篇报道作为研究样本，采用扎根理论的研究方法，构建市场型环境政策、绿色创新与企业绩效之间的整体作用框架，梳理出浙江省的政策经验。

第 10 章，完善推进绿色创新的市场型环境政策体系的对策建议。第 3 章至第 9 章分别测量了企业绿色创新的水平、梳理了我国及主要省区市的推进绿色创新的市场型环境政策、评估了不同的市场型环境政策工具及其组合对绿色创新的影响作用、归纳了绿色创新与企业绩效之间的关系、基于仿真研究寻找了促进绿色创新的市场型环境政策工具的优化路径，提炼了国内外推进绿色创新的市场型环境政策的典型经验，本章基于前面的研究，提出完善我国推进绿色创新的市场型环境政策体系的对策建议。

1.5　本 章 小 结

本章首先阐述了市场型环境政策和绿色创新所面临的现实问题，以及背后折射的理论、研究现状与进展，针对此提出了主要研究问题；其次，进一步表明了本书的目的与意义；再次，在研究的创新点方面，也进行了详细的论述；最后，提出了研究设计，主要包括所涉及的研究方法、结构安排和技术路线。

（本章执笔人：廖中举，周严严）

第2章 文献回顾

为了厘清以往研究取得的进展和存在的不足，同时为后续研究的开展提供理论支撑，本章对五类市场型环境政策工具和绿色创新进行文献回顾与梳理。

2.1 环保补助的研究进展与述评

全球变暖、空气污染、水污染、废物填埋等正在加剧环境恶化和退化，这促使政府采取一系列的环保行动（Bian and Zhao，2020）。政府环保补助作为一种解决环境污染及其外部性的措施，被越来越多的国家采用（Endres et al.，2015；Heres et al.，2017）；它也是环境政策制定中应用频率较高的政策工具（Arguedas and van Soest，2009）。因此，环保补助的形式、补助力度、绩效等方面的问题成了研究者关注的焦点。

以往研究在取得进展的同时，也得出了大量差异化的结论。例如，Li 等（2018）、扶乐婷（2018）发现环保补助有利于绿色技术的研发，但是 Bai 等（2018）、范莉莉和褚媛媛（2019）得出了相反的结论。鉴于此，为了系统厘清以往的研究成果，本节首先对环保补助的概念内涵、构成和测量作进一步的梳理，其次，通过系统回顾相关研究文献，厘清环保补助的作用机制，尤其是探讨以往关于环保补助的有效性产生分歧的原因。

2.1.1 环保补助的内涵和构成

1. 环保补助的内涵

补助是一个宽广的概念，涉及价格和收入支持、政府提供的基础设施等（Steenblik，2003）。它是由政府为个人或企业带来利益的政策，通过增加他们的收入或降低其成本，从而影响生产、消费、贸易、收入或环境（Schmid et al.，

2007；Xiang and Kuang，2020）。

环保补助是一种经济激励措施，有助于政府管理环境，包括水、空气质量等，它是一种政府财政环保活动的形式；环保补助并不是向污染者收费，而是奖励他们减少排放（Teichmann et al.，2020）。在 OECD（Organization for Economic Co-operation and Development，经济合作与发展组织）国家中，存在几十种不同的补贴制度，涉及不同的形式，如补助和收费制度、拨款、贷款、税收补助等，但都是为了减少废物、废气、废水和噪声污染（Tietenberg，1990；Jenkins and Lamech，1992；Fredriksson，1997）。

尽管以往学者对环保补助的表述不尽相同，界定视角也存在差异，但都突出了环保补助的两个共性。其一，与环保税相反，环保补助是政府为消费者和生产者提供的一种补助行为，是一种奖励型措施，旨在增加收入或者降低成本；其二，环保补助是政府有效调控市场的经济型手段，目的是减少废水、废气等污染物的排放（Liu et al.，2019a；Teichmann et al.，2020）。

2. 环保补助的划分

按照补助的时间和研发的相关性，以往的研究将环保补助划分为事前补助和事后补助（Hud and Hussinger，2015；Yu et al.，2020）、环境 R&D 补助和非环境 R&D 补助（Chen et al.，2018；Huang et al.，2019；Golombek et al.，2020）等形式。

（1）事前补助和事后补助。根据政府补助和企业研发的时间序列，可将政府环保补助划分为事前补助和事后补助（Hud and Hussinger，2015；Yu et al.，2020）。政府事前补助是指在相应项目完成之前向企业提供的公共补助，而政府事后补助是指拨给企业以奖励其完成特定项目的公共资金（Yu et al.，2020）。政府事前补助有明确的目标，它具体规定了补助的去向和资金的使用方式，补助的金额不受研发成果的影响（Du and Mickiewicz，2016；Peng and Liu，2018）。政府事后补助一般包括减税和后期清算补助，减税可以间接帮助企业减少研发支出（Janssens and Zaccour，2014），后期清算补助可以提高行业准入门槛，避免过度依赖补助政策和寻租行为（Zhang X and Zhang C，2015）。此外，采取事后补助，可以最大限度地使企业 R&D 的规模和方法不受政府干预的影响，保证在市场化机制运作条件下研发的独立性（Antonelli and Crespi，2013）。

（2）环境 R&D 补助和非环境 R&D 补助。基于环境 R&D 活动的相关性，可以将政府环保补助划分为环境 R&D 补助和非环境 R&D 补助（Chen et al.，2018；Huang et al.，2019；Golombek et al.，2020）。环境 R&D 补助是指政府为促进环境研发活动的数量和效率而提供的补助，主要用于解决环境 R&D 的高风险性、回报不确定性、知识外溢性等所导致的市场失灵问题（Kleer，2010；

Paraskevopoulou，2012；Golombek et al.，2020），涉及环保专项资金、环保成果的奖励等（范莉莉和褚媛媛，2019）。非 R&D 补助是指旨在促进非环境 R&D 活动，以帮助其发展组织和市场能力以促进增长或创新的政府补助（Chen et al.，2018；Liu et al.，2020）。非环境 R&D 补助侧重于非研发活动，这些活动有助于形成一个具有良好连接的自组织创新体系，该创新体系不仅刺激研发投资，还刺激对技能、生产能力和市场的其他补充性投资，共同支撑创新活动，即解决创新的系统失灵问题（Metcalfe，2005；Paraskevopoulou，2012）。

2.1.2　环保补助的测量

回顾以往的研究，多数学者采用直接测量的方式，以二手数据的方法，基于企业获得政府实际补助的金额来测量政府环保补助。

基于上市公司年报，范莉莉和褚媛媛（2019）利用节能减排、环保、循环回收等作为关键词，采用与关键词相关的补助的总额测量环保补助；崔广慧和刘常青（2017）还将税收返还、财政贴息等纳入测量范围之内。基于统计年鉴的数据，张彦博和李琪（2013）、卢现祥和许晶（2012）等采用国家预算内资金与环保专项资金之和、排污费补助和政府其他补助之和分别测量了 2006 年前后的政府环保补助。

除此之外，部分学者还采用了其他的测量指标和方法。例如，万伦来等（2016）采用各省区市环保补助占工业增加值的比重衡量环保补助；李楠和于金（2016）采用虚拟变量 1 和 0 的方式测量环保补助。

2.1.3　环保补助的作用机制

环保补助旨在减少废水、废气等污染物的排放（Liu et al.，2019a；Teichmann et al.，2020），而绿色创新是实现节能减排的重要方式，因此，以往学者主要检验了环保补助与绿色创新之间的关系及其内在机制。

1. 环保补助对企业绿色创新的影响作用

政府补助作为一种目的明确的政策工具，旨在帮助企业进行有益于社会的私人研发活动（Choi and Lee，2017）。环保补助与绿色创新的关系一直是学者关注的焦点，但仍未得到一致的结论。Li 等（2018）、扶乐婷（2018）等认为环保补助可以刺激企业的绿色研发投入，产生溢出效应，但是 Bai 等（2018）、范莉莉和褚媛媛（2019）等却认为环保补助会挤出私人研发投入，从而对绿色创新产生负面影响，也有学者认为两者之间呈"U"形关系（封红旗等，2019）。

（1）环保补助对绿色研发投入的溢出效应。环保补助降低了企业的绿色研发成本，企业可以扩大研发活动的规模，从而使总研发投资水平提高，这称为互补、刺激或溢出效应（任海云和聂景春，2018；David et al.，2000）。绿色创新具有较高的风险和不确定性，也具有正的外部环境性，企业无法获取绿色创新带来的全部收益，这削弱了企业绿色研发投入的积极性（Yi et al.，2020）。由于环保补助能够为企业提供资金支持，弥补研发外部性所导致的损失，因此，它有助于促进企业的绿色创新。此外，环保补助可以向外部投资者传递出企业关于绿色研发的信号，降低企业与投资者之间的信息不对称（王薇和艾华，2018），从而引导外部投资者对企业的投资，缓解企业绿色研发资金短缺的问题。例如，Li 等（2018）、扶乐婷（2018）等的研究表明，政府环保补助有助于企业增加环境研发投入，提高企业的环境绩效；Dong 等（2019）通过模拟分析发现，在模拟期间的最初 15年中，非清洁的研发补助可以更好地改善环境质量，但是从长期来看，清洁的研发补助则被证明更有效地改善了环境质量；石光等（2016）也证实脱硫补助政策有助于 SO_2 减排。

（2）环保补助对绿色研发投入的挤出效应。当政府提供的补助过多时，企业可能会减少在研发上的投入，使政府补助替代企业研发投资，企业也倾向于将私人资本用于风险较低的活动中，因此，政府补助会挤出或者替代企业的私人研发投入，这一负向关系被称为替代、取代或挤出效应（任海云和聂景春，2018；Zhao et al.，2018）。其中，Bai 等（2018）采用 Tobit 回归模型，检验了环保补助对火电企业绿色效率的影响，结果发现，2010~2013 年，环保补助对绿色效率及其分解具有负向影响作用；范莉莉和褚媛媛（2019）也得出了环保补助并不有利于企业绿色创新的结论。

（3）环保补助对绿色研发投入的混合效应。由于研发的外部性，若政府的补助表现为对企业研发投入的一种替代，那么就减弱了私人投资；若表现为对企业研发投入的一种补充，那么就增加了企业的研发支出（Lee and Cin，2010），因此，政府补助对企业研发投入会同时存在溢出效应和挤出效应（王薇和艾华，2018）。政府补助同时表现出溢出效应和挤出效应，两种效应并不矛盾，在实证研究中观察到的效果是净效应，取决于这两种效应之和（Zhao et al.，2018）。例如，封红旗等（2019）的研究表明，政府补助激励政策与企业的绿色采购供应链之间呈倒"U"形关系。

2. 环保补助对企业绿色创新影响的内在机制

针对环保补助与企业绿色创新之间存在的溢出效应、挤出效应和混合效应，游达明和邓颖蕾（2019）、孔繁彬和原毅军（2019）、尚洪涛和宋雅希（2020）等从地区发展水平、行业特征、政策组合及企业内部特征等方面，剖析了环保补助政策的作用效果存在差异的原因。

（1）地区发展水平。不同省区市在经济发展水平、对绿色活动重视程度等方面存在差异，使得环保补助对绿色创新的影响在不同省区市呈现出不同（张彦博和李琪，2013；游达明和邓颖蕾，2019）。例如，游达明和邓颖蕾（2019）认为中西部地区企业的治污设备与生产工艺相对落后，导致环保补助对中西部企业的清洁技术创新产生了负向影响作用；张彦博和李琪（2013）研究表明，在北京、上海、浙江等省市，政府补助对环境质量的改进效率要高于贵州、青海等省。

（2）行业特征。行业的类别在一定程度上决定了对能源的消耗和污染的排放，因此，也会影响政府不同环保补助模式的实际效果。例如，张果（2014）以石油加工、化学原料加工等六类行业为例，检验了环保补助对低碳技术投入前期和后期的影响，结果发现，环保补助仅对企业低碳技术投入前期具有影响作用；陈帅和张会亚（2019）以钢铁行业的上市公司为例，检验了不同补助模式与钢铁企业的技术创新水平，研究结果表明，节能减排补助政策能够显著促进钢铁行业技术进步，而低碳补助模式并未产生明显的影响效应。

（3）政策组合。由于环境政策包含多种政策工具，因此，环保补助对绿色创新的影响过程中，会与其他政策工具产生协同或对冲效应。例如，蔡栋梁等（2019）通过构建动态随机一般均衡模型，仿真研究发现，单一的碳排放补助政策有利于经济增长但不利于环境质量改善，单一的碳税政策有利于环境质量改善但不利于经济增长，但这两种政策组合时，则可以在保持环境质量不变的条件下，实现经济的增长；孔繁彬和原毅军（2019）通过建立双寡头同时博弈模型进行研究，结果发现，环境税和环保补助的组合能够实现污染预防技术和污染处理技术的协同进步，进而有效增进社会福利。

（4）企业内部特征。由于国有企业易于获得政府补助，缺乏技术创新的动力，在一定程度上削弱了政府补助的效果（曹阳和易其其，2018；尚洪涛和宋雅希，2020），因此，企业的所有权性质会影响政府补助的作用效果（任海云和聂景春，2018）。例如，尚洪涛和宋雅希（2020）选取中国新能源行业122家上市公司为研究样本，实证分析发现，政府补助促进了企业研发投入，但非国企比国企显著，政府补助显著抑制了国企环境绩效，但有效促进了非国企的环境绩效。此外，企业的规模、高管激励等也会影响环保补助的实施效果。例如，王旭和王非（2019）的研究表明，薪酬激励的创新补偿效应能够提升财税补助政策对企业绿色创新的平滑效果，在薪酬激励强度适中的条件下，财税补助能够实现对绿色创新的最优驱动作用；田红娜和刘思琦（2019）通过对中国医药制造业上市公司的实证分析发现，政府补助对医药制造企业绿色研发投入具有显著的激励作用，但政府补助对不同规模和所有制结构企业的资助效果存在差异。

2.1.4　环保补助的研究小结

本节通过对环保补助的概念内涵、维度构成与测量，环保补助的作用结果及其内在机制等多方面文献的梳理和整合，主要得出以下结论。

（1）对于环保补助的概念内涵、构成和测量，以往学者进行的研究取得了丰硕的成果。

Liu 等（2019a）、Teichmann 等（2020）等从多个视角对环保补助进行了研究界定；Hud 和 Hussinger（2015）、Huang 等（2019）、Golombek 等（2020）等将环保补助划分为事前补助和事后补助、环境 R&D 补助和非环境 R&D 补助；范莉莉和褚媛媛（2019）、卢现祥和许晶（2012）等采用多种方法对环保补助进行了测量。但是，关于环保补助的维度划分的研究相对偏少，测量方法的差异也使得研究结论缺乏比较性，因此，未来的研究在丰富环保补助维度划分的同时，需要采用更加客观的方法对其进行测量。

（2）以往关于环保补助影响因素的研究偏少，侧重于检验环保补助与绿色创新之间的关系，并得出了三种结论。

其中，Li 等（2018）、扶乐婷（2018）、Dong 等（2019）等发现环保补助对企业的绿色研发投入存在溢出效应，而 Bai 等（2018）、范莉莉和褚媛媛（2019）等却发现环保补助对企业的绿色创新具有挤出效应，此外，封红旗等（2019）发现两者之间存在倒"U"形关系。因此，未来研究在进一步检验环保补助作用结果的同时，需要丰富影响环保补助水平的因素研究，以弥补不足。

（3）环保补助的作用效果受到区域、行业、政策组合、企业内部特征等多种因素的影响。

以往研究从地区发展水平、行业特征、政策组合及企业产权性质、规模、高管激励等方面，剖析了环保补助政策作用效果存在差异的原因（孔繁彬和原毅军，2019；游达明和邓颖蕾，2019；尚洪涛和宋雅希，2020）。在剖析环保补助与企业绿色创新之间的内在机理时，以往的研究主要是从调节变量的角度展开的，但选取的调节变量相对偏少，未将行业的动态性、消费者的环保态度等潜在变量纳入研究模型中，相关的中介变量更加少。因此，未来研究在扩大调节变量选取范围的同时，也应从中介变量的视角，打开环保补助与企业绿色创新之间的黑箱。

2.2　税收优惠的研究进展与述评

由于税收优惠具有高透明性和非歧视性（Hall，2002），能够更好地发挥政府资源配置的作用和给予企业更多的自主选择，它被世界各国广泛采用以促进创新活动（David et al.，2000）。然而，以往对税收优惠的研究却得出了不同的结论（黄永明和何伟，2006）。例如，在税收优惠的绩效方面，Kasahara 等（2014）指出税收优惠会促进中小企业增加研发投入，也会对企业的创新绩效产生激励作用；但是，Blanes 和 Busom（2004）、Thomson（2010）等却认为税收优惠对企业创新的激励效果不显著，甚至在一定程度上呈现负面作用；此外，在税收优惠对企业创新绩效的研究中，也有学者发现两者之间存在门槛效应（徐伟民和李志军，2011；方文雷和何赛，2016）。

　　鉴于此，为了厘清以往研究的成果，本节对税收优惠的概念内涵、分类和测量作了进一步梳理，同时，剖析了税收优惠的影响因素和作用结果的内在机理。本节不仅为后续研究做了铺垫，也为政府有效实施税收优惠政策提供了借鉴。

2.2.1　税收优惠的内涵和分类

　　税收优惠作为政府激励企业创新的重要政策工具之一（Jia and Ma，2017），它的本质是政府对企业的利益让渡，将本应该上缴的部分资金留给企业（Goolsbee，1998），旨在引导企业加大研发投资和解决市场信息不对称的问题（Álvarez-Martínez et al.，2021）。税收优惠对决策者最重要的吸引力在于避免了在部门、区域、行业或企业之间分配研发资助的武断决定（Czarnitzki et al.，2011）。

　　在创新型国家，税收优惠通常包括 R&D 税收抵免和 R&D 支出税收减免；在我国，税收优惠主要体现为对研发支出的超长扣除和对高新技术企业的优惠税率（Jia and Ma，2017）。此外，税收优惠也可以进一步划分为税基式、分配式、税率式和税额式优惠（储德银等，2017）。

2.2.2　税收优惠的测量

　　目前，国际上广泛采用 B 指数（Warda，1994）、研发税收抵扣的边际效率和研发使用成本法（Bloom et al.，2002）对税收优惠进行测量。其中，B 指数反映的是每单位研发支出的实际税后成本，B 指数和税收政策的优惠力度成反比（Warda，1994）。

　　在我国，税收优惠的形式众多，相关的数据较难获取，因此一般采用企业名义所得税率和实际所得税率之差来衡量税收优惠（程曦和蔡秀云，2017；杨旭东，2018）；还借助二手数据来测量税收优惠，数据主要来源于公司年报和统计年鉴。例如，冯海红等（2015）采用"研究开发费用加计扣除减免税"与"高新技术企业减免税"之和来测量政府税收优惠力度；郑春美和李佩（2015）、陈红等（2019）等采用"（企业所得税名义税率−实际税率）×利润总额"来测量税收优惠；张明斗（2020）、闫华红等（2019）等采用"所得税费用/企业所得税税率×（25%−企业所得税税率）"来测量政府给予的税收优惠额。

受限于数据的可获得性，以往研究在税收优惠的测量上并没有形成统一的标准。为了简化测量方法和降低数据可获得性的影响，朱平芳和徐伟民（2003）、Mukherjee 等（2017）等使用虚拟变量 1 和 0 的方式，对税收优惠进行了测量。

2.2.3　税收优惠的影响因素

回顾相关文献可以发现，以往研究主要将税收优惠作为自变量，而对于影响税收优惠的因素的研究偏少，仅涉及实施主体和企业内部因素两方面。

1. 实施主体的影响

税收优惠是政府针对市场失灵而采取的干预措施，因而会受到实施主体或者实施主体政策环境的影响，即不同国家或地区制定的税收优惠措施存在差异（Czarnitzki et al.，2011）。为激励企业研发投入，多数国家都实行了税收激励措施，但在税收优惠的设计方式上存在着差异。其中，一些国家提供的增量计划只针对增加研发费用，而另一些国家则提供基于数量的激励措施，少数国家则两者兼而有之（Cappelen et al.，2012）。

例如，自 2007 年起，比利时企业可以在研发投资（有形和无形固定资产、专利）的税收减免或税收抵免之间做出选择（Dumont，2017）；在美国，研发税收抵免允许对超过计算基数的增量合格的研发支出提供最高 20% 的抵免，而加拿大则提供固定比率的税收抵免率（Chiang et al.，2012）。因此，实施主体的差异性会影响到税收优惠政策。

2. 企业内部因素的影响

由于财政资金的有限性，受企业自身规模、行业类别、创新水平等因素的影响，企业获得的税收优惠的额度会存在差异。在税收优惠政策对企业创新影响的相关研究中也发现了"门槛"效应的存在，其中，越是规模大、技术水平高、经营状况好的企业，往往越能够获得更多的税收优惠，而自身创新能力偏弱的企业，难以得到政府的财税支持（白俊红和李瑞茜，2013；崴瑞鹏等，2016）。

例如，崴瑞鹏等（2016）选择中关村高新技术企业作为研究对象，采用倾向得分匹配法，结果发现，规模越小、成立时间越短的企业越易获得税收优惠扶持；郭佩霞（2011）也发现税收优惠政策更青睐于经营状况良好的成熟企业，而对盈利较低甚至亏损的创业初期的企业意义不大。由于税收优惠是一种事后补助，企业自身的生产经营状况也会影响企业获得的优惠金额（Bloom et al.，2002；Goto et al.，2002；Lokshin and Mohnen，2008）。

2.2.4　税收优惠的作用机制

企业创新活动产生的新技术和产品具有公共品属性，这使得其他使用者能够以较小的成本来使用这些成果，即所谓的"搭便车"（Romer，1986）。此外，企业研发创新活动的不完全独占性和风险性导致企业的研发创新活动收益率比社会平均水平低，最终导致市场失灵（Guellec and van Pottel sberghe de la Potterie，1997），并且在企业创新研发的初期阶段存在信息不对称、资本密集等问题（Tassey，2003），使得管理者更青睐于确定性较高的项目而非研发创新活动（Hall，2002）。因此，政府应当对企业的研发创新活动进行一定的干预，而税收优惠政策是相对比较中立的措施，可以更好地减少市场失灵现象。

1. 税收优惠对企业研发投入的影响作用

（1）税收优惠与企业研发投入之间的直接关系研究。在世界范围内，税收优惠被用来鼓励企业研发，尤其是对发展中国家而言，其在努力追赶全球技术前沿的过程中越来越依赖税收优惠措施（Jia and Ma，2017）。然而，关于税收优惠政策对企业的研发投入是否具有激励作用，以往的研究并未给出确切的答案（Felix and Jr Hines，2013；Alexander and Organ，2015；Hanlon et al.，2015）。

其一，税收优惠对研发投入的溢出效应。税收优惠降低了企业承担的税收成本，也弥补了企业的生产投入，因此能够推动企业增加研发投入，这被称为刺激或溢出效应（McKenzie，2008；Czarnitzki et al.，2011；Kasahara et al.，2014）。企业研发活动的高风险性和不确定性使得企业的边际私人成本大于边际社会收益，削弱了企业研发投入的积极性（David et al.，2000；Cappelen et al.，2012）。由于税收优惠能够增加企业现金流，体现政府和企业在研发活动中风险共担的原则，因此，它有助于促进企业的研发投入。此外，税收优惠能向外部利益相关者传递出利好的信号，从而解决企业融资难和融资成本高的问题，最终推动企业进行研发投入（Lee and Cin，2010；Bacon et al.，2012）。

例如，Bernstein（1986）以加拿大的企业作为研究样本，采用生产结构分析法进行研究，结果发现，每增加 1 美元的税收支出就会产生大于 1 美元的研发投入；Schimke 和 Brenner（2014）对 1 000 多家工业企业的数据进行分析发现，研发投入是企业有效的资源之一，税收优惠政策能够促进企业提高研发费用；

邵学峰和王爽（2012）研究证实，税收优惠会改变管理者对投资项目的风险偏好，对研发投入产生激励效果；Hellgren 和 Serrano（2019）研究表明，税收优惠通过减少一定比例的税收负担，提高了企业研发的预期收益，有利于促进长期的研发投资。

其二，税收优惠对企业研发投入的效果不明显。企业的研发投入是一个非常复杂的过程，受到多种因素的影响。一些学者也认为税收优惠政策成本较高，难以实现预期的激励效果（Estache and Gaspar，1995；Blanes and Busom，2004），甚至会抑制企业的研发投入（Thomson，2010）。例如，Thomson（2010）通过分析澳大利亚企业的数据发现，税收优惠政策对企业的研发投入没有产生激励作用，王春元（2016）也发现税收优惠政策对企业的研发投入并未产生预期的激励效果，尤其是国家重点扶持和小微高新技术型企业。此外，洪连埔等（2019）进一步研究表明，虽然税收激励与研发投入之间正相关，但其正向效应逐渐减弱，最终变为负值，表现为倒"U"形关系；同样，李香菊和贺娜（2019）也认为，税收激励对企业研发投入的长期促进作用具有不稳定性。

（2）税收优惠与企业研发投入之间的调节变量。税收优惠和企业研发投入之间不是简单的线性关系，税收优惠政策的效果在企业规模、企业内部资源、企业生命周期等方面存在差异性。

其一，企业规模。规模大小决定了企业应对外部环境变化的能力、资金运转能力，以及是否更容易获得外部资金和支持等。因此，当获得税收优惠时，对处于不同规模条件下的企业的影响程度也会存在差异，即企业的规模会影响税收优惠的实施效果，这主要是知识溢出效应的差异性导致的（Montmartin and Herrera，2015）。规模较大的企业有着更加完善的投资体系，管理更严格，能够更好地承担创新研发带来的风险，因此对税收优惠反应更快，更有可能通过税收抵免来扣减更多的税收负债（Chen and Gupta，2017）。但是，对规模较小的企业而言，其承担研发失败的能力较弱，在资源方面面临更多的挑战，因此无法与拥有更多资金的大企业进行有效竞争（Wallsten，2000；Baghana and Mohnen，2009）。王旭和何玉（2017）的研究也证实，税收优惠使得企业的融资约束得到较大程度的缓和，对研发投入有正向促进作用，特别是对规模较大的企业而言。

然而，也有一些学者认为大型企业的知识溢出效应超过了小型企业，税收优惠措施的成效在大型企业中体现不足。其中，规模较大的企业在创新活动过程中进行调整的成本比较大，而小企业更灵活，面对相同的税收优惠，小企业比大企业更有可能开展更具创新性和激进性的研发活动（Bertamino et al.，2016），因此，税收优惠政策在小企业的实施效果更好（Koberg et al.，2003；Anwar et al.，2017）。

其二，企业内部资源。企业在税收优惠下进行的研发活动取决于企业内部的资源禀赋（洪连埔等，2019）。当企业存在过多和可自由运用的资源时，它就能够更好地应对外部压力和环境变化，更有能力承担风险，促进积极主动的战略举措的实施，并免受环境动荡的干扰，也允许企业尝试有风险但前景光明的项目（Blanes and Busom，2004）。因此，企业的内部资源决定了企业利用税收优惠的效果。

其三，企业生命周期。生命周期反映了企业在各个阶段的经营、资金运转、资本支出等情况，它会影响税收优惠的实施效果（McKenzie，2008）。在早期成长阶段，税收抵免只会对企业的业绩产生边际影响；在经济增长和营利能力提高的情况下，企业申请和获得研发税收抵免的动机很小，也不会显著增加对研发的投入；当企业处于停滞阶段时，任何税收优惠都会产生最大的影响（Lee and Cin，2010）。Chiang 等（2012）也证实了此观点，提出在停滞阶段时，税收优惠对企业研发投入的影响达到最大，在成长期时，税收优惠对企业研发投入的影响最小。

其四，其他因素。除了企业规模、内部资源和生命周期以外，冯海红等（2015）、李昊洋等（2017）、潘孝珍和燕洪国（2018）等也研究了市场化程度、政府审计、法律环境等因素的调节作用。例如，冯海红等（2015）研究表明，较高的行业技术特征与知识储备有利于税收优惠政策对企业研发投资的引导；潘孝珍和燕洪国（2018）研究显示，政府审计对于税收优惠政策实施效果具有调节效应，这种调节效应还受到地区制度环境的影响；芮超超等（2018）研究表明，税收优惠政策对创新的影响受到环境不确定性的正向调节。

2. 税收优惠对企业创新绩效的影响作用

企业进行一系列的创新活动，都是紧紧围绕着提升其核心竞争力和创造最大经济效益的目的（程曦和蔡秀云，2017）。由于研究角度的差异，目前关于税收优惠对创新绩效的影响效果尚未形成统一的结论（Fabiani and Sbragia，2014；Alexander and Organ，2015）。

（1）税收优惠与企业绩效之间的直接关系。其一，税收优惠对创新绩效有促进作用。税收优惠增加了企业的自由现金流，能够显著提高企业的营业收入和总资产利润率（Dörschner and Musshoff，2015），能够降低创新成本和创新风险，加快研发成果转化从而提升企业创新绩效（O'Malley et al.，2008）。无论采用专利申请总量、科技成果奖励数还是新产品产值来衡量企业研发产出，最终税收优惠政策都能促进企业创新绩效的提高（张信东等，2014）。其中，Cappelen 等（2012）通过分析挪威政府在 2002 年推出的税收优惠政策，发现其激发了上市公司开发新产品的积极性；陈远燕等（2018）借助专利数据分析了税收优惠政策的实施效果，发现税收优惠对企业专利产出具有正向的影响。其二，税收优惠对创新绩效的促进作用不明显。税收激励对企业的创新绩效存在一定的时间差异，研发投入转化为创新产出的周期较长，对创新产出的效果有滞后性，在短期内并不能提升企业的创新绩效（吴松彬等，2018）。例如，袁建国等（2016）研究发现，税收优惠强度 B 指数对创新绩效没有明显的促进作用；胡凯和吴清（2018）研究表明，税收优惠政策对专利申请总数及不同类别专利申请数均没有显著的促进作用。此外，部分学者认为税收优惠与企业创新绩效之间呈现倒"U"形关系，税收优惠会导致企业过于关注研发，而达到既定门槛后，最终不利于企业创新绩效的提高（Thomson，2010）。

（2）税收优惠对企业创新绩效影响的内在机制。其一，"税收优惠-创新绩效"之间的中介变量。税收优惠可以促进企业增加研发投入，还可以提高企业的创新绩效水平，研发投入在两者之间起到中介作用（Czarnitzki et al.，2011；Kasahara et al.，2014）。Hanlon 等（2015）通过专利申请数来分析税收优惠对企业创新绩效的影响机理，发现税收优惠可以通过研发投入间接地提升企业创新绩效。同样，朱平芳和徐伟民（2003）研究发现，税收优惠政策对企业创新绩效具有促进作用，并且研发投入在两者之间起到了中介作用。其二，"税收优惠-创新绩效"之间的调节变量。由于税收优惠与企业创新绩效之间存在不确定关系，部分学者引入企业规模、制度环境、企业生命周期等调节变量对两者的关系加以探索。例如，胡凯和吴清（2018）研究发现，税收优惠政策只有在知识产权保护制度更加完善的时候，才能有效提升企业的创新绩效；Guan 和 Yam（2015）研究表明，税收优惠政策对科技型企业的创新绩效的激励效果更加显著。此外，基于金融松弛和人力资源松弛的视角，洪连埔等（2019）研究了税收优惠对企业创新绩效的影响，得出金融松弛正向调节税收优惠与创新绩效间的关系，人力资源松弛负向调节税收优惠与创新绩效间的关系。

2.2.5 税收优惠的研究小结

税收优惠是政府引入的一种税收激励机制，通过对创新相关投资的资本使用，来刺激私营部门对创新的投资（Dechezleprêtre et al.，2016）。税收优惠是各国非常关注的热点，经过多年的发展，已经取得了大量有价值的研究成果。通过对税收优惠的概念内涵、测量方法、前因与结果的相关研究进行系统的归纳和整理，本节得到了以下结论。

第一，尽管大多学者都对税收优惠的属性、作用、表现形式等做了详细阐述，但对于其概念内涵还缺乏统一的界定；并且关于税收优惠的维度划分的研究偏少。税收优惠的测量方法仍在发展阶段，西方较多研究采用 Warda（1994）设计的 B 指数，但我国 B 指数获取难度大，这导致测量方法存在差异，使得研究的结论缺乏比较性（Chiang et al.，2012）。第二，关于税收优惠的影响因素方面，以往研究偏少，主要集中于实施主体和企业自身特性两个方面。多数学者将其作为自变量，研究其对其他变量的直接或间接影响，未将一些可能的潜在影响因素纳入研究范围。第三，在税收优惠的作用结果方面，以往学者得出的研究结论并不一致，如税收优惠与企业创新之间存在正向、负向和不确定的关系。尽管大量学者选择企业规模、内部资源、生命周期、外部环境等作为调节变量（王旭和何玉，2017；潘孝珍和燕洪国，2018；洪连埔等，2019），但研究变量的选取范围仍有限。

虽然有关税收优惠对企业创新影响的研究已经取得了丰富的成果，但仍有很大的研究空间。第一，深入探究税收优惠的概念内涵，完善税收优惠的测量方法。受限于数据的可获得性，在税收优惠的测量上并没有形成统一的标准。源于西方经济环境的税收优惠测量方法未必适用于我国，因此，未来的研究应该深入分析在我国经济环境下的税收优惠政策的本质，开发出精确的测量工具，减少测量误差，为后续的实证分析提供帮助。第二，丰富税收优惠的驱动因素研究，挖掘税收优惠的作用机制。以往的研究从市场失灵和创新理论的视角分析了税收优惠的理论基础（Hall，2002；Tassey，2003）；但是，系统性分析税收优惠驱动因素的研究偏少。未来的研究可以考虑创新的需求、市场需求、风险的规避性、市场的不完全竞争等因素对税收优惠的驱动。尽管国内外关于税收优惠的作用结果的研究已经非常丰富，但是在中介变量和调节变量的选择方面，研究视角还存在不足，未来的研究可以尝试打开两者之间的内在机理。例如，考虑竞争、企业家精神、所有权属性等因素的影响。第三，完善税收优惠与企业创新领域的研究方法设计。多数研究采用的数据源较单一，实证结果的准确性有待考量。有少数学者采用问卷调查的方式来进行研究，但由于税收问题过于专业，数据存在一定的失真性。因此，未来的研究可以选择多种方法交叉验证研究结果的可靠性。

2.3　环境税的研究进展与述评

环境税被认为是减少污染，促进绿色创新，实现社会福利和经济增长的有效市场工具（Desmarchelier et al.，2013；张伊丹等，2019）。因此，环境税已逐渐成为学者研究的焦点，尤其是在环境税的有效性方面。然而，以往的研究结论却不一致，如 Lin 和 Jia（2018）、Mardones 和 Cabello（2019）、Mardones 和 Mena（2020）等证实，环境税有助于企业进行绿色技术研发，但是，Frondel 等（2007）、Demirel 和 Kesidou（2011）等研究发现，环境税的减排效果并不明显；

在环境税与经济增长的关系方面，吕志华等（2012）、梁伟等（2013）、Karydas 和 Zhang（2019）、卢洪友等（2019）等也得出了不同的结论。

鉴于此，为了进一步明确环境税的研究进展和不足，本节结合国内外的研究成果对环境税的概念内涵及测量方法进行梳理；从政治制度背景、公众心理预期、行政成本等方面总结环境税的影响因素，厘清环境税的作用机制，以及影响环境税实施效果的情境因素。

2.3.1 环境税的概念内涵

环境税，也被称作绿色税（Karydas and Zhang，2019），它根植于庇古的理念（Pigou，1920），即将污染者的私人成本增加到一定水平，包括其活动对社会造成的相关实际社会成本及由此产生的相关环境损害，可以纠正环境外部性问题（Halkos and Kitsou，2018）。环境税作为一种税收，它的税基是某种物品的实物单位，该物品已经被证明对环境产生特定的负面影响（De Souza and Snape，2000；黄春元，2015）；从狭义角度说，环境税也可以被定义为对产业污染征收的与环境有关的通用税，如空气污染、水污染、废物填埋等（Bian et al.，2018）。

在不同的国家，环境税的构成具有一定的差异，但通常由能源税、运输税、污染税和资源税构成（Štreimikienė，2015）。它们的共同目标是通过提高价格来减少稀缺资源的使用或污染物质的排放，因此，环境税的有效性取决于实现这些目标的能力（OECD，1999）。碳税作为环境税的重要构成部分，Zhang 和 Baranzini（2004）、Lin 和 Jia（2018）、Nong（2020）等也对其进行了界定。例如，Zhang 和 Baranzini（2004）认为碳税是为了减少温室气体排放，根据燃烧化石燃料产生的碳排放而征收的一种税。

综合以往的研究可以看出，尽管先前学者对环境税的界定和构成的划分不尽相同，并且部分学者聚焦于环境税的重要构成部分——碳税，但以往关于环境税的界定都体现出两个方面的特点：一是环境税是政府针对污染者排放污染而征收的一种税目，其目的是纠正环境外部性，降低污染物的排放（Wang L F S and Wang J，2009）；二是除了保护作为公共物品的环境并让污染者支付损害赔偿外，环境税还增加了可用于减少现有税收扭曲的收入，进而可以更好地调节市场，促进绿色技术的研发、扩散等，从而实现保护生态的目的（祁毓，2019）。

2.3.2 环境税的测量

通过对以往文献的梳理可以发现，多数学者通过搜集政府部门的公开数据、上市公司的年报等，采用客观的指标对环境税进行测量。

　　由于环境税是由政府统一征收的，一般会被统计在《中国环境统计年鉴》、上市公司年报等中，具有获取便利、准确性高等特点，因此，采用二手数据获取环境税是以往学者最常用的方式。例如，Karydas 和 Zhang（2019）、Davidescu 等（2015）通过瑞士联邦统计局公布的数据库、欧洲统计局收集的国家税单等，查找了不同部门的环境税收情况；于连超等（2019）、于佳曦和李新（2018）、童健等（2017）等从企业年报、环境统计年鉴等中搜集了环境税的数据。

　　在环境税的测量方面，广义和狭义的测量也是最为常用的方式。环境税的征税对象不仅包括企业排放的有害气体，还涉及其他类型的应税污染物，如污水（Veugelers，2012）；因此，广义的环境税包括排污费、资源税、城市维护建设税、耕地占用税等，可以采用这些税收所占 GDP（gross domestic product，国内生产总值）的比重衡量环境税税率（李香菊和贺娜，2018）。此外，在环境税立法之前，毕茜和于连超（2016）采用资源税、资源补偿费、矿产资源税、水资源补偿费等10 多种税费测度环境税税额。狭义的环境税仅仅涉及排污费，因此，臧传琴等（2012）、卢洪友等（2019）通过排污费征收金额来代替环境税的测量。除了从广义和狭义的角度对环境税进行测量之外，部分学者也采用了设置虚拟变量的方法。例如，Demirel 和 Kesidou（2011）、Ashworth 等（2006）用 1 或 0 表示是否被征收了环境税。

　　从上述研究中可以看出，采用二手数据测量环境税是最为常用的测量方法。Karydas 和 Zhang（2019）、Liu 等（2017a）、Mardones 和 Flores（2018）等将直接获取的二手数据的绝对值作为环境税的测量值；Davidescu 等（2015）、李香菊和贺娜（2018）等也采用了相对值测量环境税，如环境税占 GDP 比重。此外，为了简化环境税的测量，Demirel 和 Kesidou（2011）、Ashworth 等（2006）采用了虚拟变量的方法。在先前的研究中，测量指标的构成也涉及狭义和广义两个方面，但随着研究的深入，Veugelers（2012）、Mardones 和 Baeza（2018）等提出从广义的视角，采用多种指标测量环境税。

2.3.3　环境税的影响因素

　　在 20 世纪 70 年代之后，Mikesell（1978）、Berry（1988）等逐渐开始研究影响新税实施的因素，并取得了一系列进展。然而，关于环境税的影响因素研究相对偏少，主要集中于政治制度背景（Ashworth et al.，2006）、公众期望（Kallbekken et al.，2013；Umit and Schaffer，2020）等少数几个方面。

1. 政治制度背景

在欧洲国家，政治制度在征收环境税方面有着重要影响，主要包括选举的周期、政治意识形态、政党制度及邻国环境税实施情况的影响（Berry，1988；Ashworth et al.，2006；Galinato and Chouinard，2018）。

Ashworth 等（2006）选取了 1991~1999 年 308 个样本作为环境税实施的研究对象，结果发现，在选举年首次采用环境税的可能性要小得多，但是如果同行或邻居（在地理上和意识形态上）已经征税，则实施环境税的可能性就越大；虽然左翼政府和联盟政府比单党政府更有可能设定新税种，但市政府的分散程度越大，新税种实施的可能性就越低。此外，Ashworth 和 Heyndels（2002）研究表明，OECD 国家的税收结构在选举年变化较小。

2. 公众期望

根据古典经济理论，税收的可接受性应取决于人们对税收的（实质）结果的期望（Kallbekken et al.，2013）。因此，公众的期望也是影响环境税顺利实施的因素之一。如果公众和企业并不了解环境税收如何增加福利，而仅仅认为是为了增加收入，则会阻碍环境税的实施（Dresner et al.，2006）。

其中，Kallbekken 和 Sælen（2011）以燃油税为例，通过调查发现，出于自身利益的考虑，大多数挪威人希望将目前的燃油税率降低 20%或更多。Schade 和 Schlag（2003）以道路定价为例，从八个方面研究了道路定价可接受性的决定因素，结果发现，社会规范、公众结果预期和感知效率与可接受性呈正相关关系，并且这些因素比其他社会经济变量更好地解释了可接受性；Kallbekken 等（2013）也发现预期的分配效应是实施运输税的一个特别重要的障碍，绝大多数受访者坚信燃油税、道路价格和停车费会对穷人的福利产生负面影响，这是公众反对税收的主要原因。此外，Umit 和 Schaffer（2020）通过对 23 个国家的公众的调查发现，个人利益是碳税态度背后的决定性因素之一，尤其是高度依赖能源或生活在农村地区的人们，对碳税的支持水平明显偏低，但随着政治信任度的提高，他们对税收的态度也有显著改善。

3. 其他因素

除了政治制度背景、公众期望等因素以外，Zhang 等（2016）、祁毓（2019）、Andreoni（2019）等也指出法规、经济增长、行政成本等也会对环境税的实施产生一定的影响作用。例如，Andreoni（2019）选取 2004~2016 年 25 个欧洲国家作为研究对象，采用指数分解方法，分析了影响环境税收的因素，结果发现，更严格的环境税率和法规一直是影响其中 5 个国家环境税收入增长的主要因素；对于其他成员国而言，经济增长和在欧洲经济全景中扮演的角色是环境税收入变化的主要驱动力。此外，Zhang 等（2016）、Liu 等（2017a）、祁毓（2019）等认为新旧环境税的制度协调性也会对新税制的实施产生影响。

2.3.4　环境税的作用结果

20 世纪 90 年代，"双重红利"假说被提出，即通过征收（或增加）环境税和减少其他税，同时保持相同的政府收入，可以实现环境和经济的双重利益（Bovenberg and Goulder，2002；Freire-González and Ho，2018；Borozan，2019）。因此，在以往的研究中，众多学者围绕"双重红利"假说，检验了环境税对环境、经济的直接影响作用及其内在机制，但在研究结论方面存在较大的差异。

1. 环境税对环境绩效的影响作用

环境税的主要目的之一是降低污染物的排放，Lin 和 Jia（2018）、Mardones 和 Cabello（2019）、Mardones 和 Mena（2020）等研究证实环境税对多个国家 CO_2、SO_2 排放量等具有一定的削减作用。其中，环境税除了增加企业污染环境的成本迫使企业减少能源消耗以外，更重要的是它促使企业采用绿色技术或者进行绿色技术研发（Desmarchelier et al.，2013；何欢浪，2015；陈利锋，2019）。例如，Desmarchelier 等（2013）指出环境税有助于确保环境友好型主导设计的出现；何欢浪（2015）研究证实，相比于控制和命令手段，环境税对企业改善减排技术具有更好的激励作用，更加有利于企业的绿色技术创新。

尽管大量研究证实了环境税通过促进绿色创新以降低污染物，但少数研究也得出了不同的结论。例如，Frondel 等（2007）、Demirel 和 Kesidou（2011）等研究发现，环境税对末端污染控制技术、综合清洁生产技术和环境研发三种类型的创新活动均没有产生重要影响；李香菊和贺娜（2018）进一步研究发现，环境税与企业绿色技术创新之间存在倒"U"关系。

2. 环境税对经济增长的影响作用

环境税不仅对生态环境有显著影响，也会对经济发展产生作用（Wesseh and Lin，2018；祁毓，2019）。它主要通过环境生产的外部性和税收负担从投资净收益向利润转移两个渠道促进经济增长（Bovenberg and de Moonij，1997）。例如，梁伟等（2013）通过 CGE（computable general equilibrium，可计算的一般均衡）模型检验了环境税"双重红利"的假说，结果表明，科学合理设计的环境税在改善环境质量的同时，能够促进 GDP 增长；Mardones 和 Baeza（2018）、Karydas

和 Zhang（2019）等研究也发现，增加对污染生产要素的征税会推动绿色技术进步，提高绿色生产率，进而促进经济增长。

然而，吕志华等（2012）、卢洪友等（2019）得出了相反的结论，认为环境税会对经济增长产生负面影响，原因主要体现在两个方面。其一，企业在面对环境税税收压力时，倾向于通过扩大产能的方法抵消税负提高带来的产品成本上升，或者选择关闭或停产，因此，环境税的提高对经济增长的数量和质量均产生负向影响（卢洪友等，2019；温湖炜和周凤秀，2019），并且这种负向影响体现为长期的冲击（吕志华等，2012）。其二，由于受研发挤出效应的影响，环境税会使得企业提高清洁技术研发投入，而非清洁技术的研发可能在促进经济增长方面效率更高，因此，实施环境税会对整个经济的增长产生负面影响（Gerlagh，2008；Acemoglu et al.，2012；Dechezlepretre et al.，2015）。

3. 环境税作用机制中的调节变量

由于环境税与环境、经济发展之间存在不确定的关系，李香菊等（2017）、Mardones 和 Baeza（2018）、李香菊和贺娜（2018）也将区域、其他环境政策等因素纳入研究之中，探究了影响环境税实施效果的情境因素。

受区域产业结构、经济发展水平等的影响，不同国家或地区的环境税，其实施效果存在差异（于佳曦和李新，2018）。例如，Mardones 和 Baeza（2018）发现，碳税对拉丁美洲国家排放量的影响是明显不同的；李香菊等（2017）研究表明，经济发展水平越高的地区，环境税对技术进步的影响作用越强；李香菊和贺娜（2018）发现，地区竞争会削弱环境税对企业绿色技术创新的影响；范丹等（2018）研究发现，进一步优化调整我国产业结构和能源结构，才能更好地实现环境税的双重红利效应。

为了降低环境污染，刺激绿色创新，不能只依赖环境税，而应将其与其他政策工具相结合，以形成政策合力（Demirel and Kesidou，2011；Costa-Campi et al.，2017）。其中，Hattori（2017）认为排污税和研发补贴的政策组合可以彻底消除两种效率低下的现象，即污染产品生产过剩和清洁技术供应不足；童健等（2017）研究表明，环境税与研发补助的有效组合可以实现"双重红利"；Veugelers（2012）、孔繁彬和原毅军（2019）等也指出环境税和研发补助的政策组合有助于激励企业进行污染预防型技术和污染处理型技术创新。

此外，不同的市场竞争程度也会影响环境税的作用结果。例如，刘晔和周志波（2015）研究指出，不完全竞争市场结构对环境税的效应具有重要影响；Hattori（2017）研究表明，在商品市场竞争不完全的情况下，当污染者成本中的纳税负担小或对污染产品的需求价格弹性小时，征收排放税会鼓励环境清洁技术的创新和推广。

2.3.5　环境税的研究小结

环境税作为一种经济激励型环境规制工具，它在降低污染、促进经济增长、增加社会福利等方面具有重要作用（Wang L F S and Wang J，2009；于连超等，2019）。通过对环境税的概念内涵、测量方法、环境税的影响因素、作用结果及其内在机制的梳理，本节发现以往研究取得了丰富的成果，但还存在不足，需要进一步深化。

1）从微观企业的视角，通过开发量表和采用客观指标测量环境税

关于环境税的概念内涵，以往研究基于不同的视角对其进行了详细阐述，但都突出了环境税保护和改善生态的目的（Wang L F S and Wang J，2009；祁毓，2019）。在环境税的测量方式上，多数研究通过统计年鉴、上市公司年报等途径收集二手数据，从单指标、多指标、虚拟变量等方面对环境税进行了测量（Ashworth et al.，2006；Demirel and Kesidou，2011；Davidescu et al.，2015；Karydas and Zhang，2019）。然而，以往的研究倾向于从中宏观层面测量环境税，而针对企业层面的研究相对偏少。因此，未来研究除了通过上市公司年报获取企业的数据外，还可以通过开发量表，采用问卷调查的方式，增加企业层面环境税的研究。

2）丰富环境税的影响因素，探究环境税水平存在差异的原因

在环境税的影响因素方面，少数学者对此展开了研究，主要集中于政治制度背景和公众期望两类因素。其中，政治制度背景包括选举周期、政治意识形态、政党制度等（Ashworth et al.，2006），而公众期望方面的研究相对偏多，也涉及了燃油税、碳税等多个方面（Kallbekken and Sælen，2011；Umit and Schaffer，2020）。此外，Zhang 等（2016）、Andreoni（2019）等也探究了法规、经济增长、行政成本等的影响作用。但总体而言，环境税的影响因素研究偏少，因此，未来研究需要从多个视角探究各地环境税水平存在差异的原因。

3）深入挖掘环境税的作用结果，充分识别影响环境税实施效果的因素

关于环境税的作用结果方面，以往研究集中于检验环境税的"双重红利"假说。以往研究普遍认为环境税对改善和保护生态环境、促进绿色创新等有着积极影响（Wang L F S and Wang J，2009；Costa-Campi et al.，2017）；但也有学者提出环境税对降低企业排污行为无显著影响（Demirel and Kesidou，2011）。与之类似，在环境税对经济增长的影响方面，以往研究也得出了正反两方面的结论（Mardones and Baeza，2018；Wesseh and Lin，2018；祁毓，2019）。为此，Mardones 和 Baeza（2018）、李香菊等（2017）、范丹等（2018）等从区域发展、产业结构、政策协同等视角，寻找影响环境税实施效果的因素。但是，关于环境税与环境绩效、经济发展之间的调节变量的研究相对偏少，未来研究需要进一步挖掘影响环境税实施效果的因素。

2.4 绿色采购的研究进展与述评

近年来，为了促进可持续发展，绿色采购成了政府采购的重要组成部分（Zaidi et al., 2019）。绿色采购是减少产品、服务和工程对环境的影响，为社会创造环境和创新价值，支持绿色经济的有效政策工具之一；作为市场型工具，它在各国向循环经济的过渡中起着关键作用（Marrucci et al., 2019；Braulio-Gonzalo and Bovea, 2020）。其中，Walker 和 Brammer（2009）指出，公共部门依靠纳税人的钱运转，他们有责任去实现社会和环境目标。

以往人们针对绿色采购展开了大量研究，但是在绿色采购的内涵、影响因素、作用结果等方面缺乏统一的结论。鉴于此，本节在归纳整理国内外绿色采购相关文献的基础上，对绿色采购的概念内涵和测量做了进一步的梳理，呈现了不同视角下绿色采购的维度划分；同时，重点对绿色采购的影响因素及作用机制进行了系统梳理。

2.4.1 绿色采购的概念内涵

1. 绿色采购的内涵

绿色采购，也被称作"对环境负责的采购""环境采购"等（Bakir et al., 2018；Fang et al., 2020）。在以往的研究中，学者们普遍采用欧盟委员会的定义，将绿色采购界定为"一个过程，在这个过程中公共当局采购在整个生命周期中与具有相同主要功能的替代品相比，能够减少对环境产生负面影响的产品、服务和工程"（Uttam and Roos, 2015）。Lorena 和 Leonardo（2018）也进行了类似的界定，认为绿色采购是获得一种产品或服务，该产品或服务在其整个生命周期中具有更好的环境绩效，并且与替代产品相比，具有相同甚至更好的功能。

此外，对绿色采购也存在其他定义。例如，Bouwer 等（2005）将其定义为"一种方法，通过这种方法，公共当局将环境标准纳入其采购流程的所有阶段，从而通过寻找和选择在整个生命周期中可能对环境造成最小影响的结果和解决方案，以鼓励环境技术的传播和无害环境产品的开发"；Large 和 Thomsen（2011）将绿色采购定义为"将环境因素整合到采购政策，计划和行动中"，它涉及废物减少、环境材料替代和有害物质最小化等多个方面（Govindan et al., 2015）。

从以往的研究中可以看出，绿色采购主要是政府采购与替代品相比，能够有效减少环境损害的产品、服务和工程的过程（Uttam and Roos, 2015）。从狭义角度看，绿色采购仅限于对环境危害较小的产品和服务的采购；从广义角度看，它还包括公共当局和机构认为对环境负责的做法，如减少消费或对环境无害的处置方式（van der Grijp，1998；Uttam et al.，2012）。

2. 绿色采购与可持续采购的区别

可持续采购指在购买商品和服务时，同时考虑到经济、社会和环境方面，即物有所值而又不损害环境（Walker and Brammer，2009；Roman，2017）；可持续采购也可以被定义为通过采购和供应过程实现可持续发展的目标（Walker et al.，2010）。尽管部分学者将绿色采购与可持续采购等同，但 Ahi 和 Searcy（2013）、Smith 等（2016）等指出两者之间存在一定的区别。

绿色采购的定义侧重于环境影响，而可持续采购的定义中关于环境充其量是"模糊的"（Smith et al.，2016）。与关注环境的绿色采购相比，可持续采购还强调对社会和经济方面的关注（Cheng et al.，2018）。换句话说，可持续采购意味着"仔细考虑购买商品，只购买真正需要的东西和具有良好环境绩效的产品和服务，并考虑购买决策的社会和经济影响"（Mansi，2015）。

2.4.2　绿色采购的测量

通过对以往关于绿色采购测量方法和测量指标文献的整理，可以发现，受数据可获得性、统计标准等多种因素的限制，以往学者主要基于二手数据法、问卷调查法等，采用采购量、虚拟指标等对绿色采购进行测量。

其一，二手数据法使用最为广泛，主要数据获取途径包括政府数据库、采购数据公布网站等，采用政府绿色采购的金额、数量等作为测量指标。例如，徐进亮等（2014）以北京市政府采购福田纯电动环卫车的数量作为绿色采购的测量指标；展刘洋等（2015）用天津市政府采购部门对计算机、空调等六类产品的采购量作为绿色采购的指标。

其二，通过调查问卷和访谈的方法，采用 1 或 0 的方式测量绿色采购。例如，Testa 等（2012）通过访谈研究，询问了公共行政部门是否在上一年度发布了绿色招标书及上年有多少绿色招标书；其中，为了避免对绿色招标的概念产生误解，向受访者发送了方法附件，根据欧洲准则，包括招标不同阶段的绿色标准示例。

2.4.3　绿色采购的影响因素

以往的研究主要从城市规模、政策法规、官员对绿色采购准则的了解等视角，分析影响绿色采购的因素。

1. 城市规模

城市规模直接决定了政府的需求量及政府的购买能力,对绿色采购有显著影响(Michelsen and de Boer, 2009; Mansi, 2015)。城市规模对绿色采购的影响主要体现在两方面:一是当城市规模达到一定程度时,政府机构会设置专门的采购部门或者制定相应的采购战略,直接影响到政府的采购活动;同时,城市规模达到一定程度时,政府机构的购买能力也会随之变化,最终会影响政府的购买能力(Bowen et al., 2001; Clement et al., 2003);二是城市规模决定了政府的需求量,城市规模越大,其需求量也就越大,从而决定了政府采购量(Cheng et al., 2018; Michelsen and de Boer, 2009)。其中,Michelsen 和 de Boer(2009)发现,与挪威的小城市相比,挪威的大城市倾向于将重点放在绿色采购上。

2. 政策法规

政策法规与绿色采购的实施有因果关系,尤其是强制性的环境政策和法规对于成功实施绿色采购至关重要(Diabat and Govindan, 2011; Yang and Zhang, 2012; Wong et al., 2016)。中国、英国等多个国家也都通过立法或颁布相关政府采购条例来规范政府采购行为(Thomson and Jackson, 2007; Testa et al., 2012)。Bakir 等(2018)对 16 名在新加坡各部委和法定委员会工作的高层管理人员的访谈,采用决策试验和评估实验室方法进行研究,结果发现,环境标准是新加坡实施绿色采购的主要驱动力之一;Zaidi 等(2019)评估了影响巴基斯坦公共部门实施绿色采购的关键因素,结果发现政府立法对绿色采购具有重要影响;Zhu 等(2013)、Testa 等(2016)、Cheng 等(2018)等也证实,相关法规的监管、环境标准等对绿色采购具有重要影响。

3. 其他因素

除了城市规模和政策法规以外,Testa 等(2012)、Liu 等(2019b)等也发现,官员对绿色采购准则、政策等的了解也会影响政府绿色采购的顺利实施。

例如,Liu 等(2019b)研究表明,对于在绿色采购引入阶段的地方政府而言,官员对绿色采购法规、官方文件、绿色采购准则和采购清单的充分了解及绿色采购补贴政策的广泛覆盖与政府绿色采购密切相关;对于处于绿色采购成长阶段的地方政府而言,官员对准则和清单的充分了解及绿色采购补贴政策的广泛覆盖与政府绿色采购密切相关。Testa 等(2012)借助意大利三个地区的公共机构数据库,评估了绿色采购的决定因素,结果也发现,官员对绿色采购的了解程度对政府绿色采购的实施具有积极而显著的影响。

2.4.4　绿色采购的作用结果

政府采购是需求侧的政策工具（Cheng et al.，2018；Obwegeser and Müller，2018），即通过增加对创新的需求、定义产品和服务的新功能要求或更好地阐明需求，来诱导创新或加快创新扩散的公共措施（Edler and Georghiou，2007）。政府采购在商品和服务总需求中占很大比例，并日益被视为一个推动创新政策目标的有吸引力和可行的工具（Uyarra and Flanagan，2010；Georghiou et al.，2014）。它在实现公共政策目标和为公众提供更好服务的同时，也为促进创新提供了机会（Edler and Georghiou，2007）。因此，以往学者从多个视角检验了绿色采购对绿色创新、绿色消费等变量的影响作用。

1. 绿色采购对绿色创新的影响作用

需求是创新的主要潜在来源，创新经济学认为政府需求在塑造技术变革的方向和速度方面具有至关重要的作用（Edler and Georghiou，2007）。早在 1982 年，Nelson 对美国半导体、商用飞机、计算机、制药、汽车等行业的分析，就证实了采购政策在指导技术进步方面的关键作用（Nelson，1982；Ghisetti，2017）。政府采购作为需求侧的政策工具，通过改变需求和企业行为进而影响企业创新（Uyarra and Flanagan，2010；Saastamoinen et al.，2018）。

绿色采购具有明确的目标，即通过设置环境标准来购买比竞争产品具有更好环境绩效的产品或服务，因此，它在刺激绿色创新活动中发挥关键作用（Rainville，2017）。例如，Ghisetti（2017）通过非参数匹配技术，基于欧盟成员国、瑞士和美国的企业数据，得出了政府采购对可持续制造技术的采用和扩散具有拉动作用。

2. 绿色采购对绿色消费的影响作用

绿色采购具有树立榜样和向市场发出明确信号的作用，从而影响其他社会经济行为者的行为，如政府绿色采购可以通过供给和需求渠道影响私营部门的采购，进而对消费者产生影响（Simcoe and Toffel，2014）。其中，Pacheco-Blanco和 Bastante-Ceca（2016）研究证实，西班牙的绿色采购对可持续消费具有推动作用。

然而，绿色采购政策也可能产生负面的溢出效应，抑制私人消费（Simcoe and Toffel，2014）。例如，当供应缺乏弹性时，政府采购可能会排挤私人购买目标产品，或是政府采购规则确定了绿色产品和非绿色产品之间的明确界限，绿色产品的私人供应可能会集中在绿色合规门槛上（Marron，1997）。如果一些供应商在没有明确规定的情况下生产更绿色的产品，那么绿色采购规则实际上可以减少绿色产品的供应，即使它们确实增加了对绿色产品的私人采购（Simcoe and Toffel，2014）。

3. 绿色采购对其他方面的影响作用

除了对绿色创新和绿色消费产生影响以外，绿色采购还会对企业的社会责任、成果转化等产生影响。例如，参与政府采购的企业会倾向于符合政府的要求，即通过遵守规则和形成强有力的法律社会责任取向，赢得和执行一项特定的"绿色"技术开发合同，也会影响一家企业在环境方面的社会责任导向（Snider et al.，2013）；徐进亮等（2014）以北京市政府采购新能源汽车为例，结果证实政府绿色采购政策对福田新能源汽车技术自主创新具有正向促进作用，也进一步促进了相关科技成果的转化。

此外，绿色采购的影响作用还涉及其他多个行业和领域。例如，Leger 等（2013）检验了政府绿色采购是否是城市设计中景观建筑专业领域发展的潜在驱动力，通过对法国 196 个公众招标项目的分析，结果发现，法国绿色采购的出现对新型专业"能力"和学科合作的需求产生了重大影响。Simcoe 和 Toffel（2014）研究了绿色采购政策如何影响私营部门对类似产品的需求，结果发现，绿色采购产生了溢出效应，既刺激了私营部门采用新的环境标准，又刺激了本地供应商对绿色建筑专业知识的投资。

2.4.5　绿色采购的研究小结

本节通过对绿色采购的概念内涵、测量方法，以及绿色采购的影响因素与作用机制的梳理和归纳，发现了以往研究取得的进展，但还存在以下几个方面的不足，需要进一步完善。

1）完善绿色采购的分类，开发相应的测量工具

以往学者主要基于政府采购目的和采购作用过程的视角对绿色采购进行界定（Uttam and Roos，2015；Lorena and Leonardo，2018）。虽然在表述上不同，但都具有一致性，即绿色采购是需求侧的政策工具，旨在鼓励环境技术的传播和无害环境产品的开发（Bouwer et al.，2005）。绿色采购的定义着重于环境影响，而可持续采购的定义中关于环境充其量是"模糊的"，可持续采购涉及环境、社会和经济三个方面（Smith et al.，2016）。在绿色采购的测量方面，以往学者主要基于二手数据、问卷调查等，采用采购量、虚拟指标等对绿色采购进行测量（Testa et al.，2012；徐进亮等，2014），但测量方法和指标相对偏少，因此，

未来研究在对绿色采购进行细分的基础上，需要进一步丰富其测量方法和指标。

2）从多个理论视角，丰富绿色采购的影响因素研究

关于绿色采购的影响因素，主要集中在城市规模和政策法规两个方面。例如，Michelsen 和 de Boer（2009）指出城市规模对绿色采购有显著影响，Bakir 等（2018）、Cheng 等（2018）提出政府绿色采购会受到环境标准、政府采购协议等的约束。也有少数学者研究表明，官员对绿色采购准则、政策等的了解也会影响政府绿色采购的顺利实施（Testa et al.，2012；Liu et al.，2019b，2019c）。但相对而言，绿色采购影响因素的研究偏少，其内在机理的研究更加缺乏，因此，未来研究可以选取不同的理论视角，探究影响绿色采购的因素及其内在机理。

3）探究绿色采购作用差异化的原因，扩充绿色采购的作用结果因素研究

对于绿色采购的作用机制方面，多数学者认为绿色采购是企业绿色创新和公众绿色消费的关键推动力（Aschhoff and Sofka，2009；Pacheco-Blanco and Bastante-Ceca，2016；Ghisetti，2017）。然而，也有学者对绿色采购的有效性持不同看法，认为受供给弹性的影响，绿色采购可能会抑制公众的绿色消费（Simcoe and Toffel，2014）。产生这种差异性的其他原因，却少有研究探索，因此，在未来的研究中需要加以弥补。除了对绿色创新和绿色消费产生影响以外，绿色采购也会对社会责任（Snider et al.，2013）、科技成果转化（徐进亮等，2014）等产生影响作用，但是以往研究所涉及的变量范围偏窄，也需要未来的研究加以完善。

2.5　绿色信贷的研究进展与述评

为了减少环境污染，实现绿色发展，世界各国相继出台了大量的政策措施。除了环境管制措施，政府环保补助、绿色采购、绿色信贷等措施由于具有相对灵活性，对企业具有良好的激励作用，也被多个国家所采用（Mastor，2007；Liao，2018a）。例如，自 2007 年以来，中国一直在实施绿色信贷政策，该政策适用于商业银行和其他金融机构，旨在减轻对高污染或高能耗企业的贷款，以及为环保或节能企业提供更多贷款（Liu et al.，2017b）。

自绿色信贷政策实施以后，国内外的大量学者围绕绿色信贷的测量、作用效果等展开了研究。然而，目前对于绿色信贷相关文献梳理的研究缺乏，不利于了解以往研究取得的进展。鉴于此，本节在系统搜集绿色信贷相关文献的基础上，厘清绿色信贷的内涵、构成和测量指标，重点剖析绿色信贷的作用效果及其内在影响机制。

2.5.1 绿色信贷的概念内涵

绿色金融是通过绿色信贷、绿色证券、绿色保险等绿色金融产品，有效地分配金融资源并引导资本流向低能耗、低污染和高效率的产业（He and Liu, 2018）。绿色信贷作为绿色金融的一种主要形式，也被称为可持续金融，它旨在通过调整金融业的经营理念、管理政策和运营流程，达到通过信贷手段引导可持续发展的目的（Jeucken, 2001; Duan and Niu, 2011）。绿色信贷政策意味着，在提供信贷的过程中，银行将有关项目和运营公司的环境信息纳入审计机制，并通过该机制做出最终的贷款决策（Thompson and Cowton, 2004; He et al., 2019）。

虽然绿色信贷政策的形式是为相关的绿色项目或节能企业提供贷款支持，但其最终目标在不同的国家有一定的差异。例如，绿色信贷在韩国的目的是通过受监管公司与不受监管公司之间的合作来实现减少温室气体排放的目标，旨在减少能力较弱的中小型公司的污染（Kang et al., 2020）。

以往的研究从多个视角对绿色信贷的内涵和形式进行了阐述，虽然存在一定的区别，但也体现出绿色信贷的两个共性。其一，绿色信贷是银行对节能环保企业提供的一种资金支持，同时也是对高污染企业的一种金融限制；其二，绿色信贷通过金融资源分配，引导资本流向，实现可持续发展的目的（He and Liu, 2018）。

2.5.2 绿色信贷的测量

关于如何测量绿色信贷，He 等（2019）、He 和 Liu（2018）、Guo 等（2019）根据研究的需要、数据的可获得性等，采用了不同的测量方式。

在直接指标方面，He 等（2019）认为节能环保项目服务贷款主要包括支持工业节能、节水环保项目、可再生能源、清洁能源项等十多种，因此，采用银行节能环保贷款余额可以很好地衡量绿色信贷的水平；He 和 Liu（2018）也认为五家代表银行的绿色信贷总额占总贷款的比重可以很好地测量绿色信贷。

在间接指标方面，由于六大高耗能行业的特点是产能过剩、高污染和高消费，这与近年来的国家政策不吻合，因此，高耗能行业的绿色信贷比例和利息支出比例可以衡量绿色信贷（Guo et al., 2019）。例如，殷贺等（2019）选取工业产业利息总支出与六大高耗能产业利息支出之差测量绿色信贷。

由于绿色信贷的数据获取难度大，Chen 等（2019）、He 和 Liu（2018）等也采用了非相关性指标测量绿色信贷。例如，Chen 等（2019）使用环保公司的当年新增银行贷款金额来衡量绿色信贷；He 和 Liu（2018）将绿色企业从商业银行获得的信贷规模作为绿色信贷的代理变量。

此外，按照绿色信贷政策实施的前后，李毓等（2020）、孙焱林和施博书（2019）、蔡海静等（2019）等将绿色信贷作为虚拟变量进行了处理。例如，Liu等（2019d）按照《绿色信贷指引》政策颁布之前、之后测量绿色信贷；Xu和Li（2020）以2007年颁布的《关于落实环保政策法规防范信贷风险的意见》作为绿色信贷政策的边界。

2.5.3　绿色信贷的作用结果及其内在机制

关于影响绿色信贷的影响因素的研究很少，而大量学者侧重于评价绿色信贷的实施效果，包括绿色信贷对企业融资成本、绿色创新等多个方面的影响。

1. 绿色信贷对企业融资成本的影响

从信贷规模和利率两个方面，绿色信贷政策会增加重污染企业的融资成本，同时也会降低绿色企业的融资成本（王保辉，2019）。例如，Xu和Li（2020）选取中国52家绿色企业和81家高污染和高排放企业作为研究对象，结果发现，绿色信贷增加了"两高"企业的债务融资成本，降低了绿色企业的债务融资成本；Liu等（2019d）基于双重差分模型，以中国颁布的《绿色信贷指引》政策为准自然实验，结果表明，绿色信贷政策体系在信贷资源配置中起着指导作用，污染严重的企业的债务融资能力显著下降。

2. 绿色信贷对企业绿色创新的影响

绿色信贷为环保企业提供了资金支持，可以降低企业绿色创新的风险，因此，它对企业的绿色创新具有促进作用。其中，何凌云等（2019）研究发现，绿色信贷对环保企业的技术创新具有显著的促进作用；徐胜等（2018）也证实绿色信贷的发展有利于产业结构的升级。

但是，Huang等（2019）、Chen等（2019）研究发现，绿色信贷对企业绿色创新的影响存在着不确定性。例如，Huang等（2019）基于博弈模型检验了绿色信贷与绿色创新之间的关系，研究表明，只有当绿色贷款的利率低于特定阈值时，企业才愿意接受银行贷款并实施绿色创新；Chen等（2019）证实绿色信贷与企业研发水平之间存在正相关但非线性关系；张云辉和赵佳慧（2019）也发现，绿色信贷对技术进步的影响作用会呈现"负向-正向-平稳"三个阶段。

3. 影响绿色信贷作用效果的情境因素

以往的研究也表明，绿色信贷对企业融资、绿色创新等因素的影响，也会受到区域（孙焱林和施博书，2019；李毓等，2020）、政策（Guo et al., 2019；

魏玮和曹景林，2019）和企业内部因素（陈琪，2019；孙焱林和施博书，2019；Liu et al.，2019d）的调节。

（1）区域因素。由于地区经济发展、市场化水平等异质性因素的存在，绿色信贷政策对绿色创新的作用效果显出了不同（孙焱林和施博书，2019；李毓等，2020）。其中，孙焱林和施博书（2019）、殷贺等（2019）等研究证实，我国东部地区的绿色信贷对企业创新和减排的效果最佳，西部次之，但对中部地区企业的影响最弱或者不显著；蔡海静等（2019）也证实，相比中西部地区企业，位于东部地区的企业受绿色信贷政策的影响更明显。

（2）其他政策因素。由于绿色信贷政策往往与环境法规、其他财税政策等同步实施，因此，绿色信贷政策与其他政策之间存在一定的交互作用，或者受其他政策工具的调节。其中，Guo 等（2019）选取 2007~2016 年中国 30 个省区市的绿色信贷、环境法规和绿色技术创新数据作为研究样本，检验了三者之间的关系，结果发现，环境监管对绿色信贷与绿色技术创新之间的关系具有一定的调节作用；魏玮和曹景林（2019）发现，绿色信贷与环保财政政策存在显著协同作用，其中，绿色信贷与税收政策的协同效果最优。

（3）企业内部因素。其一，所有权性质。与国有企业相比，民营企业在创新方面面临的资金缺口更大，因此，对政府绿色信贷政策的依赖程度更强（蔡海静等，2019）。其中，孙焱林和施博书（2019）研究表明，绿色信贷政策对我国民营企业创新的正向影响最强，外资企业次之，国有企业不显著；陈琪（2019）也证实，相比国有企业，非国有"两高一剩"（高污染、高能耗、产能过剩）企业受《绿色信贷指引》的抑制作用更大。但是，Liu 等（2019d）发现，受绿色信贷政策体系的影响，国有企业的债务融资能力下降更明显。其二，融资约束。由于绿色信贷通过为绿色企业提供贷款的形式引导其可持续发展（Jeucken，2001；Duan and Niu，2011），因此，绿色信贷对资源缺乏程度偏高的企业的作用效果会更好。其中，何凌云等（2019）研究表明，融资约束程度越高的环保企业，绿色信贷对其技术创新的促进作用越强。其三，社会责任披露程度。绿色信贷政策意味着，银行在为企业提供贷款之前需要根据企业的环境信息做出评判（Thompson and Cowton，2004；He et al.，2019）。企业的环境信息通常被包含在社会责任报告之中，因此，企业的社会责任披露程度会影响到绿色信贷政策的作用效果。例如，王保辉（2019）研究证实，对重污染企业而言，履行社会责任披露程度在绿色信贷政策与企业债务融资成本之间起到负向调节作用。

2.5.4　绿色信贷的研究小结

通过对绿色信贷相关的国内外文献的梳理，本节发现以往的研究围绕绿色信贷的内涵、测量、作用效果等方面取得了一定的进展，但由于绿色信贷政策实施比较晚，相关研究仍处于起步阶段，需要未来进一步的丰富和完善。

1）开发测量量表，丰富绿色信贷的测量方式

在绿色信贷的测量方面，He 等（2019）、He 和 Liu（2018）等采用节能环保贷款的额度作为测量指标，殷贺等（2019）、Guo 等（2019）选取六大高耗能行业利息支出作为指标，Chen 等（2019）、He 和 Liu（2018）等采用非相关性指标测量绿色信贷，李毓等（2020）、孙焱林和施博书（2019）、蔡海静等（2019）等将绿色信贷作为虚拟变量进行了处理。受数据可获得性的限制，以往研究的样本局限于中宏观层面，微观层面的研究偏少或者样本量十分有限，因此，未来研究可以开发相关的测量量表，在弥补微观企业层面研究不足的同时，为实证研究的顺利开展提供支撑。

2）拓展绿色信贷的作用结果变量，全面评价绿色信贷的绩效

根据绿色信贷的目的，徐胜等（2018）、何凌云等（2019）、Liu 等（2019d）、Xu 和 Li（2020）等对绿色信贷的绩效作用进行了评价。在融资成本方面，王保辉（2019）、Liu 等（2019d）、Xu 和 Li（2020）等证实绿色信贷增加了重污染企业的融资成本，降低了绿色企业的融资成本；在推动绿色创新方面，徐胜等（2018）、何凌云等（2019）等证实绿色信贷的发展有利于绿色创新，Huang 等（2019）、Chen 等（2019）、张云辉和赵佳慧（2019）等发现，两者存在非线性关系。但总体而言，以往的研究主要围绕融资成本和绿色创新两个方面评价绿色信贷政策的绩效，因此，未来研究需要对结果变量进行拓展，以更加全面地评价绿色信贷的绩效作用。

3）挖掘绿色信贷作用结果的内在机制，明确其作用路径和潜在的情境变量

为了明确影响绿色信贷实施效果的情境因素，殷贺等（2019）、蔡海静等（2019）、孙焱林和施博书（2019）等选取了地区经济发展和市场化水平作为调节变量，Guo 等（2019）、魏玮和曹景林（2019）等探究了其他政策工具的互补或者调节作用，陈琪（2019）、Liu 等（2019d）、王保辉（2019）等选取了企业的产权性质、融资约束、社会责任披露程度等作为调节变量。但是，以往的研究在选取调节变量时，未将企业的规模、企业的社会资本等可能起到调节作用的变量纳入研究模型中，也未对绿色信贷与其绩效之间的内在路径进行挖掘。因此，未来研究在增加调节变量的同时，也需要深入探究绿色信贷与其绩效变量之间的传导机制。

2.6　绿色创新的研究进展与述评

近年来，绿色创新一直是学者研究的热点，也取得了丰富的研究成果，但在

绿色创新的界定、绿色创新的影响机制方面,由于视角的差异性,出现了研究结论不一致的情况。因此,为了进一步探究绿色创新的影响机制和作用机理,本节对绿色创新的相关文献进行了系统的梳理和分析,在此基础上对绿色创新的概念、维度、影响因素和作用结果进行了归纳和总结。

2.6.1 绿色创新的概念内涵

绿色创新,也被称生态创新、环境创新等(戴鸿轶和柳卸林,2009;Hojnik and Ruzzier,2016),它是一种能够为企业和消费者提供价值,并且显著减少环境影响的创新(Fussler and James,1996;Wong et al.,2020)。

从创新内容的视角而言,绿色创新是指生产、应用或开发一种产品、服务、工艺、组织结构、管理或商业方法,且在其整个生命周期内,与相关替代品相比,可以减少环境污染及资源使用(包括能源使用)的负面影响(Kemp and Pearson,2007;Roddis,2018)。绿色创新可以是产品创新、工艺创新、营销创新和组织创新(Horbach et al.,2012);也可以是技术的、组织的、社会的或制度的创新;它可以由企业或非营利组织开发;也可以在市场上进行交易(Rennings,2000)。

从创新途径的视角而言,绿色创新不仅包括开发新的产品和服务,还包括改进的以促进环境可持续性的工艺、技术、实践、系统和产品(Rennings and Zwick,2002;Beise and Rennings;2005;Oltra and Jean,2009)。绿色创新也是为促进开发和应用有助于减少环境产生负面影响并实现特定生态目标的改良或新的工艺、产品、技术和管理系统而采取的所有措施(Arundel and kemp,2009)。此外,Chen 等(2006)、Oltra 和 Jean(2009)综合了创新的内容和创新的形式,认为绿色创新包括新的或经改善的工艺、技术、做法、制度和产品,也包括涉及节能、防止污染、废物回收、绿色产品设计或企业环境管理的技术创新,目的是避免或减少环境损害。

从创新结果的视角而言,不论绿色创新的内容和形式是什么,其最终结果都是减少对环境的损害。例如,Hojnik 和 Ruzzier(2016)强调了绿色创新对环境的积极影响,认为绿色创新是指任何能够将对环境的有害影响降至最低的创新,即使其创新的目的不是改善环境;积极的环境影响可以是创新的目的,也可以是创新的副作用。它可以在企业内部发生,也可以在客户使用产品或服务的过程中发生。Wong 等(2020)指出绿色创新的目的在于在整个供应链系统中,从产品和服务开发到消费,实现绿色环保,减少企业对环境的影响,从而使它们能够实现生态目标并纳入环境效益。

上述学者对绿色创新的定义尽管视角不同,但都具备以下几方面的共性。其一，绿色创新的内容和形式丰富多样，绿色创新包括技术、组织、社会或制度的创新；在特性上，可以是无形的，也可以是系统性的；绿色创新的出现可能是有意的，也可能是无意的；且涉及范围广，包括生产设备、方法和程序、产品设计、产品交付机制、新的或改善的工艺、做法、系统和产品（Cecere et al., 2014）。其二，绿色创新的目的是减少对环境的不利影响和更有效地利用资源（Hojnik and Ruzzier, 2016）；减少对自然资源的依赖、减少有害物质在整个生命周期的释放、通过对产品的改造来延长产品的使用寿命，提高产品可修复性（Karakaya et al., 2014）。其三，在社会经济方面实现可持续发展的目的，即实现社会经济效益和环境效益双重目标（Rennings, 2000）。

2.6.2　绿色创新的维度与测量

1. 绿色创新的维度

（1）绿色产品创新和绿色工艺创新。基于创新的内容和形式视角，可将绿色创新划分为绿色产品创新和绿色工艺创新。在绿色创新的研究中，这也是最常见的划分方式，如 Chen 等（2006）、Zailani 等（2015）、Roddis（2018）等都采取该划分方式。其中，绿色产品创新是指针对环境问题而改进现有产品（或服务）或开发新产品（如无毒原材料、绿色设计、节能、防止污染、废物回收和尽量减少废物）（Rennings, 2000; Chen et al., 2006）。企业的绿色产品创新可以提高产品设计、质量和环保方面的可靠性，从而提高产品的差异性，使产品具有更高的价格优势，并为企业创造更好的利润（Chen, 2008）。绿色工艺创新是指改进制造工艺和系统，以生产符合生态目标的环境友好型产品（如节能、防止污染和废物回收）（Kammerer, 2009; Zailani et al., 2015）。

（2）渐进型绿色创新和激进型绿色创新。基于创新强度的视角，可将绿色创新划分为渐进型绿色创新和激进型绿色创新。渐进型绿色创新的特点是在现有技术系统的基础上进行改进，而激进型绿色创新是在技术方面取得突破性的进展，是不连续的（Rennings, 2000; Roy et al., 2004）。Hall 和 Clark（2003）也对此进行了区分，认为渐进型绿色创新是利用现有能力的持续变化，而激进型绿色创新则通常与现有的知识基础有相当大的距离，因此往往是一个困难的过程。

（3）其他分类。除了上述几种划分方式外，部分学者也提出了其他划分方式。例如，Chen（2008）、Chiou 等（2011）在研究中将绿色创新划分为绿色产品创新、绿色工艺创新和绿色管理创新；Rennings（2000）按照创新的性质将绿色创新划分为技术创新、组织创新、社会创新和制度创新。其中，组织创新包括管理形式的创新，如全面质量管理；生活方式和消费者行为的改变通常被定义为社会创新；

制度创新是通过科学评估和公众参与的新方法改进决策，常被视为可持续发展政策的基础（Rennings，2000）。

2. 绿色创新的测量

通过对绿色创新文献的回顾，发现绿色创新的测量方法主要包括问卷测量和二手数据测量。

其一，大部分学者采用结构化问卷调查法，并选取企业的高管作为问卷的被访者。例如，Chen 等（2006）、Chiou 等（2011）、Peng 和 Liu（2018）等将绿色创新划分为产品创新、工艺创新、组织创新，并设计了相应题项，进行测量；Hall 和 Clark（2003）、Hall 和 Kerr（2003）等也采用量表的方式，开发了渐进型绿色创新和激进型绿色创新的测量量表。

其二，主要是采用专利、研发投入等二手数据测量绿色创新。例如，Brunnermeier 和 Cohen（2003）、齐绍洲等（2018）采用专利数据测量了企业的绿色创新水平；王锋正和郭晓川（2016）采用技术改造经费投入和工业产业增加值的比值来衡量绿色工艺创新；谭媛元（2021）利用单位能耗的新产品销售收入测量绿色产品创新，采用 R&D 经费内部支出与技术改造经费投入总和测量绿色工艺创新。

2.6.3 绿色创新的影响因素

根据以往学者的研究成果，可以将绿色创新的影响因素归纳为三个方面：一是体制和政治的影响，即环境法规的推拉效应；二是"供给方"的推动作用，即技术因素的推动作用，也包括企业内部特征；三是"需求方"的拉动作用，即受市场需求和环境意识的影响（Hojnik and Ruzzier，2016；Roddis，2018；Horbach，2020）。

1. 环境法规

环境法规是绿色创新最常见的驱动因素，同时也是影响作用最明显的因素之一（Zailani et al.，2015；Hojnik and Ruzzier，2016；Roddis，2018）。Porter 和 van der Linde（1995a）指出，严厉和设计完善的环境法规可能会通过触发创新来提高生产力、资源使用效率和企业绩效。一方面，环境管制可以迫使企业克服组织惰性，接受新想法，激发创造性思维，更新过时的设施，并投资于技术改进（Eiadat et al.，2008）；另一方面，环境政策增加了企业的生产成本，可能会降低企业的市场份额，使企业开展绿色创新以抵消环境法规带来的负担和成本（Rennings，2000；Horbach，2020）。此外，Rennings（2000）还指出绿色创新的双重外部性降低了企业投资绿色创新的动机，因此，应协调环境政策和创新政策，以帮助企业降低技术、体制和社会创新的成本，激发企业绿色创新。

2. 技术因素

技术因素作为"供给方"的主要因素，对企业的绿色创新具有重要的推动作用，同时技术改进也是企业进行绿色创新的根本（Oltra and Jean，2009）。"一般创新理论"强调了技术推动和市场拉动因素对绿色创新的积极作用（Rennings，2000）。技术因素不仅是推进绿色创新的重要因素，也是企业绿色创新的重要组成部分（de Marchi，2012）。此外，企业的绿色创新会受到供应方的影响，如技术能力（Roddis，2018），而技术能力在绿色创新的开展方面具有影响作用（Horbach，2008）。Bergek 等（2014）认为尽管监管手段可以强化创新和改进，但彻底的绿色创新仍需要技术手段的支持和新技术的彻底部署。

3. 市场需求

市场需求是"需求方"的主要组成因素，能够显著促进绿色创新。通过对绿色创新文献的梳理分析，Hojnik 和 Ruzzier（2016）发现市场拉动因素是除了环境管制外对企业绿色创新影响最大的驱动因素。绿色创新不仅涉及环保技术、产品和服务的开发，还包括绿色创新的商业化，即在开发出新东西后将其推向市场并能获利（Hall and Clark，2003）。因此，只有在满足市场需求的前提下，才能将创新产品成功推向市场。此外，消费者对环保的关注呈上升趋势，消费者的环保意识在不断加强；企业为了占据有利的市场地位，需要满足消费者的要求（Oltra and Jean，2009）。例如，Chen 等（2006）认为消费者环保意识会给企业绿色创新带来显著影响；彭雪蓉等（2014）研究证实，客户环保意识对企业绿色创新具有积极显著影响作用；Horbach（2020）明确提出与其他创新不同，绿色创新可能取决于消费者和边缘群体的环保意识，这意味着以环境为导向的需求能够拉动企业绿色创新。

4. 企业内部特征

企业内部举措是指企业为促进绿色创新提高生产效率和实现效益最大化，而采取的整合内部资源、加强内外信息交流、调整管理结构等一系列措施（Roddis，2018；Horbach，2020）。企业内部资源整合可以有效提高企业协调外部活动的能力，在内部整合方面表现良好的企业更有可能在绿色竞争的背景下与外部伙伴合作，促使企业进行绿色创新（Demirel and Kesidou，2011）。此外，Horbach（2020）指出企业内部举措和环境管制对绿色创新的影响具有同等重要的作用，对绿色创新具有积极的影响作用。

同时，管理者的环境意识也是影响绿色创新的关键因素之一。管理者是企业战略和决策的制定者，管理者对环境的价值观、信念和规范决定了企业绿色创新的意愿（Sharma，2000）。例如，Qi 等（2010）对中国建筑业进行分析时发现，管理者的环保意识是影响企业采取绿色创新措施的最大动力；管理层环保意识越强，企业实施绿色创新的意愿就越大。

2.6.4　绿色创新的作用结果

关于绿色创新的作用结果，以往学者从多个方面展开了研究，但主要可以归纳为绿色形象、环境绩效和竞争优势三个方面。

1. 绿色形象

随着消费者对节约能源和减少污染的环境友好型产品的需求不断增加，消费者更愿意选择绿色环保的产品或服务，因此，企业加大绿色创新投入，有助于提升绿色形象。企业进行绿色创新，不仅可以避免环境惩罚，而且可以改善企业形象，满足消费者需求（Chen，2008；Chiou et al.，2011）。污染是资源利用效率低下的体现，而率先进行绿色创新的企业将享有"先发优势"，使得企业可以制定更高的绿色产品价格，同时改善企业形象（Hart，1995；Chen，2008）。同时，企业的绿色创新可以体现在产品的设计和包装中，这都有助于改善企业的绿色形象（Chen，2008；Chiou et al.，2011）。

2. 环境绩效

绿色创新的直接作用结果就是节约资源和改善生态环境，其中，Zailani 等（2015）认为绿色创新与企业的环境管理和生态目标的实现密切相关，因此，绿色创新有助于提高环境绩效（Chen et al.，2006；Kammerer，2009）。Chiou 等（2011）、Zailani 等（2015）研究表明，绿色创新与环境绩效之间有着很强的联系。绿色创新对环境绩效的作用机制主要体现在两个方面：一方面，绿色创新可以通过生产和提供绿色产品（或服务），减少有害物质在其整个生命周期的排放，做到从源头上减少环境污染；另一方面，绿色创新包括污染治理、废物回收、绿色产品设计等，因此，可以通过工艺创新和技术创新减少对自然资源、原材料的消耗等，从而提高环境绩效（Chen et al.，2006）。

3. 竞争优势

根据资源基础理论，竞争优势来自企业的关键资源和能力（Barney，1991；Orsato，2006）。绿色创新可以成为企业战略的重要组成部分，并被视为企业的独特能力（Hart，1995），积极投资于环境管理和绿色创新的企业不仅可以最大限度地减少生产浪费，还可以提高整体生产力和企业的竞争优势（Porter and van der Linde，1995b；Chen et al.，2006）。

其中，企业通过绿色创新可以实现两方面的竞争优势（Liao，2016）。一方面，企业可以通过在产品的设计和在包装中体现绿色的概念，提高产品设计、质量和环保方面的可靠性，从而提供更好的机会来区分其绿色产品，来增强产品的差异化优势（Porter and van der Linde，1995a；Chen et al.，2006；Chen，2008）。另一方面，企业可以通过降低资源消耗、污染物排放，减少企业生产成本和环境成本来实现低成本优势（Liao，2016）。

2.6.5 绿色创新的研究小结

本节通过对绿色创新以往研究文献的系统回顾，从绿色创新的概念、维度、测量、影响因素和作用结果等方面进行了梳理和分析，发现以往研究在取得较大进展的同时，也存在不足，主要体现在以下几方面。

其一，关于绿色创新的概念内涵，以往研究较为丰富，但目前还缺乏统一的界定。部分学者从创新的内容、形式的视角，对绿色创新的内容进行了丰富和完善，从最开始的产品和工艺创新，扩充到产品服务、生产过程、组织结构、管理或商业方法等创新（Kemp and Pearson，2007；Hojnik and Ruzzier，2016；Roddis，2018）。对于绿色创新的维度，大部分学者将其划分为两个维度，随着研究的深入也逐渐向三个维度扩展。

其二，关于绿色创新的影响机制，以往的研究视角存在很大的差异。例如，Zailani 等（2015）将其划分为企业内部因素（企业内部举措）和企业外部因素（环境管制、市场需求）；Rennings（2000）将驱动因素划分为技术推力、监管推力和市场拉力；此外，大部分学者将其划分为供给方因素、需求方因素、体制政治因素（Roddis，2018；Horbach，2020）。

其三，关于绿色创新的作用机制，以往研究学者主要集中于对企业绿色形象（Chen，2008；Chiou et al.，2011）、经济或环境绩效（Zailani et al.，2015）和竞争优势（Liao，2016；Chiou et al.，2011）三个方面，但仍存在不足。例如，在研究绿色创新的影响机制和作用机制的过程中，调节机制和中介效应尚未得到充分研究。

2.7　本章小结

针对环保补助、税收优惠、环境税、绿色采购和绿色信贷五类市场型环境政策工具，以及绿色创新，本章围绕它们的内涵、构成、测量、前因和后果，进行了相关的文献回顾与梳理，发现了以往研究取得的进展和存在的不足，为后续研究的开展做了良好的铺垫。

（本章执笔人：廖中举，周严严）

第 3 章 中国区域企业绿色创新水平测度

为了测量我国企业绿色创新的水平，本章选取绿色、循环、节能、减排、低碳、清洁、再利用、可持续等 17 类关键词作为绿色专利检索的依据，分别对 2011~2020 年，我国及各个省区市的专利进行了检索。在数据获取后，除了对数量进行评价以外，本章还采用引用非专利文献数、被引用次数、权项数、说明书的页数、布局国家数和转移转化 6 个指标对绿色创新的质量进行评价。

3.1 引 言

自绿色创新的概念被提出以来，国内外的大量学者从不同的层面和视角提出了绿色创新的测量方法。从微观层面的视角，Hall 和 Clark（2003）、Chen 等（2006）、Chiou 等（2011）、Peng 和 Liu（2018）等倾向于采用量表的方式，以企业的高层管理者为被调研对象，将绿色创新划分为绿色产品创新、绿色工艺创新等维度进行测量。从中宏观的视角，Brunnermeier 和 Cohen（2003）、程华和廖中举（2011）等采用专利、环境研发投入等数据测量绿色创新。

不同的测量指标和方法具有各自的优势和不足，因此，如何采用科学的指标客观评价绿色创新水平显得尤为重要。其中，Brunnermeier 和 Cohen（2003）、廖中举和杨晓刚（2013）、Przychodzen 等（2020）在研究中也间接指出，专利数据易获得，具有较强的客观性，能够很好地测量绿色创新。由于本章的研究对象为全国和各个省区市层面的企业，所以选取专利作为测量企业绿色创新的指标。

3.2　资　料　来　源

借鉴 Brunnermeier 和 Cohen（2003）、Przychodzen 等（2020）等的做法，本节选取绿色、循环、节能、减排、低碳、清洁、再利用、可持续等 17 类关键词作为绿色专利检索的依据。基于上述关键词，结合 IPC 分类，2021 年 4 月，通过国家知识产权总局专利检索网站，分别对 2011~2020 年我国及 31 个省区市的专利进行检索。其中，对 31 个省区市企业的专利检索，包含了企业单独或者联合申请的专利。

在数据获取后，本节主要采用数据描述的方法，通过专利的数量和质量，对 2011~2020 年，我国总体的绿色创新水平的变化进行分析，对我国 31 个省区市的绿色创新水平进行对比分析。

3.3　中国区域企业绿色创新水平

一般采用 R&D 支出、专利、创新产出等直接指标来衡量创新水平；但是，R&D 支出受研发组织能力因素的影响且数据收集成本过高，以企业的新产品衡量创新可能会低估企业的创新能力（Acs et al.，2002）。虽然专利不能完全衡量绿色创新，但数据易于获得，并且稳定。此外，由于专利授权会受到审批等多种因素的影响，偏差过大，因此，本章以专利申请量测量绿色创新。

除了数量以外，质量也是评价绿色创新水平的重要维度。在专利的质量评价方面，杨登才和李国正（2021）、李长英和赵忠涛（2020）、孟猛猛等（2021）认为专利引用非专利文献数、被引用次数、权项数、说明书的页数、海外布局、转移转化等是反映专利价值和质量的主要指标。因此，本章采用引用非专利文献数、被引用次数、权项数、说明书的页数、布局国家数和转移转化六个指标对绿色创新的质量进行评价。

3.3.1　绿色创新的数量

2011~2020 年，我国企业发明、实用新型和外观设计三类绿色创新专利的申请量，如表 3-1 所示。

表 3-1　企业绿色创新专利申请量

年份	申请量	发明	实用新型	外观设计	总量
2011	数量	26 065	28 701	1 614	56 380
	比例	46.23%	50.91%	2.86%	100.00%
2012	数量	35 823	38 803	1 854	76 480
	比例	46.84%	50.74%	2.42%	100.00%
2013	数量	46 529	41 334	2 070	89 933
	比例	51.74%	45.96%	2.30%	100.00%
2014	数量	52 243	46 252	2 198	100 693
	比例	51.88%	45.93%	2.18%	100.00%
2015	数量	61 778	64 265	2 679	128 722
	比例	47.99%	49.93%	2.08%	100.00%
2016	数量	78 241	80 163	4 103	162 507
	比例	48.15%	49.33%	2.52%	100.00%
2017	数量	96 085	110 789	3 495	210 369
	比例	45.67%	52.66%	1.66%	100.00%
2018	数量	104 600	132 432	3 981	241 013
	比例	43.40%	54.95%	1.65%	100.00%
2019	数量	81 345	163 783	4 914	250 042
	比例	32.53%	65.50%	1.97%	100.00%
2020	数量	80 370	91 524	4 406	176 300
	比例	45.59%	51.91%	2.50%	100.00%

从专利申请总量来看，我国绿色创新专利申请量呈现快速增长趋势。2011~2019年，专利年增长量均超过 10 000 件，虽然 2020 年专利申请量与 2019 年相比有所下降，但这是专利申请日与公开日之间的滞后性导致的。截至 2019 年，我国绿色专利申请总量达到 250 042 件，较 2011 年增长了 343.49%。

从专利申请结构来看，2011~2019 年，我国绿色专利的申请结构较为稳定，发明专利和实用新型专利数量相差不大，申请量超过申请总量的 95%，外观设计专利仅占小部分。具体来看，2011~2019 年，绿色发明专利的年申请量维持在年专利申请总量的 32.53%~51.88%；实用新型绿色专利的占比维持在 45.93%~65.50%，外观设计型绿色专利占比维持在 1.65%~2.86%。

从专利申请类型来看，2011~2018 年，绿色发明专利申请量逐年稳步上升，并由 26 065 件增长至 104 600 件，总增长率达到 301.30%，2019 年申请量有所下降，仅有 81 345 件，为 2018 年的 77.77%；2011~2019 年，我国实用新型绿色专利的申请数量快速增长，由 2011 年的 28 701 件增长至 2019 年的 163 783 件，总增长率达到 470.65%，最大年增长率超过 38%，成为拉动申请量上升的主力因素；外观设计型绿色专利申请量相对较少，由 1 614 件增长至 4 914 件，增长了 204.46%。

3.3.2　绿色创新的质量

1）引用非专利文献数

专利引用非专利文献数通常被作为研究技术与科学之间联系的指标，可以用来衡量专利的新颖性、创造性和工业适用性（Narin et al.，1987）。2011~2020 年，我国企业绿色专利引用非专利文献数，如表 3-2 所示。

表 3-2　企业绿色创新专利的引用非专利文献数

年份	引用	0	1 次	2 次	3 次	4 次	5 次	5 次以上	合计
2011	数量	50 056	3 152	1 870	704	340	117	141	56 380
	比例	88.78%	5.59%	3.32%	1.25%	0.60%	0.21%	0.25%	100.00%
2012	数量	68 000	4 201	2 342	1 017	477	215	228	76 480
	比例	88.91%	5.49%	3.06%	1.33%	0.62%	0.28%	0.30%	100.00%
2013	数量	79 840	5 210	2 729	1 222	525	194	213	89 933
	比例	88.78%	5.79%	3.03%	1.36%	0.58%	0.22%	0.24%	100.00%
2014	数量	89 031	6 072	3 137	1 331	611	283	228	100 693
	比例	88.42%	6.03%	3.12%	1.32%	0.61%	0.28%	0.23%	100.00%
2015	数量	114 372	7 499	3 766	1 675	743	352	315	128 722
	比例	88.85%	5.83%	2.93%	1.30%	0.58%	0.27%	0.24%	100.00%
2016	数量	146 617	8 554	4 048	1 853	786	326	323	162 507
	比例	90.22%	5.26%	2.49%	1.14%	0.48%	0.20%	0.20%	100.00%
2017	数量	195 515	7 999	3 863	1 654	789	294	255	210 369
	比例	92.94%	3.80%	1.84%	0.79%	0.38%	0.14%	0.12%	100.00%
2018	数量	227 040	7 245	3 627	1 640	737	383	341	241 013
	比例	94.20%	3.01%	1.50%	0.68%	0.31%	0.16%	0.14%	100.00%
2019	数量	243 543	3 359	1 729	774	336	156	145	250 042
	比例	97.40%	1.34%	0.69%	0.31%	0.13%	0.06%	0.06%	100.00%
2020	数量	174 948	680	380	147	95	24	26	176 300
	比例	99.23%	0.39%	0.22%	0.08%	0.05%	0.01%	0.01%	100.00%

2011~2019 年，绿色专利申请数量大幅度增加，然而数量的增长并不意味着质量的增长。从是否引用来看，根据引用非专利文献占比，其具体情况可以分为两个阶段：相对稳定阶段和急速下降阶段。2011~2015 年，引用非专利文献的专利占比在 11%~12%小范围浮动变化，相对较为稳定；2016~2020 年，引用非专利

文献的专利占比急速下降，2020 年仅占 0.76%。从引用次数来看，引用非专利文献超过 2 次的绿色专利申请量均不超过年度申请总量的 3%，2017 年开始占比不超过 2%，2020 年甚至只有 0.15%。

2）被引用次数

在自身领域具有开创性的专利，为后来的专利创设了条件，会成为该领域的基础性专利，在其授权后，也会被后续专利频繁引用；因此，专利的价值越高，其被引数越多（Harhoff et al.，1999）。2011~2020 年，我国企业绿色专利的他引，如表 3-3 所示。

表 3-3　企业绿色创新专利的被引用次数

年份	被引	0	1 次	2 次	3 次	4 次	5 次	6 次及以上	合计
2011	数量	17 815	12 995	8 150	5 066	3 228	2 283	6 843	56 380
	比例	31.60%	23.05%	14.46%	8.99%	5.73%	4.05%	12.14%	100.00%
2012	数量	27 417	18 461	10 440	6 178	4 027	2 599	7 358	76 480
	比例	35.85%	24.14%	13.65%	8.08%	5.27%	3.40%	9.62%	100.00%
2013	数量	34 217	21 942	12 053	7 022	4 362	2 854	7 483	89 933
	比例	38.05%	24.40%	13.40%	7.81%	4.85%	3.17%	8.32%	100.00%
2014	数量	40 285	26 049	13 301	7 379	4 334	2 711	6 634	100 693
	比例	40.01%	25.87%	13.21%	7.33%	4.30%	2.69%	6.59%	100.00%
2015	数量	61 269	32 971	14 799	7 421	4 117	2 552	5 593	128 722
	比例	47.60%	25.61%	11.50%	5.77%	3.20%	1.98%	4.35%	100.00%
2016	数量	91 522	38 822	15 351	7 047	3 743	2 058	3 964	162 507
	比例	56.32%	23.89%	9.45%	4.34%	2.30%	1.27%	2.44%	100.00%
2017	数量	148 054	38 254	12 677	5 356	2 493	1 348	2 187	210 369
	比例	70.38%	18.18%	6.03%	2.55%	1.19%	0.64%	1.04%	100.00%
2018	数量	202 461	28 520	6 430	2 072	786	360	384	241 013
	比例	84.00%	11.83%	2.67%	0.86%	0.33%	0.15%	0.16%	100.00%
2019	数量	238 489	9 488	1 473	371	115	66	40	250 042
	比例	95.38%	3.79%	0.59%	0.15%	0.05%	0.03%	0.02%	100.00%
2020	数量	175 626	621	40	9	4	0	0	176 300
	比例	99.62%	0.35%	0.02%	0.01%	0.00%	0.00%	0.00%	100.00%

由表 3-3 可知，2011~2019 年，未被引用的专利数量和占比逐年上升，由 2011 年的 31.6% 增长至 2019 年的 95.38%。从被引次数来看，2011~2013 年，被引次数为 3 次及以上的专利数量逐年递增，但占比逐年降低；2014~2019 年，被引次数为 3 次及以上的专利数量和占比均呈现下降趋势，2019 年高被引专利（被引 3 次及以上）仅有 592 件，占年度申请总量的 0.25%。

3）权项数

专利的权项数是指自专利申请时起所提交权利要求书中须注明的要求保护的权利数，它反映了技术的创新能力；此外，专利的权项数也决定了专利所赋予权利的广度（Trajtenberg，1990）。2011~2020 年，我国企业绿色创新专利的权项数，如表 3-4 所示。

表 3-4　企业绿色创新专利的权项数

年份	权项数	1 项	2 项	3 项	4 项	5 项	5 项以上	合计
2011	数量	6 005	7 082	7 262	6 077	5 323	22 998	54 747
	比例	10.97%	12.94%	13.26%	11.10%	9.72%	42.01%	100.00%
2012	数量	8 596	9 682	10 409	8 638	7 329	29 965	74 619
	比例	11.52%	12.98%	13.95%	11.58%	9.82%	40.16%	100.00%
2013	数量	8 887	10 654	11 576	10 466	9 117	37 162	87 862
	比例	10.11%	12.13%	13.18%	11.91%	10.38%	42.30%	100.00%
2014	数量	7 602	9 776	12 090	12 259	11 337	45 429	98 493
	比例	7.72%	9.93%	12.27%	12.45%	11.51%	46.12%	100.00%
2015	数量	7 508	10 832	14 658	15 937	16 143	60 957	126 035
	比例	5.96%	8.59%	11.63%	12.64%	12.81%	48.37%	100.00%
2016	数量	7 140	9 740	15 413	19 664	22 354	84 077	158 388
	比例	4.51%	6.15%	9.73%	12.42%	14.11%	53.08%	100.00%
2017	数量	5 259	7 405	13 701	20 144	34 313	126 043	206 865
	比例	2.54%	3.58%	6.62%	9.74%	16.59%	60.93%	100.00%
2018	数量	4 084	5 447	10 675	17 698	35 244	163 881	237 029
	比例	1.72%	2.30%	4.50%	7.47%	14.87%	69.14%	100.00%
2019	数量	2 420	3 528	7 540	13 589	33 327	184 718	245 122
	比例	0.99%	1.44%	3.08%	5.54%	13.60%	75.36%	100.00%
2020	数量	1 177	1 959	4 034	7 991	19 860	136 867	171 888
	比例	0.68%	1.14%	2.35%	4.65%	11.55%	79.63%	100.00%

从表 3-4 中可以看出，近年来我国企业的知识产权保护意识逐渐增强，绿色专利的权利要求项数逐渐增加，专利的法律价值逐渐提高。具体看来，根据申请数量，权项数超过 5 项的专利申请量逐年增多，2019 年权项数超过 5 的专利共有 184 718 件，约为 2011 年的 8.03 倍；根据增长速度来看，除 2019 年外，权项数大于 5 的专利年增长率均超过 22%，2017 年的年增长率达到了 49.91%；从占比来看，2011~2019 年权项数超过 5 的绿色专利占比逐年提高，并于 2016 年超过年度申请总量的 50%，于 2019 年达到 75.36%。

4）说明书页数

专利说明书扉页的参考文献著录或检索报告能提供与该专利相关的现有技术，如果参考的文献和专利越多，就说明该专利在其领域的研究越具突破性，且专利说明书主要面向专利使用者，其页数越多就意味着可以展示的亮点越多，经济价值越高（Ernst，2003）。因此，明书的页数在一定程度上可反映绿色专利的质量，说明书页数越多，技术方案公开越充分，绿色专利质量越高。2011~2020年，我国企业绿色专利的说明书页数，如表3-5所示。

表 3-5　企业绿色专利的说明书页数

年份	说明书	0~5 页	6~10 页	11~15 页	16~20 页	20 页以上	合计
2011	数量	21 816	26 745	4 867	1 563	1 389	56 380
	比例	38.69%	47.44%	8.63%	2.77%	2.46%	100.00%
2012	数量	31 778	34 971	6 055	1 729	1 947	76 480
	比例	41.55%	45.73%	7.92%	2.26%	2.55%	100.00%
2013	数量	37 137	41 511	7 199	2 103	1 983	89 933
	比例	41.29%	46.16%	8.00%	2.34%	2.20%	100.00%
2014	数量	34 553	51 817	9 285	2 754	2 284	100 693
	比例	34.32%	51.46%	9.22%	2.74%	2.27%	100.00%
2015	数量	43 294	67 840	11 595	3 300	2 693	128 722
	比例	33.63%	52.70%	9.01%	2.56%	2.09%	100.00%
2016	数量	48 722	90 683	15 537	4 113	3 452	162 507
	比例	29.98%	55.80%	9.56%	2.53%	2.12%	100.00%
2017	数量	42 391	136 498	21 669	5 526	4 285	210 369
	比例	20.15%	64.89%	10.30%	2.63%	2.04%	100.00%
2018	数量	29 334	167 389	31 238	7 623	5 429	241 013
	比例	12.17%	69.45%	12.96%	3.16%	2.25%	100.00%
2019	数量	17 092	182 450	36 704	8 338	5 458	250 042
	比例	6.84%	72.97%	14.68%	3.33%	2.18%	100.00%
2020	数量	9 136	121 489	33 896	7 865	3 914	176 300
	比例	5.18%	68.91%	19.23%	4.46%	2.22%	100.00%

由表3-5可知，2011~2020年，我国企业绿色专利的说明书页数的发展趋势呈现出三个特点。

第一，2011~2020年，我国企业绿色专利的说明书页数一般集中在6~10页，占年度申请总量的45%~75%，且2011~2019年占比不断增加，2019年占比达到72.97%。

第二，薄说明书页数的专利呈现出先上升后下降趋势。从数量来看，2011~2016年，说明书为0~5页的专利数量总体呈现上升趋势，虽然2014年数量有小规模下降，但 2015 年又恢复增长趋势，且增长率达到 25.30%；从 2017 年开始，说明书为 0~5 页的专利数量持续下降，且下降速度不断加快，具体来看，2017 年说明书 0~5 页的专利数量下降至 42 391 件，较 2016 年下降 12.99%，2018 年下降 30.8%，2019 年下降幅度达到 41.73%。从占比来看，2011~2012 年，说明书 0~5 页的绿色专利占比不断增加，2012 年占比超过 40%；2013 年开始，说明书页数为 0~5 页的绿色专利占比呈现整体下降趋势，2013 年占比为 41.29%，而 2020 年占比仅为 5.18%。

第三，厚说明书页数的专利数量整体呈现上升趋势，但占比相对稳定。从数量上看，2011~2019 年，说明书页数在 15 页以上的专利数量不断增加，且 2016~2018 年年增长率均超过 20%，2018 年年增长率达到 33.03%；从占比来看，说明书页数在 15 页以上的绿色专利占比有所变化，但浮动范围不大，占比基本维持在 4%~7%。

以上发展趋势显示，近年来说明书页数在 0~5 页的绿色专利数量和占比逐渐减少，而说明书页数在 15 页以上的绿色专利数量不断增加，占比变化并不明显，说明我国企业逐渐开始重视绿色专利质量，低质量专利迅速下降，高质量绿色专利缓慢增加，专利的复杂性和技术性越来越强。

5）布局国家数

一项专利可以在多个国家和地区申请专利保护，通常只有在外国可能获得授权并且有市场价值时，专利申请人才会到外国申请专利（Lanjouw and Schankerman, 2004）。因此，专利布局国家数可以衡量绿色专利质量。2011~2020 年，我国企业绿色专利布局的国家数，如表 3-6 所示。

表 3-6　企业绿色专利布局的国家数

年份	布局	1 个	2 个	3 个	4 个	5 个	5 个以上	合计
2011	数量	52 821	452	623	466	470	1 548	56 380
	比例	93.69%	0.80%	1.11%	0.83%	0.83%	2.75%	100.00%
2012	数量	72 622	433	663	597	524	1 641	76 480
	比例	94.96%	0.57%	0.87%	0.78%	0.69%	2.15%	100.00%
2013	数量	86 101	546	647	604	562	1 473	89 933
	比例	95.74%	0.61%	0.72%	0.67%	0.62%	1.64%	100.00%
2014	数量	96 653	665	663	707	562	1 443	100 693
	比例	95.99%	0.66%	0.66%	0.70%	0.56%	1.43%	100.00%
2015	数量	124 390	859	799	748	601	1 325	128 722
	比例	96.63%	0.67%	0.62%	0.58%	0.47%	1.03%	100.00%
2016	数量	158 069	814	939	751	621	1 313	162 507
	比例	97.27%	0.50%	0.58%	0.46%	0.38%	0.81%	100.00%
2017	数量	205 542	943	1 140	860	621	1 263	210 369
	比例	97.71%	0.45%	0.54%	0.41%	0.30%	0.60%	100.00%

续表

年份	布局	1 个	2 个	3 个	4 个	5 个	5 个以上	合计
2018	数量	236 174	1 190	1 206	778	651	1 014	241 013
	比例	97.99%	0.49%	0.50%	0.32%	0.27%	0.42%	100.00%
2019	数量	246 629	1 409	957	443	278	326	250 042
	比例	98.64%	0.56%	0.38%	0.18%	0.11%	0.13%	100.00%
2020	数量	175 478	363	259	109	47	44	176 300
	比例	99.53%	0.21%	0.15%	0.06%	0.03%	0.02%	100.00%

由表 3-6 可知，我国企业申请的绿色专利几乎仅在国内布局，有国外布局的绿色专利数量有所增加但占比不断缩小。具体来看，2011~2020 年，布局国家数为 1 的绿色专利数量不断增加。2011 年布局国家数为 1 的专利仅有 52 821 件，而 2019 年已增长至 246 629 件，整体增长率达到 366.91%。从年度占比来看，2011 年仅在国内布局的绿色专利占比为 93.69%，2019 年增至 98.64%，而 2020 年已达到 99.53%。

从有国外布局的绿色专利来看，2011~2019 年，有国外布局的绿色专利数量相对稳定，年度申请量一般维持在 3 000~5 000 件，浮动范围较小，但其占比逐年降低，由 2011 年的 6.32% 逐渐降低至 2020 年的 0.47%，2020 年布局在 5 个国家以上的绿色专利仅有 0.02%。

6）转移转化

随着知识产权体系逐渐完善，各国对绿色专利的转移转化愈发重视，也都普遍认为衡量企业的绿色创新水平，不应局限于绿色专利数量，还要把重点放在绿色专利的转移转化上；因为绿色专利的转移转化更多地取决于专利的经济价值。绿色专利转移转化主要体现在许可、质押和转让，体现的是专利在专利所有权人之间的流转。2011~2020 年，我国企业绿色专利的转移转化量，如表 3-7 所示。

表 3-7　企业绿色专利的转移转化量

年份	转让		质押		许可		合计	
	数量	比例	数量	比例	数量	比例	数量	比例
2011	5 117	9.08%	784	1.39%	620	1.10%	6 521	11.57%
2012	6 311	8.25%	1 131	1.48%	563	0.74%	8 005	10.47%
2013	7 604	8.46%	1 231	1.37%	429	0.48%	9 264	10.30%
2014	8 035	7.98%	1 260	1.25%	304	0.30%	9 599	9.53%
2015	9 034	7.02%	1 624	1.26%	189	0.15%	10 847	8.43%
2016	9 837	6.05%	1 873	1.15%	168	0.10%	11 878	7.31%
2017	9 993	4.75%	1 520	0.72%	129	0.06%	11 642	5.53%
2018	8 481	3.52%	1 154	0.48%	112	0.05%	9 747	4.04%
2019	3 939	1.58%	570	0.23%	46	0.02%	4 555	1.82%
2020	988	0.56%	53	0.03%	5	0.003%	1 046	0.59%

　　由表 3-7 可知，我国企业绿色创新专利的转移转化整体趋势不乐观。从总量
视角，2011~2016 年绿色专利转移转化总量持续增加，由 2011 年的 6 521 件增长
至 2016 年的 11 878 件，增长了 82.15%，但其占比却逐年下降，从 2011 的 11.57%
下降至 2016 年的 7.31%，下降了 4.26%；2017~2020 年，绿色专利转移转化数量
下降，这可能是由专利的断尾特征引起的，即绿色专利的转移转化需要一定时间，
而专利申请时间距离研究时间越近，专利能够转移转化的时间越短，其转移转化
次数可能越少。

　　从转移转化方式来看，发生转让的绿色专利数量在 2011~2017 年保持持续增
长，质押专利数量在 2011~2016 年保持增长趋势，而发生许可的专利数量从
2011~2020 年逐年降低，且发生许可的专利数量最少，远远低于转让和质押数量。
从比例来看，发生转让、质押、许可的绿色专利数量占比逐年下降，未发生过转
移转让的绿色专利数量越来越多。

3.4　不同区域企业绿色创新水平的比较研究

3.4.1　不同区域绿色创新的数量

　　2011~2020 年，我国 31 个省区市企业发明、实用新型和外观设计三类绿色专
利的申请量，如表 3-8 所示。

表 3-8　各地区企业绿色创新专利申请量

省区市	企业发明		实用新型		外观设计		总量
	数量	比例	数量	比例	数量	比例	
北京	40 492	51.51%	36 628	46.60%	1 488	1.89%	78 608
天津	18 396	37.20%	30 801	62.28%	261	0.53%	49 458
河北	9 584	30.93%	21 066	67.98%	338	1.09%	30 988
山西	3 934	38.48%	6 216	60.80%	73	0.71%	10 223
内蒙古	2 355	33.51%	4 621	65.75%	52	0.74%	7 028
辽宁	11 333	43.00%	14 864	56.40%	157	0.60%	26 354
吉林	2 476	41.07%	3 511	58.24%	42	0.70%	6 029
黑龙江	5 163	53.78%	4 378	45.60%	59	0.61%	9 600
上海	29 777	43.52%	37 352	54.59%	1 289	1.88%	68 418
江苏	116 157	45.87%	132 820	52.45%	4 241	1.67%	253 218
浙江	54 747	37.40%	83 552	57.07%	8 093	5.53%	146 392
安徽	57 925	62.51%	34 181	36.89%	559	0.60%	92 665

续表

省区市	企业发明		实用新型		外观设计		总量
	数量	比例	数量	比例	数量	数量	
福建	14 918	31.90%	31 085	66.47%	759	1.62%	46 762
江西	5 977	24.46%	18 286	74.83%	175	0.72%	24 438
山东	46 391	45.15%	54 785	53.32%	1 026	1.00%	102 742
河南	16 906	35.52%	30 280	63.61%	413	0.87%	47 599
湖北	19 514	43.39%	25 089	55.78%	373	0.83%	44 976
湖南	18 211	51.32%	17 000	47.91%	272	0.77%	35 483
广东	77 521	38.06%	118 358	58.11%	7 786	3.82%	203 665
广西	12 803	70.80%	5 159	28.53%	122	0.67%	18 084
海南	841	32.37%	1 746	67.21%	11	0.42%	2 598
重庆	10 731	41.40%	14 955	57.69%	237	0.91%	25 923
四川	24 349	45.95%	27 874	52.60%	766	1.45%	52 989
贵州	6 688	52.78%	5 900	46.56%	84	0.66%	12 672
云南	5 008	33.43%	9 917	66.21%	54	0.36%	14 979
西藏	261	47.98%	278	51.10%	5	0.92%	544
陕西	11 993	49.47%	11 969	49.38%	279	1.15%	24 241
甘肃	2 650	38.61%	4 170	60.76%	43	0.63%	6 863
青海	716	40.25%	1 051	59.08%	12	0.67%	1 779
宁夏	2 550	46.94%	2 854	52.54%	28	0.52%	5 432
新疆	2 197	33.83%	4 261	65.61%	36	0.55%	6 494

从表 3-8 中可以看出，就绿色专利总量而言，东部沿海地区遥遥领先，江苏、广东和浙江分别以 253 218 件、203 665 件和 146 392 件位列前三，中部地区和西部地区相对落后。总量排名前十的省区市加起来占全国总量的 75.19%，其余 21 个省区市占全国总量的 24.81%。此外，各地之间差距较大，如排名第一的江苏共有 253 218 件绿色专利，而排名最后的西藏仅有 544 件。

从专利类型来看，各省区市绿色专利以发明专利和实用新型专利为主，申请量占申请总量的 94% 以上。但进一步比较三种专利的占比发现，除北京、黑龙江、安徽、湖南、广西、贵州和陕西七个地区外，其他地区的绿色专利申请均以实用新型为主。因此，各个省区市的绿色专利结构还有待完善。

3.4.2　不同区域绿色创新的质量

1）各地区绿色创新专利的引用非专利文献数

2011~2020 年，我国各地区企业绿色创新专利引用非专利文献数，如表 3-9 所示。

表 3-9　各地区企业绿色创新专利引用非专利文献数

地区/引用	0	1 次	2 次	3 次	4 次	5 次	5 次以上	5 次以上占比	合计
北京	69 778	4 597	2 396	1 026	460	178	173	0.22%	78 608
天津	47 334	1 083	588	251	111	35	56	0.11%	49 458
河北	29 147	990	483	184	94	48	42	0.14%	30 988
山西	9 410	417	219	103	38	17	19	0.19%	10 223
内蒙古	6 455	280	141	74	40	27	11	0.16%	7 028
辽宁	24 249	1 079	578	266	105	41	36	0.14%	26 354
吉林	5 476	277	145	75	32	7	17	0.28%	6 029
黑龙江	8 921	345	203	78	22	17	14	0.15%	9 600
上海	63 395	2 559	1 381	589	290	102	102	0.15%	68 418
江苏	237 02	8 542	4 205	1 808	804	346	311	0.12%	253 18
浙江	138 44	3 867	2 045	803	405	169	159	0.11%	146 92
安徽	83 137	5 215	2 319	1 089	502	225	178	0.19%	92 665
福建	44 429	1 208	609	265	125	58	68	0.15%	46 762
江西	23 303	584	293	131	74	25	28	0.11%	24 438
山东	95 219	3 755	2 100	926	386	196	160	0.16%	102 42
河南	44 680	1 463	787	361	167	70	71	0.15%	47 599
湖北	41 796	1 555	881	396	205	66	77	0.17%	44 976
湖南	32 276	1 668	844	378	168	79	70	0.20%	35 483
广东	193 83	5 496	2 759	1 159	523	222	223	0.11%	203 65
广西	15 190	1 425	777	365	161	83	83	0.46%	18 084
海南	2 417	79	49	26	10	9	8	0.31%	2 598
重庆	24 557	748	335	159	66	35	23	0.09%	25 923
四川	48 774	2 210	1 115	498	216	84	92	0.17%	52 989
贵州	11 274	719	361	179	65	35	39	0.31%	12 672
云南	13 536	673	395	182	94	55	44	0.29%	14 979
西藏	488	25	15	6	6	1	3	0.55%	544
陕西	22 721	803	412	172	70	32	31	0.13%	24 241
甘肃	6 158	376	181	87	40	11	10	0.15%	6 863
青海	1 618	84	46	18	7	4	2	0.11%	1 779
宁夏	5 016	204	116	54	25	9	8	0.15%	5 432
新疆	5 985	252	141	71	27	8	10	0.15%	6 494

　　从表 3-9 中可以看出，我国区域企业绿色创新专利大多未引用非专利文献，高引用专利占比低。从是否引用非专利文献的角度来看，我国区域企业申请的绿色专利 80% 以上未引用过非专利文献，其中未引用非专利文献占比排名前三的地区分别是天津（95.71%）、江西（95.36%）和福建（95.01%），占比均超过

95%，排名最后的三个地区分别是广西（84.00%）、北京（88.77%）和贵州（88.97%）。从引用非专利文献的次数来看，将 31 个省区市按引用非文献专利超过 5 次所占比例由高到低进行排列，排名前三的地区分别是西藏（0.55%）、广西（0.46%）、海南（0.31%）和贵州（0.31%），其他地区申请的绿色专利中引用非专利文献超过 5 次的专利占比不超过 0.3%。

2）各地区绿色创新专利的被引用次数

2011~2020 年，我国各地区企业绿色创新专利的他引情况，如表 3-10 所示。

表 3-10　各地区企业绿色创新专利的被引用次数

地区/被引	0	1 次	2 次	3 次	4 次	5 次	5 次以上	5 次以上占比	合计
北京	48 452	13 264	6 139	3 471	2 120	1 375	3 787	4.82%	78 608
天津	34 610	7 912	3 149	1 515	775	471	1 026	2.07%	49 458
河北	23 086	4 031	1 680	844	468	266	613	1.98%	30 988
山西	7 214	1 513	644	296	195	113	248	2.43%	10 223
内蒙古	5 338	868	352	165	105	67	133	1.89%	7 028
辽宁	17 862	4 134	1 819	957	515	312	755	2.86%	26 354
吉林	4 341	814	340	179	107	80	168	2.79%	6 029
黑龙江	6 414	1 717	666	332	169	93	209	2.18%	9 600
上海	46 153	10 459	4 722	2 437	1 344	994	2 309	3.37%	68 418
江苏	177 003	39 895	15 973	7 727	4 347	2 556	5 717	2.26%	253 218
浙江	104 740	22 041	8 638	4 229	2 250	1 339	3 155	2.16%	146 392
安徽	59 706	16 089	6 852	3 627	2 043	1 238	3 110	3.36%	92 665
福建	34 189	6 250	2 613	1 325	754	478	1 153	2.47%	46 762
江西	19 095	2 991	1 066	484	240	171	391	1.60%	24 438
山东	70 531	15 695	6 775	3 423	2 005	1 247	3 066	2.98%	102 742
河南	34 582	6 757	2 701	1 364	771	456	968	2.03%	47 599
湖北	32 165	6 382	2 660	1 373	772	486	1 138	2.53%	44 976
湖南	24 289	5 307	2 309	1 251	717	451	1 159	3.27%	35 483
广东	146 126	28 332	11 600	6 007	3 543	2 169	5 888	2.89%	203 665
广西	11 015	3 347	1 502	779	430	282	729	4.03%	18 084
海南	2 089	242	124	45	26	25	47	1.81%	2 598
重庆	18 210	4 274	1 572	693	405	230	539	2.08%	25 923
四川	35 995	8 792	3 591	1 740	988	605	1 278	2.41%	52 989
贵州	8 594	2 073	903	437	223	149	293	2.31%	12 672
云南	10 346	2 250	965	454	294	193	477	3.18%	14 979
西藏	396	67	34	20	9	9	9	1.65%	544
陕西	17 021	3 661	1 483	716	486	263	611	2.52%	24 241

地区/被引	0	1 次	2 次	3 次	4 次	5 次	5 次以上	5 次以上占比	合计
甘肃	4 923	952	379	199	122	99	189	2.75%	6 863
青海	1 344	226	89	45	25	14	36	2.02%	1 779
宁夏	3 996	741	302	161	79	43	110	2.03%	5 432
新疆	4 545	1 039	408	195	91	60	156	2.40%	6 494

从表 3-10 中可以看出，我国区域企业申请的绿色专利中，60%以上的专利未被引用过，高被引专利占比少。具体而言，从是否被引用过的视角来看，2011~2020 年，我国区域企业申请的绿色专利中未被引用专利占比最低的三个地区分别是广西（60.91%）、北京（61.64%）和安徽（64.43%），其他地区企业申请的绿色专利中未被引用专利占比均超过 65%；从引用次数来看，被引次数大于等于 3 次的专利占比排名前 5 的地区分别是北京（13.68%）、广西（12.28%）、安徽（10.81%）、上海（10.35%）和湖南（10.08%），其他地区均不足 10%。综合来看，北京、广西、安徽的企业申请的绿色专利被引用率高且高被引专利占比高，质量相对较高。

3）各地区绿色创新专利的权项数

2011~2020 年，我国各地区企业绿色创新专利的权项数，如表 3-11 所示。

表 3-11　各地区企业绿色创新专利的权项数

地区	1 项	2 项	3 项	4 项	5 项	5 项以上	5 项以上占比	合计
北京	2 085	2 337	3 467	4 464	5 950	58 810	76.26%	77 113
天津	2 588	3 542	5 684	5 987	8 317	23 079	46.91%	49 197
河北	992	1 530	2 262	2 877	4 369	18 620	60.75%	30 650
山西	1 107	1 146	1 162	1 080	1 322	4 333	42.69%	10 150
内蒙古	361	371	536	619	931	4 158	59.60%	6 976
辽宁	2 832	2 777	2 783	2 812	3 434	11 558	44.12%	26 196
吉林	725	487	487	527	720	3 041	50.79%	5 987
黑龙江	1 172	1 072	1 197	1 393	1 186	3 519	36.89%	9 539
上海	1 831	2 957	4 377	5 514	8 001	44 445	66.21%	67 125
江苏	11 006	13 187	21 188	25 093	35 336	143 154	57.50%	248 964
浙江	3 732	5 934	10 043	13 054	19 910	85 619	61.91%	138 292
安徽	3 541	10 420	8 928	9 674	12 471	47 064	51.10%	92 098
福建	1 591	1 939	2 973	4 491	8 128	26 878	58.43%	46 000
江西	1 185	1 016	1 612	2 140	4 428	13 880	57.21%	24 261
山东	7 696	6 775	7 987	9 220	12 342	57 693	56.72%	101 713

续表

地区	1 项	2 项	3 项	4 项	5 项	5 项以上	5 项以上占比	合计
河南	1 913	2 719	4 255	5 265	7 677	25 357	53.74%	47 186
湖北	2 444	2 344	3 305	4 329	6 096	26 084	58.48%	44 602
湖南	1 636	1 653	2 133	2 583	3 736	23 469	66.65%	35 210
广东	2 863	4 482	8 624	13 258	24 127	142 508	72.76%	195 862
广西	1 206	1 291	1 740	1 910	2 553	9 262	51.56%	17 962
海南	67	76	148	184	386	1 726	66.72%	2 587
重庆	812	1 125	2 218	3 262	4 075	14 194	55.26%	25 686
四川	1 431	2 070	3 475	5 003	7 760	32 482	62.20%	52 221
贵州	637	889	1 129	1 420	1 779	6 734	53.50%	12 588
云南	783	808	1 220	1 331	2 497	8 286	55.52%	14 925
西藏	3	10	20	36	56	414	76.81%	539
陕西	1 250	1 550	2 241	2 478	3 182	13 260	55.34%	23 961
甘肃	325	467	727	795	1 213	3 293	48.28%	6 820
青海	91	80	108	149	267	1 072	60.67%	1 767
宁夏	122	473	439	568	846	2 954	54.68%	5 402
新疆	441	377	566	529	802	3 742	57.95%	6 457

从表 3-11 中可以看出，我国区域企业在申请绿色专利时权项数普遍较高，产权保护意识较强。从横向来看，除黑龙江（36.89%）、山西（42.69%）、辽宁（44.12%）、天津（46.91%）和甘肃（48.28%）以外，其他地区的企业申请的绿色专利中权项数超过 5 项的专利占比均超过 50%。不足 50% 的 5 个地区中，黑龙江和山西企业申请的绿色专利权项数 5 项以上的占多数，而在其他权项数上的分布较均匀，差别不大；辽宁、天津和甘肃三个地区企业申请的绿色专利中，权项数和专利数量基本成正比，即权项数越大，专利数量越多；纵向来看，按权项数超过 5 项的专利占比进行排名，排名前三的地区分别是西藏（76.81%）、北京（76.26%）和广东（72.76%）。

4）各地区绿色创新专利的说明书页数

2011~2020 年，我国各地区企业绿色创新专利的说明书页数，如表 3-12 所示。

表 3-12　各地区企业绿色创新专利的说明书页数

地区	0~5 页	6~10 页	11~15 页	16~20 页	20 页以上	20 页以上占比	合计
北京	8 036	47 510	16 155	4 414	2 493	3.17%	78 608
天津	14 786	30 742	3 128	541	261	0.53%	49 458
河北	5 211	21 279	3 513	668	317	1.02%	30 988

续表

地区	0~5 页	6~10 页	11~15 页	16~20 页	20 页以上	20 页以上占比	合计
山西	2 809	6 309	804	146	155	1.52%	10 223
内蒙古	1 128	4 952	741	127	80	1.14%	7 028
辽宁	7 284	16 081	2 284	482	223	0.85%	26 354
吉林	1 029	4 025	683	154	138	2.29%	6 029
黑龙江	3 679	4 885	734	218	84	0.88%	9 600
上海	10 931	44 638	9 203	2 236	1 410	2.06%	68 418
江苏	70 307	153 927	22 209	4 405	2 370	0.94%	253 218
浙江	27 623	91 839	20 120	4 274	2 536	1.73%	146 392
安徽	31 342	51 488	7 817	1 435	583	0.63%	92 665
福建	7 929	31 070	5 776	1 329	658	1.41%	46 762
江西	4 427	17 873	1 708	305	125	0.51%	24 438
山东	26 928	61 289	10 655	2 477	1 393	1.36%	102 742
河南	10 350	32 009	4 220	696	324	0.68%	47 599
湖北	8 858	30 137	4 703	889	389	0.86%	44 976
湖南	6 307	22 491	4 791	1 151	743	2.09%	35 483
广东	25 133	131 511	32 862	8 821	5 338	2.62%	203 665
广西	5 613	10 377	1 626	318	150	0.83%	18 084
海南	314	1 960	227	73	24	0.92%	2 598
重庆	5 635	16 840	2 623	576	249	0.96%	25 923
四川	10 540	35 334	5 504	1 088	523	0.99%	52 989
贵州	4 138	7 489	820	124	101	0.80%	12 672
云南	3 244	10 369	1 081	216	69	0.46%	14 979
西藏	46	356	113	21	8	1.47%	544
陕西	6 460	14 412	2 375	596	398	1.64%	24 241
甘肃	1 677	4 570	513	68	35	0.51%	6 863
青海	289	1 234	196	34	26	1.46%	1 779
宁夏	1 270	3 518	506	99	39	0.72%	5 432
新疆	1 524	4 174	590	133	73	1.12%	6 494

　　从表 3-12 中可以看出,我国区域企业绿色专利说明书页数的结构具有同质性,具体表现为两个方面。其一,6~10 页说明书的专利数量最多。通过内部比较可以发现,各地区申请的绿色专利说明书页数均以 6~10 页为主,占区域申请总量的 50% 以上。其二,"薄"说明书页数专利数量多,"厚"说明书页数专利数量少。通过横向和纵向对比发现,除北京、广东、西藏以外,其他地区申请的专利中,0~5 页说明书的专利占据次要主导地位,数量最多;有半数以上地区说明书页数

超过 20 页的专利占比不足 1%，缺乏"厚"说明书页数的绿色专利。

5）各地区绿色创新专利的布局国家数

2011~2020 年，我国各地区企业绿色创新专利的布局国家数，如表 3-13 所示。

表 3-13　各地区企业绿色创新专利的布局国家数

地区	1个	2个	3个	4个	5个	5个以上	5个以上占比	合计
北京	77 583	548	186	99	83	109	0.14%	78 608
天津	49 337	79	18	4	3	17	0.03%	49 458
河北	30 916	42	13	3	5	9	0.03%	30 988
山西	10 211	10	0	2	0	0	0.00%	10 223
内蒙古	7 011	7	2	8	0	0	0.00%	7 028
辽宁	26 297	30	17	4	1	5	0.02%	26 354
吉林	6 015	6	5	2	0	1	0.02%	6 029
黑龙江	9 572	7	1	0	0	20	0.21%	9 600
上海	67 632	451	123	77	74	61	0.09%	68 418
江苏	252 062	679	185	120	58	114	0.05%	253 218
浙江	145 569	555	96	75	31	66	0.05%	146 392
安徽	92 528	91	25	3	10	8	0.01%	92 665
福建	46 311	267	138	30	7	9	0.02%	46 762
江西	24 413	15	3	1	3	3	0.01%	24 438
山东	102 199	285	75	67	60	56	0.05%	102 742
河南	47 528	45	10	4	2	10	0.02%	47 599
湖北	44 731	128	54	9	7	47	0.10%	44 976
湖南	35 396	57	13	14	2	1	0.00%	35 483
广东	201 265	1 168	651	228	152	201	0.10%	203 665
广西	18 060	13	10	0	0	1	0.01%	18 084
海南	2 597	0	1	0	0	0	0.00%	2 598
重庆	25 863	43	5	5	5	2	0.01%	25 923
四川	52 868	73	29	11	3	5	0.01%	52 989
贵州	12 621	3	5	0	5	38	0.30%	12 672
云南	14 962	12	3	0	1	1	0.01%	14 979
西藏	540	2	1	1	0	0	0.00%	544
陕西	24 205	26	4	4	0	2	0.01%	24 241
甘肃	6 849	10	1	1	0	2	0.03%	6 863
青海	1 774	1	1	1	1	1	0.06%	1 779
宁夏	5 422	7	1	0	1	1	0.02%	5 432
新疆	6 484	8	0	0	2	0	0.00%	6 494

由表 3-13 可知，从占比来看，我国区域企业申请的绿色创新专利缺乏国外布局，98% 以上的专利仅在国内布局，国外布局的绿色专利不足 2%，特别是，江西和海南的国内布局专利占比超过了 99.9%。从国外布局的具体情况来看，山西、内蒙古、海南和西藏四个地区布局国家数大于等于 5 的专利为 0，西藏、青海和海南三个地区有海外布局的绿色专利不足 10 件，海南只有 1 件。

6）各地区绿色创新专利的转移转化

2011~2020 年，我国各地区企业绿色创新专利的转移转化，如表 3-14 所示。

表 3-14　各地区企业绿色创新专利的转移转化

地区	转移转化	转让	质押	许可	合计
北京	数量	5 002	705	199	5 906
	比例	6.36%	0.90%	0.25%	7.51%
天津	数量	1 694	112	42	1 848
	比例	3.43%	0.23%	0.08%	3.74%
河北	数量	1 184	157	60	1 401
	比例	3.82%	0.51%	0.19%	4.52%
山西	数量	359	52	7	418
	比例	3.51%	0.51%	0.07%	4.09%
内蒙古	数量	265	128	8	401
	比例	3.77%	1.82%	0.11%	5.71%
辽宁	数量	1 334	198	57	1 589
	比例	5.06%	0.75%	0.22%	6.03%
吉林	数量	326	100	10	436
	比例	5.41%	1.66%	0.17%	7.23%
黑龙江	数量	377	62	14	453
	比例	3.93%	0.65%	0.15%	4.72%
上海	数量	3 960	166	131	4 257
	比例	5.79%	0.24%	0.19%	6.22%
江苏	数量	9 918	1 001	331	11 250
	比例	3.92%	0.40%	0.13%	4.44%
浙江	数量	8 018	1 183	207	9 408
	比例	5.48%	0.81%	0.14%	6.43%
安徽	数量	3 274	1 179	74	4 527
	比例	3.53%	1.27%	0.08%	4.89%
福建	数量	2 759	617	72	3 448
	比例	5.90%	1.32%	0.15%	7.37%
江西	数量	778	256	44	1 078
	比例	3.18%	1.05%	0.18%	4.41%

续表

地区	转移转化	转让	质押	许可	合计
山东	数量	4 916	1 279	152	6 347
	比例	4.78%	1.24%	0.15%	6.18%
河南	数量	1 880	548	98	2 526
	比例	3.95%	1.15%	0.21%	5.31%
湖北	数量	2 064	239	77	2 380
	比例	4.59%	0.53%	0.17%	5.29%
湖南	数量	1 722	447	137	2 306
	比例	4.85%	1.26%	0.39%	6.50%
广东	数量	9 561	1 487	344	11 392
	比例	4.69%	0.73%	0.17%	5.59%
广西	数量	710	105	33	848
	比例	3.93%	0.58%	0.18%	4.69%
海南	数量	122	46	7	175
	比例	4.70%	1.77%	0.27%	6.74%
重庆	数量	1 006	99	92	1 197
	比例	3.88%	0.38%	0.35%	4.62%
四川	数量	3 340	461	187	3 988
	比例	6.30%	0.87%	0.35%	7.53%
贵州	数量	527	86	19	632
	比例	4.16%	0.68%	0.15%	4.99%
云南	数量	488	78	30	596
	比例	3.26%	0.52%	0.20%	3.98%
西藏	数量	85	0	0	85
	比例	15.63%	0.00%	0.00%	15.63%
陕西	数量	934	277	59	1 270
	比例	3.85%	1.14%	0.24%	5.24%
甘肃	数量	188	57	11	256
	比例	2.74%	0.83%	0.16%	3.73%
青海	数量	61	14	2	77
	比例	3.43%	0.79%	0.11%	4.33%
宁夏	数量	163	13	5	181
	比例	3.00%	0.24%	0.09%	3.33%
新疆	数量	409	40	15	464
	比例	6.30%	0.62%	0.23%	7.15%

从表 3-14 中可以看出，绿色专利的转移转化存在地区分布不平衡现象。东部

地区的专利转移转化较好，广东、江苏和浙江发生转移转化的专利分别有 11 392
件、11 250 件和 9 408 件。东部地区绿色专利转移转化总量（57 869 件）约是中
部地区（14 525 件）的 3.98 倍，是西部地区（8 746 件）的 6.62 倍。其中，我国
东部地区绿色专利的转移转化主要为广东、江苏、浙江、山东、北京和上海，占
了全国专利转移转化数量的绝大部分。中部地区绿色专利转移转化主要为安徽、
河南、湖南、湖北和河北；西部地区绿色专利转移转化主要集中在四川、重庆、
贵州和云南。相较于浙江、北京、上海、广东、江苏等东部地区，我国中西部地
区的绿色专利转移转化数量仍然较少。

3.5　结论和讨论

3.5.1　结论

本章通过对 2011~2020 年我国各省区市企业的绿色专利进行检索，分析了我
国企业的绿色创新数量和质量，主要得出以下几个方面的结论。

第一，2011 年以来，我国企业绿色专利申请量快速增长，且申请结构较为稳
定。从整体层面来看，我国企业绿色专利年度申请量的年增长量均超过 10 000 件，
且专利申请类型以发明专利和实用新型专利为主，申请量超过年申请总量的 95%。

第二，我国企业绿色创新专利质量有待提高。从整体来看，我国企业申请的
绿色专利中，引用非专利文献的专利占比少、被引用专利少、缺乏国外布局且转
移转化率低，因此我国企业绿色创新专利的质量有待进一步提高。但在权项数和
说明书页数的相关分析中可以发现，近年来我国企业的知识产权保护意识逐渐增
强，绿色专利的权项数逐渐增加；此外，"薄"说明书页数的专利逐渐减少，"厚"
说明书页数的专利逐渐增加，专利的技术质量逐渐受到重视。

第三，我国区域企业的绿色创新数量在一定程度上具有同质性，但地区间的发展
不平衡现象仍然突出。从区域层面来看，我国各区域的绿色专利类型均以发明专利和
实用新型专利为主，研发结构具有一定的同质性；但在创新成果方面，东部沿海地区
的绿色专利申请量遥遥领先，中部地区和西部地区相对落后，绿色专利数量相差悬殊。
这可能是区域资源和地区发展情况所致，江苏、广东和江苏等地拥有较多的绿色发展
资源和成熟的绿色创新发展体制，因此在绿色创新方面的成果较为突出。

第四，我国区域企业的绿色创新质量具有部分同质性。从区域层面来看，我
国区域企业的绿色创新专利普遍存在引用非专利文献次数低、被引用专利占比低、
权项数高、说明书页数少及缺乏海外布局的现象；在转移转化方面，绿色专利的

转移转化存在地区分布不平衡现象，东部地区的转移转化量远远高于中部地区和西部地区。这可能与地区经济发展状况有关，相比于中西部地区，东部地区经济发达，因此绿色专利的转移转化率高。

3.5.2　研究不足与展望

本章从专利的视角测量了企业的绿色创新水平，但仍存在一定的不足之处。例如，在测量依据方面，本章利用专利衡量企业的创新水平，但专利申请存在滞后性，2018~2020 年的专利数据存在着一定的偏差。在测量指标方面，本章以引用非专利文献数、被引次数、布局国家数等指标衡量企业的绿色创新质量，虽然能够在经济、技术及市场方面对专利价值进行了全面概括，但也存在一定不足。例如，被引次数能够体现专利的技术价值，但以往研究发现绝大多数专利公开以后都未被引用过或者仅被引用一至二次，只有极少数专利会被频繁引用（Griliches，1990），因此，理论分析与现实之间存在一定差距。

3.6　本 章 小 结

基于专利的视角，本章以 2011~2020 年我国及 31 个省区市作为研究对象，从数量和质量两个视角测量了企业的绿色创新水平。结果发现，从整体层面来看，2011 年以来，我国企业绿色专利申请量逐渐增长且结构较为稳定，但专利质量有待进一步提高；从区域层面来看，我国区域企业的绿色创新数量和质量在一定程度上具有同质性，地区间的发展不平衡现象仍然突出。

（本章执笔人：廖中举，陆洁）

第4章 中国推进绿色创新的市场型环境政策文本研究

为了系统研究国内推进绿色创新的市场型环境政策，本章对我国1982~2020年的主要政策进行文本分析；同时，选取12份我国各省市颁布的关于构建市场导向的绿色技术创新体系实施方案作为研究对象，借助Nvivo质性分析软件和Ucinet社会网络分析软件进行分析。

4.1 国家层面推进绿色创新的市场型环境政策研究

4.1.1 引言

改革开放以来，经济发展导致的环境问题逐步显露，我国企业绿色化转型的诉求日渐高涨（董颖和石磊，2010）。绿色创新作为一种具有良好商业价值并且能够降低对环境影响的创新行为（Fussler and James，1996），成为企业实现可持续发展的重要方式之一（孟科学和雷鹏飞，2017）。但是绿色创新具有双重外部性特征，企业难以获取绿色创新的全部收益（杨朝均等，2018）。因此，如何促进企业绿色创新成为学术界和政府部门关注的热点问题。由于市场型环境政策能有效降低企业绿色创新过程中的外部性成本，是激励企业进行绿色创新的重要手段（程仲鸣和张鹏，2017），这使得政府部门出台相应的市场型环境政策以促进企业进行绿色创新实践显得十分必要。

市场型环境政策包括税收优惠、环保补助等多个工具，但以往学者在探究其对企业绿色创新的影响时通常围绕单一类别展开。例如，基于税收优惠视角，钱霞等（2012）、魏月如（2018）等发现对企业应征税款的减免可以推动企业技术创新，促进企业绿色转型；选择环境税作为研究对象，范丹等（2018）发现环境税具有减少污染和促进绿色创新水平的双重红利效应，但作用效果会受到企业地理位置（李香菊和贺娜，2018）、所有权性质（李红侠，2014）等因素影响；宋河发和张思重（2014）梳理美国、日本等发达国家政府的采购政策，发现由于政府绿色采购明确规定了产品的环保要求，能够有效促进企业自主创新行为；范莉莉和褚媛媛（2019）发现政府补助有利于促进企业绿色创新。

结合上述研究可以发现，市场型环境政策对企业绿色创新的影响已成为学术界的研究热点，但还存在不足之处。其一，众多学者在探究市场型环境政策对企业绿色创新影响时，多集中于市场型环境政策的单一类别，对市场型环境政策不同类别的综合研究较少。其二，对推进企业绿色创新的市场型环境政策的研究多集中于定性研究，缺乏政策的量化分析。鉴于此，本节首先对系统收集整理的1982~2020年关于中国推进企业绿色创新的市场型环境政策进行概况分析；然后，深入剖析我国推进企业绿色创新的市场型环境政策，通过建立政策分类框架，从政策工具和创新链的视角，采用共词分析、多维尺度分析等方法对其进行研究；在弥补以往研究不足的同时，为我国完善推进企业绿色创新的市场型环境政策提供参考。

4.1.2 资料来源与研究方法

1. 研究框架的构建

（1）X维度：市场型环境政策工具的划分

市场型环境政策通过影响产品价格或生产成本，进而解决企业绿色创新动力不足的问题（林枫等，2018）。本节将市场型环境政策工具划分为环保补助、税收优惠、环境税、绿色采购和绿色信贷五类。其中，环保补助指政府为了帮助企业降低成本，通过财政支持的方式给予企业的无偿转移支出（高太平，2012）；税收优惠指政府为了减轻纳税企业或个人税收负担，通过制定特殊的税收政策对特定行业企业实行特殊的政策优惠扶持（高太平，2012）；环境税指政府根据环境资源的使用情况，依据企业对环境的保护或破坏水平对其征收的税收款项（毕茜和于连超，2016）；绿色采购指政府部门在财政监督下，购买流通市场上的绿色产品或服务（高太平，2012）；绿色信贷指金融机构根据国家环境政策，对具有优良环境绩效的企业、机构等提供较低利率的贷款支持（徐胜等，2018）。

（2）Y维度：绿色创新链

市场型环境政策工具的划分能够清晰地描述政策手段，但缺乏对政策目的的表示，故只针对政策工具进行研究还不够全面（谢青和田志龙，2015）。因此，参考李云鹤和李湛（2009）、朱云鹃等（2017）的做法，本节从创新链视角，将绿色创新划分为技术引进、技术研发和技术推广三个阶段，不同的政策工具作用于绿色创新不同阶段并将产生不同的效果。例如，环保补助中既有对产品研发过程中提供财政支持的保障措施，也有绿色技术成果推广后的奖励奖补。因此，本节引入基于绿色创新链划分的 Y 维度。

通过市场型环境政策工具和绿色创新链条的划分，最终形成了如图 4-1 所示的二维分析框架。

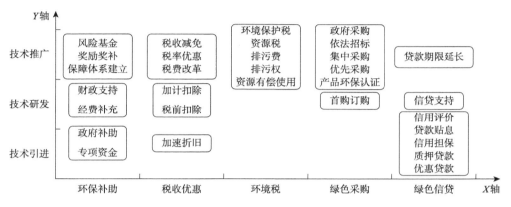

图 4-1　中国推进企业绿色创新的市场型环境政策文本二维框架

2. 资料来源

本节通过中国政府网、全球法规网、北大法宝等网站系统收集了 1982~2020 年国家层面颁布的关于推进企业绿色创新的市场型环境政策文本。考虑到政策文本形式的多样性，删除了以下几类政策文本：地方性政策法规；领导人非正式会议讲话；附属于其他文件的目录、清单。最终，遴选出推进企业绿色创新的市场型环境政策文本 325 份，政策文本的形式包括决定、通知、法律等。本节采用文本分析法，结合市场型环境政策工具和绿色创新链，对中国推进企业绿色创新的市场型环境政策进行剖析。

4.1.3　中国推进企业绿色创新的市场型环境政策文本分析

1. 中国推进企业绿色创新的市场型环境政策概况

在对中国推进企业绿色创新的市场型环境政策内部结构分析之前，为了能够更准确地对市场型环境政策进行量化研究，本节从市场型环境政策的数量、类别和颁布部门等方面对市场型环境政策进行细化。

1）政策颁布数量

我国推进企业绿色创新的市场型环境政策数量随着国家"五年计划"的实施呈周期性增长趋势。2001年开始，随着"十五"计划的实施，我国推进企业绿色创新的市场型环境政策数量出现跳跃式增长，2001~2005年，共颁布政策数量55份。"十一五"期间，我国促进企业绿色创新的市场型环境政策也是稳定增长；"十二五"规划开始之后又出现一个快速增长点，"十三五"规划期内政策数量也是稳定增长。

2）政策颁布部门

对颁布325份政策的政府部门进行统计，结果发现涉及30个中央级政府部门。其中，颁布政策数量最多的是国务院、生态环境部（包括原国家环境保护局）和发展和改革委员会（包括原国家计委）。国务院共颁布政策文本181份，占总政策文本数量的55.69%。可以看出，目前我国正形成以国务院为主体，各政府部门为辅的政策协同网络。这种合作网络的形成可以有效提高政策实施的效率和效果，为我国企业绿色创新实践提供更优良的政策环境。

2. 文本分析

首先，本节从X维度进行分析，研究不同市场型环境政策工具使用的侧重点；其次，从Y维度进行分析，研究中国政策工具在绿色创新不同阶段的使用情况；最后，将两个维度相融合，研究中国推进绿色创新的市场型环境政策的内在结构特征和相互关联性。

1）中国推进企业绿色创新的市场型环境政策工具研究——X维度

（1）中国推进企业绿色创新的市场型环境政策共词分析。本节借助质性分析软件Nvivo进行相关主题词提炼，并在精读政策的基础上，将不同主题词归入市场型环境政策的五个类别，最终将各类别包含的相关主题词和出现次数进行统计，结果如表4-1所示。

表4-1　中国推进企业绿色创新的市场型环境政策各类别主题词

类别	主题词	频数	主题词	频数	合计
环保补助	专项资金	82	经费补充	25	253
	财政支持	49	保障体系建立	21	
	政府补助	29	风险基金	19	
	奖励奖补	28			
税收优惠	税收减免	81	加速折旧	17	167
	加计扣除	27	税费改革	16	
	税前扣除	18	税率优惠	8	

续表

类别	主题词	频数	主题词	频数	合计
环境税	排污费	44	资源税	30	
	排污权	44	环境保护税	23	173
	资源有偿使用	32			
绿色采购	政府采购	69	依法招标	10	
	产品环保认证	28	集中采购	7	132
	优先采购	12	首购订购	6	
绿色信贷	信贷支持	61	信用担保	19	
	信用评价	22	优惠贷款	5	
	质押贷款	21	贷款期限延长	4	153
	贷款贴息	21			

从表 4-1 中可以看出，运用次数最多的政策工具为环保补助，占总政策工具的 28.9%；其次是环境税和税收优惠，分别占总政策工具的 19.7%和 19.0%；最后是绿色信贷和绿色采购，分别占总政策工具的 17.4%和 15.0%。

此外，税收优惠工具中次数最多的主题词分别是"税收减免"、"加计扣除"和"税前扣除"，出现频次分别为 81、27 和 18 次。环境税工具中出现次数最多的主题词分别是"排污费"、"排污权"和"资源有偿使用"，出现频次分别为 44、44 和 32 次。绿色采购工具中出现次数最多的主题词分别是"政府采购"和"产品环保认证"，出现的频次分别为 69 和 28 次。环保补助工具中出现次数最多的主题词分别是"专项资金"、"财政支持"和"政府补助"，出现频次分别为 82、49 和 29 次。绿色信贷工具中出现次数最多的主题词分别是"信贷支持"和"信用评价"，出现频次分别为 61 和 22 次。

（2）中国推进企业绿色创新的市场型环境政策多维尺度分析。本节采用 SPSS 21.0 软件对提取的主题词进行多维尺度分析，结果显示拟合效果良好。由绿色信贷和环保补助主题词构成的主题群处于图谱最中心的位置，由税收优惠主题词构成的主题群围绕原点附近分布，且与绿色信贷和环保补助主题群有部分重叠，这三类政策工具的主题词之间的联系较为紧密，集中趋势较高。

这表明，目前我国推进企业绿色创新的市场型环境政策工具侧重于绿色信贷、环保补助和税收优惠，三类政策工具内部措施的使用形成了良好的体系。此外，由于绿色采购工具的主题词围绕原点附近分布，但主题词之间联系相对松散；环境税工具的主题词也较分散，没有形成明显的主题群，分散于四个象限之中。这说明环境税和绿色采购工具的内部措施之间未能形成一个统一的体系。

2）市场型环境政策工具在不同绿色创新阶段的应用研究——Y 维度

从创新链的视角，绿色创新主要涵盖技术引进、技术研发和技术推广三个阶段。五类市场型环境政策工具在绿色创新的三个阶段的应用，如表 4-2 所示。

表 4-2　市场型环境政策工具作用于绿色创新的三个阶段

绿色创新阶段	政策工具	政策手段	频次统计	政策手段	频次统计	合计	占比
技术引进	税收优惠	加速折旧	18			219	24.3%
	环保补助	政府补助	30	专项资金	82		
	绿色信贷	信用评价	22	信用担保	19		
		贷款贴息	21	质押贷款	21		
		优惠贷款	6				
技术研发	税收优惠	加计扣除	27	税前扣除	19	189	21.0%
	环保补助	财政支持	49	经费补充	25		
	绿色采购	首购订购	6				
	绿色信贷	信贷支持	63				
技术推广	税收优惠	税收减免	83	税费改革	17	492	54.7%
		税率优惠	10				
	环保补助	风险基金	19	奖励奖补	28		
		保障体系建立	26				
	环境税	环境保护税	23	排污权	45		
		资源税	30	排污费	44		
		资源有偿使用	32				
	绿色采购	政府采购	71	优先采购	13		
		依法招标	10	集中采购	8		
		产品环保认证	29				
	绿色信贷	贷款期限延长	4				

　　从表 4-2 中可以看出，在绿色创新的技术推广阶段，市场型环境政策工具应用较多，占总政策工具的 54.7%；其次是绿色创新的技术引进阶段，占总政策工具的 24.3%；最少的是绿色创新的技术研发阶段，仅占总政策工具的 21.0%。

　　此外，在技术引进阶段，市场型环境政策工具涉及税收优惠、环保补助和绿色信贷三个类别，但主要以环保补助为主。在技术研发阶段，市场型环境政策工具涉及税收优惠、环保补助、绿色采购和绿色信贷四个类别，其中以绿色信贷和环保补助为主。在技术推广阶段，税收优惠、环保补助、环境税、绿色采购和绿色信贷五类市场型环境政策工具均有涉及，其中以税收优惠和绿色采购政策工具为主。

　　结合市场型环境政策工具的五种类型和绿色创新链的三个阶段，可以看出，税收优惠、环境税和绿色采购政策工具主要被应用于绿色创新的技术推广阶段，在该阶段的政策手段的统计频次分别为 110 次、174 次和 131 次；绿色信贷工具在技术推广阶段的应用非常少，只有 4 次。同时，中国推进企业绿色创新的市场型环境政策中环保补助的统计频次是最多的，达 259 次，占总统计频次的 28.8%；而关于绿色采购的统计频次最少，为 137 次，占比 15.2%。综合五类市场型环境政策工具而言，我国推进企业绿色创新的市场型环境政策主要应用于技术推广阶段，而技术引进和技术研发阶段的应用相对较少。

4.1.4　结论与讨论

1. 研究结论

本节通过构建"市场型环境政策—绿色创新链"二维框架，采用共词分析、多维尺度分析等方法，对 1982~2020 年，中国推进企业绿色创新的 325 份市场型环境政策进行了文本分析，得出以下结论。

首先，我国综合运用五类市场型环境政策工具推进企业绿色创新。1982 年以来，国务院、生态环境部（包括原国家环境保护局）、发展和改革委员会（包括原国家计委）等 30 个部门参与颁布环境政策，我国推进企业绿色创新的市场型环境政策数量稳定增长。其中，环保补助政策工具的运用次数最多，其次是环境税和税收优惠，运用最少的是绿色信贷和绿色采购。总体而言，五类政策工具的使用已形成一个较为协调统一的政策调控机制。

其次，绿色信贷、环保补助、税收优惠和绿色采购的内部措施之间的关系较为紧密，但环境税的内部措施的构成比较松散。多维尺度分析图谱表明，推进企业绿色创新的市场型环境政策以绿色信贷和环保补助为中心，税收优惠、绿色采购和环境税紧密围绕其展开。绿色信贷、环保补助、税收优惠和绿色采购均形成明显主题群，但环境税的主题词较分散，未能形成明显主题群，这可能是因为我国正处于费改税的发展阶段，环境保护税的征收体系还在逐步完善，导致政策文本中相关主题间联系松散。

最后，我国推进企业绿色创新的市场型环境政策主要应用于绿色创新的技术推广阶段，而技术引进和技术研发阶段政策工具应用较少。在技术引进、技术研发和技术推广阶段，分别以环保补助、绿色信贷和环保补助、税收优惠和绿色采购政策工具为主。由于绿色创新具有双重外部性特征，若不提高技术引进和技术研发阶段政策扶持力度，则会抑制企业绿色创新的积极性，难以形成平衡发展的政策支持体系。

2. 政策启示

对政府而言，由于各类别政策工具的目的不同，政府应平衡使用各类政策工具以更好地促进绿色创新；政府颁布市场型环境政策时应强化环境税政策的内在联系，将企业发展现状与环境税标准有机结合；在绿色创新的技术引进和技术研发阶段，应提高市场型环境政策工具的使用频率。对企业而言，应通过绿色创新降低环境污染以达到政府的环保要求，减少因污染带来的额外成本；企业应了解五类市场型环境政策工具聚焦点的差异，根据自身优势争取合适的政策资源以推动自身发展。

3. 研究不足和未来展望

本节采用文本分析法对我国推进企业绿色创新的市场型环境政策进行了分析，但还存在不足之处。第一，本节仅选取了国家层面的市场型环境政策作为研究对象，各个省区市在推动绿色创新时，也出台了一系列的政策措施，未来研究需要将国家层面和地区层面的市场型环境政策进行综合分析。第二，本节主要基于文本分析的视角对我国推进企业绿色创新的五类市场型环境政策工具进行了分析，缺少对政策工具的绩效作用的评价，未来研究可以进行弥补。第三，本节将绿色创新划分为技术引进、技术研发和技术推广三个阶段，未来研究需要进一步拓展和深化。

4.2 省级层面推进绿色创新的市场型环境政策研究

为了贯彻执行《关于构建市场导向的绿色技术创新体系的指导意见》，目前已有安徽、北京等 12 个省市出台了具体的实施方案，对构建市场导向的绿色技术创新体系进行了实践探索。因此，研究已出台的绿色技术创新体系政策，分析其中的关注点和工作重心，能够为其他地方政府出台相关政策提供一定的借鉴，以实现未来政策的进一步优化。

4.2.1 研究设计

1. 资料来源

本节收集了自 2019 年至今我国 12 个省市出台的关于构建市场导向的绿色技术创新体系的相关政策文本，包括安徽省、北京市、河南省、湖北省、湖南省、江苏省、江西省、辽宁省、上海市、四川省、云南省和重庆市，这些政策均是围绕《关于构建市场导向的绿色技术创新体系的指导意见》并结合各地区实际情况而制定的。

2. 研究方法

文本分析法是一种常用的社会科学研究方法，能够通过提取、量化政策文本中的主题词来反映地方政府在关于构建市场导向的绿色技术创新体系实施方案中的注意力配置情况（邓雪琳，2015）。因此，本节主要采用文本分析法，利用质性分析软件 Nvivo 11 进行主题词提取，以此来反映各省市政府在构建市场导向的绿色创新体系中的注意力配置状况。此外，参考廖中举等（2017）的做法，本节同时采用社会网络分析法，进一步细化研究，探索相关政策的重点。

4.2.2　地方政府构建市场导向绿色创新体系的注意力配置

1. 主题词、关键词分析

本节首先对《关于构建市场导向的绿色技术创新体系的指导意见》的政策文本进行详细研读，根据其一级标题可概括得到"培育绿色技术创新主体"、"强化绿色技术创新的导向机制"、"推进绿色技术创新成果转化示范应用"、"优化绿色技术创新环境"和"加强绿色技术创新对外开放与国际合作"五个方面。通过查阅资料和咨询相关专家，进一步将具体的政策内容分为激励型政策、机制创新型政策、引导型政策、服务型政策、规范型政策和开放型政策六大类别，如表 4-3 所示。

表 4-3　政策分类

分类	内涵
激励型政策	以政策激励调动绿色技术创新主体的积极性
机制创新型政策	突破机制瓶颈，激发绿色技术创新活力
引导型政策	为绿色技术创新提供示范引领
服务型政策	为绿色技术创新提供社会公共服务
规范型政策	加强管理，规范绿色技术创新主体行为
开放型政策	推进国际合作

依据上述分类，本节对已有的 12 份地方政府关于构建市场导向的绿色技术创新体系实施方案进行主题词提炼。主题词是具有代表性的、能高度概括反映文本核心内容的词汇，对主题词的分析能够更全面地把握政策内容结构，推断出其中的重点和方向（彭辉，2017）。本节首先将 12 份政策文本导入 Nvivo 11 Plus 软件，形成词库后人工提取各分类政策所对应的主题词，为保障筛选的独立性和科学性，研究邀请了两名研究生，分别独自进行提取，并请一位专家对提取结果进行审核，剔除其中有歧义、含义范围过大的词汇，最终得到 33 个主题词，包括"激励"、

"活力"和"十百千行动"等，在 12 份文本中共出现 1 477 次。各类政策所对应的主题词及频次统计如表 4-4 所示。

表 4-4　绿色技术创新体系政策类型高频主题词及频次统计

分类	主题词及频次							总计	占比
激励型政策	主体	活力	激励	企业牵头	十百千行动	补贴		162	10.90%
	81	26	22	16	11	6			
机制创新型政策	奖励	产学研	股权	职称	离岗	兼职	限制	162	10.90%
	40	40	23	19	17	14	9		
引导型政策	标准	推广	引导	目录	指引			381	25.64%
	130	106	100	38	7				
服务型政策	服务	基地平台	共享	创新环境	交易市场			290	19.52%
	161	44	44	25	16				
规范型政策	产权	评价	认证	第三方	信用	侵权		354	23.82%
	118	91	83	26	22	14			
开放型政策	国际	交流	"一带一路"	出口				137	9.22%
	103	24	6	4					

　　从表 4-4 中可以看出，地方政府在构建市场导向的绿色技术创新体系时，在激励型政策、机制创新型政策、引导型政策、服务型政策、规范型政策和开放型政策 6 类政策中所分配的注意力比重分别为 10.90%、10.90%、25.64%、19.52%、23.82% 和 9.22%。其中，最受关注的是引导型政策，标准、推广和引导主题词出现的频次较高，分别为 130、106 和 100 次。规范型政策的受关注度在 6 类政策中排名第二，代表此类政策的产权、评价和认证主题词分别出现了 118、91 和 83 次。其后是服务型政策，主要包括服务、基地平台和共享等主题词，服务、基地平台和共享出现频次分别为 161、44 和 44 次。激励型政策、机制创新型政策和开放型政策的注意力分配占比都较低，涉及激励型政策的主题词有主体、活力和激励，出现频次分别为 81、26 和 22 次；涉及机制创新型政策的主题词有奖励、产学研和股权，分别出现 40、40 和 23 次；涉及开放型政策的主题词有国际、交流和"一带一路"，分别出现了 103、24 和 6 次。

　　引导型政策重在加强示范引领作用，通过修订标准、绿色技术推广等实现绿色技术创新和绿色管理的协同发力，为市场主体进行绿色技术创新提供了方向；规范型政策主要围绕规范主体行为，保障合法权益，营造公平公正的良好市场环境，这是构建市场导向的绿色技术创新体系的重要保障；服务型政策以提供公共服务来支撑体系的构建；激励型政策和机制创新型政策主要是强化企业主体地位，奖励激励科研人员，能够从源头上激发市场活力；开放型政策则是加强国际合作，实现更进一步的提升。

2. 中心度和凝聚子群分析

（1）中心度分析。进一步探究上述主题词，本节将主题词矩阵导入 Ucinet 社会网络分析软件中，可视化操作后得到绿色技术创新体系政策主题词网络图，如图 4-2 所示。

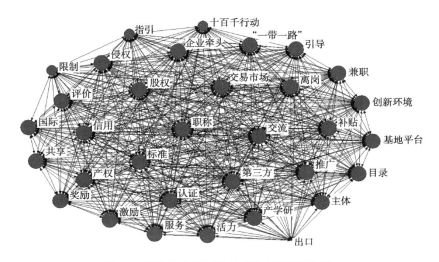

图 4-2　绿色技术创新体系政策主题词网络图

由图 4-2 可见，各主题词的大小和分布总体较均匀。其中，代表机制创新型政策的"职称"，代表引导型政策的"标准"，代表服务型政策的"交易市场"，代表规范型政策的"第三方"等主题词都以较大的节点形状居于网络图的中间位置，说明机制创新型政策、引导型政策、服务型政策和规范型政策与其他几类政策之间的关联性较强，在构建市场导向的绿色技术创新体系方案政策中处于相对重要的地位。例如，机制创新型政策是政府从制度根本上为绿色创新主体破除障碍；引导型政策为相应的企业和科研人员指明方向，是绿色技术创新长远持续发展的关键；服务型政策通过广泛的社会公共服务为绿色技术创新提供有力的支撑；规范型政策则为绿色技术创新行动提供良好的社会环境保障。

同样在图 4-2 中，也有部分主题词节点较小，处于图中较边缘的位置，如代表激励型政策的十百千行动和代表开放型政策的出口等主题词。说明此类政策与其他政策之间的关联度较低，仅在部分地区受到重视或仅作为辅助性政策，但同时也说明各地区构建市场导向的绿色技术创新体系政策内容的多元化和因地制宜。

为更精确地展示各主题词的集中趋势和网络关联，本节继续利用 Ucinet 软件进一步分析得到绿色技术创新政策各主题词的中心度和网络中心势，如表 4-5 所示。

表 4-5　绿色技术创新政策各主题词的中心度和网络中心势

排序	主题词	中心度	排序	主题词	中心度	排序	主题词	中心度
1	主体	298	12	基地平台	281	23	离岗	212
2	活力	298	13	认证	279	24	交易市场	212
3	标准	298	14	奖励	274	25	产权	212
4	推广	298	15	目录	271	26	交流	210
5	引导	298	16	激励	262	27	股权	207
6	产学研	298	17	创新环境	257	28	十百千行动	203
7	国际	298	18	第三方	252	29	限制	154
8	服务	298	19	企业牵头	251	30	"一带一路"	149
9	共享	298	20	侵权	237	31	补贴	94
10	评价	298	21	信用	230	32	指引	78
11	职称	281	22	兼职	214	33	出口	50

注：网络中心势为 16.67%

　　从表 4-5 中可以看出，绿色技术创新体系主题词的网络中心势为 16.67%，处于偏低水平。说明 6 类政策所受的关注度分布均衡，广泛得到各地方政府的重视。33 个主题词的中心度总体都较高，只有"补贴"、"指引"和"出口"等词的中心度相对偏低。此外，可以看出由"补贴"代表的部分激励型政策、"指引"代表的部分引导型政策和"出口"代表的部分开放型政策与其他政策的关联度较低，受重视程度较低。这也说明，构建市场导向的绿色技术创新体系需要地方政府更多地加强政策引领，提供基本动力，积极参与国际交流与合作。

　　（2）凝聚子群分析。由上述分析可以发现部分主题词的出现频次相同，可能存在子群关联。本节利用 Ucinet 软件进行凝聚子群分析，得到绿色技术创新体系政策主题词的凝聚子群分析结果，如图 4-3 所示。

　　由图 4-3 可以看出，大部分主题词之间的关联性都较强。其中，"主体"、"活力"和"服务"等 17 个主题词被归为一个子群，"'一带一路'"和"补贴"为一个子群，"激励"和"产权"等 5 个词为一个子群，"兼职"、"职称"和"基地平台"等 7 个词为一个子群，6 类政策互相交错，说明在构建市场导向的绿色技术创新体系政策中 6 类政策均为重点，相辅相成，协同发力，这部分政策内容也是相关政策中的重要基石。

4.2.3　结论与讨论

1. 研究结论

　　本节选取 12 份我国各省市颁布的关于构建市场导向的绿色技术创新体系实

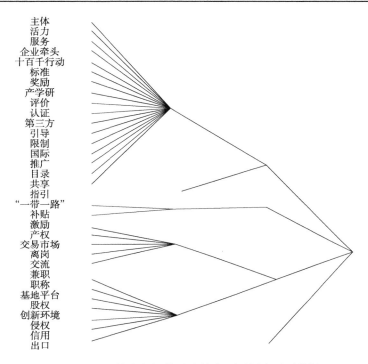

图 4-3　绿色技术创新体系政策主题词凝聚子群分析

施方案作为研究对象，借助 Nvivo 质性分析软件和 Ucinet 社会网络分析软件进行了分析，主要得到以下结论。

其一，各地方政府关于构建市场导向的绿色技术创新体系实施方案可分为激励型、机制创新型、引导型、服务型、规范型和开放型 6 类政策，引导型政策最受地方政府重视，开放型政策相对关注度较低。代表引导型政策的主题词出现频次最高，表明决定具体的行动方向时引导型政策是各地方政府关注的焦点。但也要注意的是，开放型政策主题词出现的频次远远低于引导型政策，在当前创新资源全球配置的背景下，开放是构建绿色技术创新体系的重要条件，必须予以更多的重视和投入。

其二，6 种类型的绿色技术创新体系政策互相关联紧密，多元化趋势明显，但缺乏重点。由中心度分析和凝聚子群分析可以看出，6 类政策的主题词分布均匀，各主题词之间关联紧密，政策内容互相协调。但同时，过于广泛的关注可能导致注意力分散，在具体实施过程中难以落地实践。

2. 管理启示

上述得出的结论，具有一定的管理启示。其一，持续加强对构建市场导向的绿色技术创新体系的关注，以国际视野布局。当前我国仅有12个省市出台相应政策，其余地区也需及时跟进谋划布局。同时，全球一体化的市场环境要求绿色技术创新必须成为开放的体系，因而需要积极主动地融入全球市场，加强国际交流合作。其二，目前的政策内容已经较为均衡全面，因而各地区在实践过程中必须根据实际情况有针对性地开展相关工作，确保职责、目标和任务明确，做好组织保障工作。

4.3　本章小结

本章构建了"市场型环境政策—绿色创新"二维框架，采用文本分析方法，运用 Nvivo 和 SPSS 软件，对我国推进绿色创新的市场型环境政策进行了系统分析；基于注意力配置的视角，对12个典型省市的政策进行了分析。结果发现：1982~2020年，我国推进企业绿色创新的市场型环境政策数量呈现稳定增长趋势，环保补助政策工具的运用次数最多；绿色信贷、环保补助、税收优惠和绿色采购的内部措施之间的关系较为紧密，但环境税的内部措施的构成比较松散；我国推进企业绿色创新的市场型环境政策主要应用于绿色创新的技术推广阶段，而技术引进和技术研发阶段的政策工具偏少。此外，各地方政府关于构建市场导向的绿色技术创新体系实施方案可分为激励型、机制创新型、引导型、服务型、规范型和开放型六类政策，引导型政策最受地方政府重视，开放型政策相对关注度较低；六种类型的绿色技术创新体系政策互相关联紧密，多元化趋势明显，但缺乏重点。

（本章执笔人：廖中举，项禹榕，翁晨，朱相）

第5章 市场型环境政策工具与绿色创新：创新链的视角

绿色创新是一个过程，按照创新链的视角，将绿色创新划分为绿色技术引进、绿色技术创新和绿色技术转化。选取 31 个省区市的相关数据作为研究样本，检验环保补助、税收优惠、环境税、绿色采购和绿色信贷五类市场型环境政策工具对绿色创新的三个阶段的影响作用。此外，在划分区域的基础上，本章还检验了不同类别的市场型环境政策工具对绿色创新三个阶段的交互影响作用。

5.1 市场型环境政策工具与企业绿色创新

5.1.1 研究假设

回顾以往文献可以发现，在绿色创新的影响因素中，政策是主要驱动力（Zailani et al.，2015；Hojnik and Ruzzier，2016；Liao et al.，2018）。绿色创新旨在减少对环境的污染、提高资源的使用效率和改善生态环境（Chen，2008），它具有公共物品的属性，即双重外部性（Rennings，2000），因此，需要政府的干预。按照庇古理论，市场型环境政策无疑是有效的干预手段之一（Pigou，1920）。在以往有关市场型环境政策的研究中，Simcoe 和 Toffel（2014）、Wang 等（2020a）等选取了市场型环境政策的单一工具，Guerzoni 和 Raiteri（2015）、Huang 等（2019）则从两个或三个方面检验了市场型环境政策工具的有效性，如信贷和补助（Huang et al.，2019）、环境税和环保补助（Yi et al.，2020）、环境税和 R&D 补贴（Costa-Campi et al.，2017）等。为弥补以往研究的不足，本章将环保补助、税收优惠、环境税、绿色采购和绿色信贷五类市场型环境政策工具纳入研究模型之中。

此外，绿色创新是一个过程，结合 Rennings（2000）、Roy 等（2004）、盛光华和张志远（2015）等的研究，按照创新链的视角，将绿色创新划分为绿色技术引进、绿色技术创新和绿色技术转化三个阶段。

基于此，本章提出了理论模型，如图 5-1 所示。

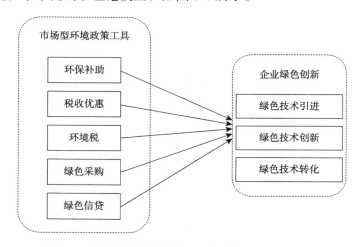

图 5-1　市场型环境政策与企业绿色创新的理论模型

1. 环保补助对企业绿色创新的影响

环保补助是解决市场失灵的重要手段之一，它是政府无偿提供给企业经济利益的一种财政转移行为（Peng and Liu，2018），即政府为鼓励企业节能减排而分配给企业的与生产有关的补贴（Anthony，2017）。它旨在促进企业在研发上的投入，补偿企业绿色创新的知识溢出效应，进一步提高企业绿色创新积极性，解决绿色创新市场失灵的问题（Lee and Cin，2010；Chen et al.，2018；苏昕和周升师，2019）。

环保补助有助于降低企业绿色创新的成本，帮助企业分散绿色创新风险（Peng and Liu，2018；Zhang and Guan，2018）。其一，环保补助为企业提供了一定的外部资金，激励企业加大绿色技术的引进和研发投入，形成互补效应（Carboni，2017；任海云和聂景春，2018）。其二，由于绿色创新研发活动具有风险性及投资回报不确定性，企业为了规避风险会降低对绿色创新研发的投入，而政府的资金支持很好地弥补了企业研发投入不足的问题，降低了企业的研发风险，激励企业进行绿色创新（Lee and Cin，2010；Zhao et al.，2018）。此外，受信息不对称的影响，外部投资者无法充分获得绿色创新企业的有关信息，而环保补助可以向外部投资者传递正向的积极信息，引导外部投资者对企业投资，使得企业有充足的资金进行绿色技术引进和绿色技术创新，进而也加快了绿色技术的转化（王薇和艾华，2018）。由此，本章提出以下假设：

H$_{5-1a}$：环保补助对绿色技术引进具有正向影响作用。

H$_{5-1b}$：环保补助对绿色技术创新具有正向影响作用。

H$_{5-1c}$：环保补助对绿色技术转化具有正向影响作用。

2. 税收优惠对企业绿色创新的影响

税收优惠是在符合一定要求的情况下，在企业应缴的所得税中扣除优惠的部分，使企业实际缴纳的税费比应缴纳的低，间接降低企业的成本（Guellec and van Pottelsberghe de la Potterie，2003）；如果企业没有支付任何税款或支付的税款少于税收抵免，则该抵免将被支付给该企业（Cappelen et al.，2012）。它是政府为鼓励和支持企业加大 R&D 投入而制定的一项间接性的政策工具，以弥补创新的外溢效应而导致的创新动力不足问题。

税收优惠是促进创新活动的有力措施，可以帮助企业应对这些高风险、不确定性和高投资的技术机会或项目（Guellec and van Pottelsberghe de la Potterie，2003）。政府通过为符合相应标准的创新企业提供一定的税收减免，从而激励企业投入研发，以获得相应的税收优惠，间接降低企业的绿色创新成本。因此，税收优惠有利于企业引进绿色技术和加大绿色技术创新的研发投入，以及促进企业间绿色技术的转移。同时，税收优惠属于间接性的优惠政策，企业必须在已有相应创新成果的基础上才能获得税收优惠，因此，很好地避免了政府与企业之间的信息不对称、企业为获得政府支持"寻租行为"的发生等问题。由此，本章提出以下假设：

H$_{5-2a}$：税收优惠对绿色技术引进具有正向影响作用。

H$_{5-2b}$：税收优惠对绿色技术创新具有正向影响作用。

H$_{5-2c}$：税收优惠对绿色技术转化具有正向影响作用。

3. 环境税对企业绿色创新的影响

环境税是由政府征收的一种税目，旨在降低生产制造过程中产生的环境污染物（包括废气、废水、固体废物及噪声污染），使社会福利最大化（Wang L F S and Wang J，2009）。不同于政府补助、税收优惠和政府采购对企业绿色创新的激励机制，环境税主要通过对污染物排放超标的企业予以相应的惩罚，增加企业污染环境的成本，迫使企业进行绿色创新，以减少污染成本（Wang L F S and Wang J，2009）。

环境税对绿色创新的影响主要体现在：其一，环境税是调节市场失灵的有效工具，它通过对环境污染者征收一定比例的费用，迫使环境污染者因导致负环境外部性而付费，促使企业进行绿色技术引进和绿色技术创新（Ashworth et al.，2006；祁毓，2019）。其二，相对于其他政策工具，环境税具有公开性、透明性，增加企业环境污染的成本，有利于绿色技术的产生和转移（Hart，2008）。由此，本章提出以下假设：

H$_{5-3a}$：环境税对绿色技术引进具有正向影响作用。

H$_{5-3b}$：环境税对绿色技术创新具有正向影响作用。

H$_{5-3c}$：环境税对绿色技术转化具有正向影响作用。

4. 绿色采购对企业绿色创新的影响

绿色采购是需求侧的政策工具，它是政府为满足日常工作的需要及政府公共职能的需要，使用财政资金购买绿色产品（商品或服务）的行为（Edquist and Zabala-Iturriagagoitia，2012；Cheng et al.，2018）。

绿色采购能够拉动绿色产品的需求，刺激企业进行绿色技术引进、绿色技术研发及企业间绿色技术的转让。其一，政府的绿色采购为企业提供了一个最有保障的市场规模，政府通过创造需求来引导企业进行绿色创新（Edler and Georghiou，2007；苏婧等，2017）。其二，企业可以通过政府采购为新产品进行试点，降低绿色产品或服务的研发风险，缓解企业在中间试验和市场化初期资金不足的问题（Aschhoff and Sofka，2009；许冠南等，2016；苏婧等，2017）。其三，绿色采购能够促进创新标准的制定及具体创新技术的推广（Raiteri，2018）。政府机构通过使用特定的绿色创新产品，向市场发出积极信号，从而使公共采购也蔓延到市场，推动绿色技术的产生和转移（Edler and Georghiou，2007；Aschhoff and Sofka，2009）。由此，本章提出以下假设：

H$_{5-4a}$：绿色采购对绿色技术引进具有正向影响作用。

H$_{5-4b}$：绿色采购对绿色技术创新具有正向影响作用。

H$_{5-4c}$：绿色采购对绿色技术转化具有正向影响作用。

5. 绿色信贷对企业绿色创新的影响

绿色信贷作为绿色金融的一种重要类别，它是银行对节能环保企业提供的一种资金支持，同时也是对高污染企业的一种金融限制（He and Liu，2018），旨在通过调整金融业的经营理念、管理政策和运营流程，以达到通过信贷手段引导可持续发展的目的（Jeucken，2001；Duan and Niu，2011）。绿色信贷通过金融资源分配，引导资本流向，实现可持续发展的目的（He and Liu，2018）。

绿色信贷对企业绿色创新的影响主要体现在以下两方面：其一，从正向激励的视角，绿色信贷为企业提供了环保资金支持，可以降低企业绿色创新的风险（徐胜等，2018；何凌云等，2019），因此，它有利于企业绿色技术的引进和研发，促进绿色技术的转化。其二，从负向惩罚的视角看，绿色信贷政策会增加重污染企业的融资成本（王保辉，2019），它会迫使企业节能减排，促进绿色技术的产生和转移。

H$_{5-5a}$：绿色信贷对绿色技术引进具有正向影响作用。

H$_{5-5b}$：绿色信贷对绿色技术创新具有正向影响作用。

H$_{5-5c}$：绿色信贷对绿色技术转化具有正向影响作用。

5.1.2　数据来源与变量测量

1. 数据来源

基于数据的可获得性，本章选择 2009~2015 年中国 31 个省区市作为研究对象。具体而言，本章所涉及的环保补助和环境税的数据来源于《中国环境统计年鉴》和《中国环境年鉴》（2010~2016 年），税收优惠数据来源于《工业企业科技活动统计年鉴》（2010~2016 年），绿色采购数据来源于《中国财政统计年鉴》（2010~2016 年），绿色信贷数据来源于《中国工业统计年鉴》（2010~2016 年）。绿色创新的数据来源于国家知识产权局，本章基于关键词和 IPC 分类检索了各个省区市的绿色创新专利。其他指标来源于《中国统计年鉴》（2010~2016 年）。

2. 变量测量

（1）环保补助。以往研究中，对环保补助的测量存在多种方法。例如，卢现祥和许晶（2012）、张彦博和李琪（2013）等采用国家预算内资金与环保专项资金之和、排污费补助和政府其他补助之和测量环保补助；李楠和于金（2016）采用虚拟变量 1 和 0 的方式测量环保补助。基于数据的可获得性，结合卢现祥和许晶（2012）、张彦博和李琪（2013）、范莉莉和褚媛媛（2019）等的做法，本章采用环境污染治理投资总额测量政府环保补助的水平。

（2）税收优惠。受限于数据的可获得性，以往研究在税收优惠的测量上并没有形成统一的标准。例如，冯海红等（2015）采用"研究开发费用加计扣除减免税"与"高新技术企业减免税"之和来测量政府税收优惠力度；张明斗（2020）、闫华红等（2019）采用"所得税费用/企业所得税税率×（25%-企业所得税税率）"来测量政府给予的税收优惠。借鉴冯海红等（2015）的做法，本章采用研究开发费用加计扣除减免税测量税收优惠的力度。

（3）环境税。广义的环境税包括排污费、资源税、城市维护建设税、耕地占用税等，所以可以采用这些税收所占 GDP 的比重衡量环境税税率（李香菊和贺娜，2018）；狭义的环境税仅仅涉及排污费。借鉴臧传琴等（2012）、卢洪友等（2019）等的做法，本章从狭义的视角出发，采用排污费征收金额来测量环境税。

（4）绿色采购。关于政府绿色采购的测量，以往的研究相对偏少。例如，徐进亮等（2014）以北京市政府采购福田纯电动环卫车的数量作为政府绿色采购的测量指标；展刘洋等（2015）采用天津市政府采购部门对计算机、空调等六类产品的采购量作为政府绿色采购的指标。参照以往的研究，同时结合数据的可获得性，本章采用政府节能环保支出测量绿色采购的水平。

（5）绿色信贷。关于如何测量绿色信贷，He 等（2019）认为节能环保项目服务贷款主要包括支持工业节能、节水环保项目、可再生能源、清洁能源项等十几种贷款，因此，采用银行节能环保贷款余额可以很好地测量绿色信贷的水平；殷贺等（2019）选取工业产业利息总支出与六大高耗能产业利息支出之差测量绿色信贷。参考殷贺等（2019）、Guo 等（2019）的做法，本章采用非六大高能耗行业的利息支出占工业产业利息总支出的比重测量绿色信贷的水平。

（6）企业绿色创新。当前对绿色创新的测量较多，Chen 等（2006）、Chiou 等（2011）、Peng 和 Liu（2018）等大部分学者采用问卷调查法测量了企业的绿色产品创新、绿色工艺创新和绿色组织创新水平。此外，Brunnermeier 和 Cohen（2003）、齐绍洲等（2018）采用环境 R&D 投入、专利等指标测量绿色创新。参照 Brunnermeier 和 Cohen（2003）、齐绍洲等（2018）的做法，本章采用绿色专利测量绿色创新。其中，分别采用绿色技术专利吸纳量、绿色技术专利申请量和绿色技术专利转移转让量测量绿色技术引进、绿色技术创新和绿色技术转化的水平。

（7）控制变量。除了上述变量之外，申晨等（2017）、郭然和原毅军（2020）等的研究也指出区域的人力、资本等投入也会对绿色创新产生影响。因此，本章选取城镇单位就业人员数和全社会固定资产投资额作为控制变量。

在数据处理方面，为了降低极端值的影响，本章对环保补助、税收优惠、环境税、绿色采购、绿色信贷及控制变量进行了对数化处理，对绿色技术引进、绿色技术创新和绿色技术转化进行了加 1 对数化处理。对于缺失的数据，本章进行了插值法处理。此外，由于市场型环境政策具有滞后效应，本章选择了滞后一期的绿色创新数据。

变量的测量及数据来源，如表 5-1 所示。

表 5-1　变量的测量

	变量	测量	数据来源	文献依据
市场型环境政策工具	环保补助	环境污染治理投资总额	《中国环境年鉴》《中国环境统计年鉴》	张彦博和李琪（2013）、卢现祥和许晶（2012）、范莉莉和褚媛媛（2019）
	税收优惠	研究开发费用加计扣除减免	《工业企业科技活动统计年鉴》	冯海红等（2015）
	环境税	排污费征收金额	《中国环境年鉴》《中国环境统计年鉴》	臧传琴等（2012）、卢洪友等（2019）

续表

	变量	测量	数据来源	文献依据
市场型 环境政策 工具	绿色采购	政府节能环保支出	《中国财政统计年鉴》	徐进亮等（2014）、 展刘洋等（2015）
	绿色信贷	非六大高能耗行业的利息 支出占工业产业利息 总支出的比重	《中国工业统计年鉴》	殷贺等（2019）、 Guo 等（2019）
企业绿色 创新	绿色技术引进	绿色技术专利吸纳量	国家知识产权局数据库	Brunnermeier 和 Cohen （2003）、 齐绍洲等（2018）
	绿色技术创新	绿色技术专利申请量	国家知识产权局数据库	
	绿色技术转化	绿色技术专利转移转计量	国家知识产权局数据库	
控制变量	人力投入	城镇单位就业人员数	《中国统计年鉴》	申晨等（2017）、 郭然和原毅军（2020）
	资本投入	全社会固定资产投资额		

5.1.3　变量的描述性分析

环保补助、税收优惠、环境税、绿色采购、绿色信贷、绿色技术引进、绿色技术创新、绿色技术转化、人力投入和资本投入的均值、标准差、极大值、极小值等，如表 5-2 所示。

表 5-2　变量的描述性统计

变量	观测值	极小值	极大值	均值	标准差
环保补助	217	−1.20	7.26	5.08	1.07
税收优惠	217	3.00	13.90	10.49	1.74
环境税	217	6.62	12.21	10.54	1.15
绿色采购	217	2.28	5.78	4.39	0.64
绿色信贷	217	2.26	4.58	3.75	0.40
绿色技术引进	217	0.00	4.76	1.47	1.18
绿色技术创新	217	1.61	10.15	7.02	1.63
绿色技术转化	217	0.00	5.25	1.97	1.33
人力投入	217	3.05	7.59	5.93	0.90
资本投入	217	5.94	10.79	9.09	0.92

从表 5-2 中可以看出，环保补助、税收优惠、环境税、绿色技术引进、绿色技术创新、绿色技术转化、人力投入和资本投入的标准差大于 0.70，说明样本间具有一定的差异性；绿色采购和绿色信贷的标准差分别为 0.64 和 0.40，说明样本间的差异不大。

5.1.4　假设检验

1. 市场型环境政策工具与企业绿色技术引进

以绿色技术引进为因变量、市场型环境政策工具为自变量，以人力投入和资本投入为控制变量，进行逐步回归分析，结果如表 5-3 所示。

表 5-3　市场型环境政策对企业绿色技术引进影响作用的回归结果

变量		企业绿色技术引进						
		模型 1	模型 2	模型 3	模型 4	模型 5	模型 6	模型 7
常数		−1.54	−1.62	−1.67	−0.16	−0.69	−3.731	−2.70
控制变量	人力投入	0.92***	0.92***	0.91***	0.90***	0.94***	0.97***	0.93***
	资本投入	−0.27	−0.24	−0.27	−0.26***	−0.31	−0.16	−0.17
自变量	环保补助		−0.03					0.01
	税收优惠			0.02				0.03
	环境税				−0.13			−0.14
	绿色采购					−0.14		0.01
	绿色信贷						0.30*	0.32**
统计值	R^2	0.830	0.830	0.830	0.830	0.831	0.831	0.832
	调整后 R^2	0.794	0.793	0.793	0.794	0.793	0.794	0.790
	F 值	22.923***	22.224***	22.217***	22.224***	22.256***	22.367***	19.939***
观测值		217	217	217	217	217	217	217
模型选择		固定效应	固定效应	固定效应	固定效应	固定效应	固定效应	固定效应

*、**、***分别表示在 10%、5% 和 1% 水平上显著

从表 5-3 中可以看出，模型 1 检验了人力投入和资本投入两个控制变量对绿色技术引进的影响作用。回归分析结果表明，人力投入（$\beta=0.92$，$p<0.01$）对绿色技术引进具有显著的正向影响作用，而资本投入（$\beta=-0.27$，$p>0.1$）对绿色技术引进无显著的影响作用。

模型 2~模型 6 分别检验了环保补助、税收优惠、环境税、绿色采购和绿色信贷对绿色技术引进的影响作用。结果表明，环保补助（$\beta=-0.03$，$p>0.1$）、税收优惠（$\beta=0.02$，$p>0.1$）、环境税（$\beta=-0.13$，$p>0.1$）及绿色采购（$\beta=-0.14$，$p>0.1$）均未对绿色技术引进产生显著的影响作用，但绿色信贷（$\beta=0.30$，$p<0.1$）对绿色技术引进具有显著的正向影响作用。

此外，模型 7 的结果表明，当控制变量（人力投入和资本投入）和五类市场型环境政策工具（环保补助、税收优惠、环境税、绿色采购和绿色信贷）全部进入回归方程后，环保补助（$\beta=0.01$，$p>0.1$）、税收优惠（$\beta=0.03$，$p>0.1$）、环境税（$\beta=-0.14$，$p>0.1$）和绿色采购（$\beta=0.01$，$p>0.1$）依然未对绿色技术引进产生显著的影响作用，但绿色信贷（$\beta=0.32$，$p<0.05$）仍对绿色技术引进具有显著的正向影响作用。

2. 市场型环境政策工具与企业绿色技术创新

以绿色技术创新为因变量、市场型环境政策工具为自变量，以人力投入和资本投入为控制变量，进行逐步回归分析，结果如表 5-4 所示。

表 5-4　市场型环境政策对企业绿色技术创新影响作用的回归结果

变量		企业绿色技术创新						
		模型 1	模型 2	模型 3	模型 4	模型 5	模型 6	模型 7
常数		1.99	1.72	2.51	1.00	1.94	2.29	2.45
控制变量	人力投入	−0.18	−0.19	−0.13	−0.17	−0.19	−0.19	−0.12
	资本投入	0.67^{***}	0.77^{***}	0.67^{***}	0.67^{***}	0.68^{***}	0.66^{***}	0.72^{***}
自变量	环保补助		-0.11^{*}					-0.16^{**}
	税收优惠			−0.08				-0.10^{**}
	环境税				0.09^{**}			0.16^{***}
	绿色采购					0.01		−0.08
	绿色信贷						−0.04	−0.19
统计值	R^2	0.980	0.980	0.980	0.980	0.980	0.981	0.981
	调整后 R^2	0.976	0.976	0.976	0.976	0.975	0.975	0.977
	F 值	228.037^{***}	227.014^{***}	225.522^{***}	222.846^{***}	220.947^{***}	221.047^{***}	213.373^{***}
观测值		217	217	217	217	217	217	217
模型选择		固定效应	固定效应	固定效应	固定效应	固定效应	固定效应	固定效应

*、**、*** 分别表示在 10%、5% 和 1% 水平上显著

从表 5-4 中可以看出，模型 1 检验了人力投入和资本投入两个控制变量对绿色技术创新的影响作用。回归分析结果表明，人力投入（$\beta=-0.18$，$p>0.1$）对绿色技术创新无显著的影响作用，但资本投入（$\beta=0.67$，$p<0.01$）对绿色技术创新具有显著的正向影响作用。

模型 2~模型 6 分别检验了环保补助、税收优惠、环境税、绿色采购和绿色信贷对绿色技术创新的影响作用。结果表明，环保补助（$\beta=-0.11$，$p<0.1$）对绿色技术创新具有显著的负向影响作用，环境税（$\beta=0.09$，$p<0.05$）对绿色技术创新具有显著的正向影响作用，而税收优惠（$\beta=-0.08$，$p>0.1$）、绿色采购（$\beta=0.01$，$p>0.1$）和绿色信贷（$\beta=-0.04$，$p>0.1$）均未对绿色技术创新产生显著的影响作用。

此外，模型 7 的结果表明，当控制变量（人力投入和资本投入）和五类市场型环境政策工具（环保补助、税收优惠、环境税、绿色采购和绿色信贷）全部进入回归方程后，环保补助（$\beta=-0.16$，$p<0.05$）仍对绿色技术创新具有显著的负向影响作用，环境税（$\beta=0.16$，$p<0.01$）仍对绿色技术创新具有显著的正向影响作用，绿色采购（$\beta=-0.08$，$p>0.1$）和绿色信贷（$\beta=-0.19$，$p>0.1$）依然未对绿色技术创新产生显著的影响作用，但税收优惠（$\beta=-0.10$，$p<0.05$）对绿色技术创新

具有显著的负向影响作用。

3. 市场型环境政策工具与企业绿色技术转化

以绿色技术转化为因变量、市场型环境政策工具为自变量及以人力投入和资本投入为控制变量，进行逐步回归分析，结果如表 5-5 所示。

表 5-5　市场型环境政策对企业绿色技术转化影响作用的回归结果

变量		企业绿色技术转化						
		模型 1	模型 2	模型 3	模型 4	模型 5	模型 6	模型 7
常数		3.76	3.69	2.92	3.49	3.57	3.26	1.64
控制变量	人力投入	0.23	0.23	0.14	0.24	0.23	0.24	0.15
	资本投入	−0.35	−0.33	−0.34	−0.35	−0.34	−0.33	−0.30
自变量	环保补助		−0.03					0.01
	税收优惠			0.12**				0.13**
	环境税				0.02			0.01
	绿色采购					0.03		0.03
	绿色信贷						0.07	0.13
统计值	R^2	0.904	0.904	0.906	0.904	0.904	0.904	0.906
	调整后 R^2	0.883	0.883	0.885	0.883	0.883	0.883	0.882
	F 值	44.066***	42.714***	43.501***	42.704***	42.700***	42.714***	38.629***
观测值		217	217	217	217	217	217	217
模型选择		固定效应	固定效应	固定效应	固定效应	固定效应	固定效应	固定效应

、*分别表示在 5%和 1%水平上显著

从表 5-5 中可以看出，模型 1 检验了人力投入和资本投入两个控制变量对绿色技术转化的影响作用。回归分析结果表明，人力投入（$\beta=0.23$，$p>0.1$）和资本投入（$\beta=-0.35$，$p>0.1$）均未对绿色技术转化产生显著影响作用。

模型 2~模型 6 分别检验了环保补助、税收优惠、环境税、绿色采购和绿色信贷对绿色技术转化的影响作用。结果表明，政府环保补助（$\beta=-0.03$，$p>0.1$）、环境税（$\beta=0.02$，$p>0.1$）、绿色采购（$\beta=0.03$，$p>0.1$）和绿色信贷（$\beta=0.07$，$p>0.1$）均未对绿色技术转化产生显著的影响作用，但税收优惠（$\beta=0.12$，$p<0.05$）对绿色技术转化具有显著的正向影响作用。

此外，模型 7 的结果表明，当控制变量（人力投入和资本投入）和五类市场型环境政策工具（环保补助、税收优惠、环境税、绿色采购和绿色信贷）全部进入回归方程后，环保补助（$\beta=0.01$，$p>0.1$）、环境税（$\beta=0.01$，$p>0.1$）、绿色采购（$\beta=0.03$，$p>0.1$）和绿色信贷（$\beta=0.13$，$p>0.1$）仍未对绿色技术转化产生显著的影响作用，但税收优惠（$\beta=0.13$，$p<0.05$）依然对绿色技术转化

具有显著的正向影响作用。

5.2　市场型环境政策工具与企业绿色创新：不同区域的比较研究

由于我国不同区域的制度、文化、资源禀赋等因素存在一定的差异，会对研究结果产生一定的影响，因此，本章将研究样本划分为东部、中部、西部三个区域，分别检验不同市场型环境政策工具与企业绿色创新之间的关系。

5.2.1　东部地区

1. 市场型环境政策工具与东部地区企业绿色技术引进

以东部地区绿色技术引进为因变量、市场型环境政策工具为自变量及以人力投入和资本投入为控制变量，进行逐步回归分析，结果如表 5-6 所示。

表 5-6　市场型环境政策对企业绿色技术引进影响作用的回归结果（东部地区）

变量		企业绿色技术引进						
		模型 1	模型 2	模型 3	模型 4	模型 5	模型 6	模型 7
常数		-8.24^{***}	-7.52^{***}	-8.24^{***}	-11.46^{***}	-8.96^{***}	-14.50^{***}	-14.48^{*}
控制变量	人力投入	1.20^{**}	1.19^{**}	1.19^{**}	1.34^{**}	1.22^{**}	1.28^{**}	1.38^{**}
	资本投入	0.30	0.32	0.29	0.35	0.32	0.54	0.62
自变量	环保补助		-0.15					-0.16
	税收优惠			0.01				-0.09
	环境税				0.18			0.13
	绿色采购					0.08		-0.10
	绿色信贷						0.88^{*}	0.78
统计值	R^2	0.894	0.895	0.894	0.896	0.894	0.897	0.899
	调整后 R^2	0.862	0.860	0.859	0.861	0.859	0.863	0.855
	F 值	27.277^{***}	25.682^{***}	25.397^{***}	25.868^{***}	25.423^{***}	26.226^{***}	20.562^{***}
观测值		77	77	77	77	77	77	77
模型选择		固定效应	固定效应	固定效应	固定效应	固定效应	固定效应	固定效应

*、**、***分别表示在 10%、5% 和 1% 水平上显著

从表 5-6 中可以看出，模型 1 检验了人力投入和资本投入两个控制变量对东部地区绿色技术引进的影响作用。回归分析结果表明，人力投入（$\beta=1.20$，$p<0.05$）

对绿色技术引进具有显著的正向影响作用，而资本投入（$\beta=0.30$，$p>0.1$）对绿色技术引进无显著的影响作用。

模型 2~模型 6 分别检验了环保补助、税收优惠、环境税、绿色采购和绿色信贷对东部地区绿色技术引进的影响作用。结果表明，环保补助（$\beta=-0.15$，$p>0.1$）、税收优惠（$\beta=0.01$，$p>0.1$）、环境税（$\beta=0.18$，$p>0.1$）及绿色采购（$\beta=0.08$，$p>0.1$）均未对绿色技术引进产生显著的影响作用，但绿色信贷（$\beta=0.88$，$p<0.1$）对绿色技术引进具有显著的正向影响作用。

此外，模型 7 的结果表明，当控制变量（人力投入和资本投入）和五类市场型环境政策工具（环保补助、税收优惠、环境税、绿色采购和绿色信贷）全部进入回归方程后，政府环保补助（$\beta=-0.16$，$p>0.1$）、税收优惠（$\beta=-0.09$，$p>0.1$）、环境税（$\beta=0.13$，$p>0.1$）及绿色采购（$\beta=-0.10$，$p>0.1$）仍未对绿色技术引进产生显著的影响作用，且绿色信贷对绿色技术引进（$\beta=0.78$，$p>0.1$）不再具有显著的正向影响作用。

2. 市场型环境政策工具与东部地区企业绿色技术创新

以东部地区绿色技术创新为因变量、市场型环境政策工具为自变量及以人力投入和资本投入为控制变量，进行逐步回归分析，结果如表 5-7 所示。

表 5-7　市场型环境政策对企业绿色技术创新影响作用的回归结果（东部地区）

变量		企业绿色技术创新						
		模型 1	模型 2	模型 3	模型 4	模型 5	模型 6	模型 7
常数		2.27**	2.08**	2.27*	0.76	−0.24	0.80	−0.84
控制变量	人力投入	−0.02	−0.02	0.02	0.04	0.05	−0.01	0.08
	资本投入	0.63***	0.63***	0.70***	0.65***	0.71***	0.69***	0.80***
自变量	环保补助		0.04					−0.01
	税收优惠			−0.08***				−0.07*
	环境税				0.08**			−0.01
	绿色采购					0.30***		0.26***
	绿色信贷						0.21**	0.15
统计值	R^2	0.992	0.992	0.992	0.992	0.993	0.992	0.993
	调整后 R^2	0.989	0.989	0.989	0.989	0.990	0.989	0.990
	F 值	387.313***	363.376***	370.093***	375.243***	414.773***	366.879***	323.568***
观测值		77	77	77	77	77	77	77
模型选择		固定效应	固定效应	固定效应	固定效应	固定效应	固定效应	固定效应

*、**、***分别表示在 10%、5%和 1%水平上显著

从表 5-7 中可以看出，模型 1 检验了人力投入和资本投入两个控制变量对东

部地区绿色技术创新的影响作用。回归分析结果表明，人力投入（$\beta=-0.02$，$p>0.1$）对绿色技术创新无显著的影响作用，但资本投入（$\beta=0.63$，$p<0.01$）对绿色技术创新具有显著的正向影响作用。

模型 2~模型 6 分别检验了环保补助、税收优惠、环境税、绿色采购和绿色信贷对东部地区绿色技术创新的影响作用。结果表明，政府环保补助（$\beta=0.04$，$p>0.1$）对绿色技术创新无显著的影响作用，但税收优惠（$\beta=-0.08$，$p<0.01$）对绿色技术创新具有显著负向影响作用，环境税（$\beta=0.08$，$p<0.05$）、绿色采购（$\beta=0.30$，$p<0.01$）和绿色信贷（$\beta=0.21$，$p<0.05$）均对绿色技术创新具有显著的正向影响作用。

此外，模型 7 的结果表明，当控制变量（人力投入和资本投入）和五类市场型环境政策工具（环保补助、税收优惠、环境税、绿色采购和绿色信贷）全部进入回归方程后，环保补助（$\beta=-0.01$，$p>0.1$）仍对绿色技术创新无显著影响作用，税收优惠（$\beta=-0.07$，$p<0.1$）仍对绿色技术创新具有显著负向影响作用，绿色采购（$\beta=0.26$，$p<0.01$）仍对绿色技术创新具有显著的正向影响作用，但环境税（$\beta=-0.01$，$p>0.1$）和绿色信贷（$\beta=0.15$，$p>0.1$）对绿色技术创新不再具有显著的正向影响作用。

3. 市场型环境政策工具与东部地区企业绿色技术转化

以东部地区企业绿色技术转化为因变量、市场型环境政策工具为自变量及以人力投入和资本投入为控制变量，进行逐步回归分析，结果如表 5-8 所示。

表 5-8　市场型环境政策对企业绿色技术转化影响作用的回归结果（东部地区）

变量		企业绿色技术转化						
		模型 1	模型 2	模型 3	模型 4	模型 5	模型 6	模型 7
常数		−3.40	−3.59	−3.39	−6.58	−3.35	−6.36	−7.39
控制变量	人力投入	0.72*	0.72*	0.77*	0.86**	0.72*	0.76**	0.92**
	资本投入	0.18	0.18	0.27		0.18	0.29	0.43
自变量	环保补助		0.04					0.05
	税收优惠			−0.10				−0.19
	环境税				0.23			0.19
	绿色采购					−0.01		−0.36
	绿色信贷						0.42	0.47
统计值	R^2	0.944	0.944	0.945	0.946	0.944	0.945	0.947
	调整后 R^2	0.927	0.926	0.926	0.927	0.926	0.926	0.924
	F 值	54.564***	50.856***	51.098***	52.101***	50.801***	51.311***	41.101***
观测值		77	77	77	77	77	77	77
模型选择		固定效应	固定效应	固定效应	固定效应	固定效应	固定效应	固定效应

*、**、***分别表示在 10%、5%和 1%水平上显著

从表 5-8 中可以看出，模型 1 检验了人力投入和资本投入两个控制变量对东部地区绿色技术转化的影响作用。回归分析结果表明，人力投入（$\beta=0.72$，$p<0.1$）对绿色技术转化具有显著的正向影响作用，而资本投入（$\beta=0.18$，$p>0.1$）对绿色技术转化无显著的影响作用。

模型 2~模型 6 分别检验了环保补助、税收优惠、环境税、绿色采购和绿色信贷对东部地区绿色技术转化的影响作用。结果表明，环保补助（$\beta=0.04$，$p>0.1$）、税收优惠（$\beta=-0.10$，$p>0.1$）、环境税（$\beta=0.23$，$p>0.1$）、绿色采购（$\beta=-0.01$，$p>0.1$）和绿色信贷（$\beta=0.42$，$p>0.1$）均未对绿色技术转化产生显著的影响作用。

此外，模型 7 的结果表明，当控制变量（人力投入和资本投入）和五类市场型环境政策工具（环保补助、税收优惠、环境税、绿色采购和绿色信贷）全部进入回归方程后，政府环保补助（$\beta=0.05$，$p>0.1$）、税收优惠（$\beta=-0.19$，$p>0.1$）、环境税（$\beta=0.19$，$p>0.1$）、绿色采购（$\beta=-0.36$，$p>0.1$）和绿色信贷（$\beta=0.47$，$p>0.1$）依然未对绿色技术转化产生显著的影响作用。

5.2.2 中部地区

1. 市场型环境政策工具与中部地区企业绿色技术引进

以中部地区绿色技术引进为因变量、市场型环境政策工具为自变量及以人力投入和资本投入为控制变量，进行逐步回归分析，结果如表 5-9 所示。

表 5-9 市场型环境政策对企业绿色技术引进影响作用的回归结果（中部地区）

变量		企业绿色技术引进						
		模型 1	模型 2	模型 3	模型 4	模型 5	模型 6	模型 7
常数		−18.20	−14.14	−19.68	−14.78	−23.06	−15.42	−15.94
控制变量	人力投入	2.34*	2.12*	2.19*	3.37*	2.32*	1.49	3.15*
	资本投入	0.55	−0.10	0.70	0.67	0.80	1.52	0.44
自变量	环保补助		0.65					0.75
	税收优惠			0.09				0.07
	环境税				−0.99			−1.25*
	绿色采购					0.58		0.69
	绿色信贷						−1.69	−0.13
统计值	R^2	0.665	0.686	0.667	0.682	0.670	0.674	0.718
	调整后 R^2	0.540	0.558	0.531	0.551	0.534	0.541	0.558
	F 值	5.297***	5.333***	4.891***	5.222***	4.940***	5.045***	4.465***
观测值		56	56	56	56	56	56	56
模型选择		固定效应	固定效应	固定效应	固定效应	固定效应	固定效应	固定效应

*、***分别表示在 10%、1%水平上显著

　　从表 5-9 中可以看出，模型 1 检验了人力投入和资本投入两个控制变量对中部地区绿色技术引进的影响作用。回归分析结果表明，人力投入（$\beta=2.34$，$p<0.1$）对绿色技术引进具有显著的正向影响作用，而资本投入（$\beta=0.55$，$p>0.1$）对绿色技术引进无显著的影响作用。

　　模型 2~模型 6 分别检验了环保补助、税收优惠、环境税、绿色采购和绿色信贷对中部地区绿色技术引进的影响作用。结果表明，环保补助（$\beta=0.65$，$p>0.1$）、税收优惠（$\beta=0.09$，$p>0.1$）、环境税（$\beta=-0.99$，$p>0.1$）、绿色采购（$\beta=0.58$，$p>0.1$）和绿色信贷（$\beta=-1.69$，$p>0.1$）均未对绿色技术引进产生显著的影响作用。

　　此外，模型 7 的结果表明，当控制变量（人力投入和资本投入）和五类市场型环境政策工具（环保补助、税收优惠、环境税、绿色采购和绿色信贷）全部进入回归方程后，环保补助（$\beta=0.75$，$p>0.1$）、税收优惠（$\beta=0.07$，$p>0.1$）、绿色采购（$\beta=0.69$，$p>0.1$）和绿色信贷（$\beta=-0.13$，$p>0.1$）依然未对绿色技术引进产生显著的影响作用，但环境税（$\beta=-1.25$，$p<0.1$）对绿色技术引进具有显著的负向影响作用。

2. 市场型环境政策工具与中部地区企业绿色技术创新

　　以中部地区企业绿色技术创新为因变量、市场型环境政策工具为自变量及以人力投入和资本投入为控制变量，进行逐步回归分析，结果如表 5-10 所示。

表 5-10　市场型环境政策对企业绿色技术创新影响作用的回归结果（中部地区）

变量		企业绿色技术创新						
		模型 1	模型 2	模型 3	模型 4	模型 5	模型 6	模型 7
常数		1.34	2.78	3.59	−1.99	−1.38	−1.06	−3.79
控制变量	人力投入	0.53	0.45	0.76	−0.47	0.51	1.27	0.46
	资本投入	0.27	0.04	0.04	0.15	0.41	−0.57	−1.01*
自变量	环保补助		0.23					0.29**
	税收优惠			−0.13*				−0.04
	环境税				0.96***			0.82***
	绿色采购					0.33		0.26
	绿色信贷						1.46**	1.62**
统计值	R^2	0.954	0.956	0.958	0.966	0.955	0.959	0.975
	调整后 R^2	0.936	0.938	0.941	0.952	0.936	0.942	0.961
	F 值	54.973***	52.759***	55.359***	69.879***	51.548***	57.221***	69.149***
观测值		56	56	56	56	56	56	56
模型选择		固定效应	固定效应	固定效应	固定效应	固定效应	固定效应	固定效应

*、**、***分别表示在 10%、5%和 1%水平上显著

从表 5-10 中可以看出，模型 1 检验了人力投入和资本投入两个控制变量对中部地区绿色技术创新的影响作用。回归分析结果表明，人力投入（$\beta=0.53$，$p>0.1$）和资本投入（$\beta=0.27$，$p>0.1$）均未对绿色技术创新产生显著的影响作用。

模型 2~模型 6 分别检验了环保补助、税收优惠、环境税、绿色采购和绿色信贷对中部地区绿色技术创新的影响作用。结果表明，环保补助（$\beta=0.23$，$p>0.1$）和绿色采购（$\beta=0.33$，$p>0.1$）均未对绿色技术创新产生显著的影响作用，但税收优惠（$\beta=-0.13$，$p<0.1$）对绿色技术创新具有显著的负向影响作用，环境税（$\beta=0.96$，$p<0.01$）和绿色信贷（$\beta=1.46$，$p<0.05$）均对绿色技术创新具有显著的正向影响作用。

此外，模型 7 的结果表明，当控制变量（人力投入和资本投入）和五类市场型环境政策工具（环保补助、税收优惠、环境税、绿色采购和绿色信贷）全部进入回归方程后，绿色采购（$\beta=0.26$，$p>0.1$）仍未对绿色技术创新产生显著的影响作用，但环保补助（$\beta=0.29$，$p<0.05$）对绿色技术创新产生了显著的正向影响作用，税收优惠（$\beta=-0.04$，$p>0.1$）对绿色技术创新不再具有显著的负向影响作用，环境税（$\beta=0.82$，$p<0.01$）和绿色信贷（$\beta=1.62$，$p<0.05$）依然对绿色技术创新具有显著的正向影响作用。

3. 市场型环境政策工具与中部地区企业绿色技术转化

以中部地区绿色技术转化为因变量、市场型环境政策工具为自变量及以人力投入和资本投入为控制变量，进行逐步回归分析，结果如表 5-11 所示。

表 5-11　市场型环境政策对企业绿色技术转化影响作用的回归结果（中部地区）

变量		企业绿色技术转化						
		模型 1	模型 2	模型 3	模型 4	模型 5	模型 6	模型 7
常数		3.71	4.88	−0.33	3.58	−1.11	6.87	1.04
控制变量	人力投入	0.59	0.52	0.17	0.55	0.56	−0.39	−0.22
	资本投入	−0.57	−0.75	−0.15	−0.57	−0.31	0.54	0.07
自变量	环保补助		0.19					0.21
	税收优惠			0.24*				0.21
	环境税				0.04			0.01
	绿色采购					0.58		0.20
	绿色信贷						−1.93	−0.71
统计值	R^2	0.793	0.796	0.813	0.793	0.799	0.807	0.820
	调整后 R^2	0.716	0.712	0.736	0.709	0.716	0.728	0.717
	F 值	10.244***	9.483***	10.595***	9.365***	9.666***	10.214***	7.951***
观测值		56	56	56	56	56	56	56
模型选择		固定效应	固定效应	固定效应	固定效应	固定效应	固定效应	固定效应

*、***分别表示在 10%、1%水平上显著

从表 5-11 中可以看出，模型 1 检验了人力投入和资本投入两个控制变量对中部地区绿色技术转化的影响作用。回归分析结果表明，人力投入（$\beta=0.59$，$p>0.1$）和资本投入（$\beta=-0.57$，$p>0.1$）均未对绿色技术转化产生显著的影响作用。

模型 2～模型 6 分别检验了环保补助、税收优惠、环境税、绿色采购和绿色信贷对中部地区绿色技术转化的影响作用。结果表明，环保补助（$\beta=0.19$，$p>0.1$）、环境税（$\beta=0.04$，$p>0.1$）、绿色采购（$\beta=0.58$，$p>0.1$）和绿色信贷（$\beta=-1.93$，$p>0.1$）均未对绿色技术转化产生显著的影响作用，但税收优惠（$\beta=0.24$，$p<0.1$）对绿色技术转化具有显著的正向影响作用。

此外，模型 7 的结果表明，当控制变量（人力投入和资本投入）和五类市场型环境政策工具（环保补助、税收优惠、环境税、绿色采购和绿色信贷）全部进入回归方程后，环保补助（$\beta=0.21$，$p>0.1$）、环境税（$\beta=0.01$，$p>0.1$）、绿色采购（$\beta=0.20$，$p>0.1$）和绿色信贷（$\beta=-0.71$，$p>0.1$）依然未对绿色技术转化产生显著的影响作用，税收优惠（$\beta=0.21$，$p>0.1$）对绿色技术转化不再具有显著的正向影响作用。

5.2.3　西部地区

1. 市场型环境政策工具与西部地区企业绿色技术引进

以西部地区绿色技术引进为因变量、市场型环境政策工具为自变量及以人力投入和资本投入为控制变量，进行逐步回归分析，结果如表 5-12 所示。

表 5-12　市场型环境政策对企业绿色技术引进影响作用的回归结果（西部地区）

变量		企业绿色技术引进						
		模型 1	模型 2	模型 3	模型 4	模型 5	模型 6	模型 7
常数		20.69**	20.52**	20.67**	24.78**	20.44**	19.34*	26.35**
控制变量	人力投入	-1.60	-1.61	-1.55	-1.62	-1.52	-1.53	-1.81
	资本投入	-1.33*	-1.26*	-1.31*	-0.99	-1.31*	-1.28*	-1.00
自变量	环保补助		-0.07					-0.03
	税收优惠			-0.04				-0.01
	环境税				-0.68*			-0.74*
	绿色采购					-0.08		0.17
	绿色信贷						0.16	-0.08
统计值	R^2	0.577	0.578	0.577	0.599	0.577	0.580	0.601
	调整后 R^2	0.451	0.444	0.443	0.472	0.443	0.444	0.439
	F 值	4.588***	4.319***	4.305***	4.706***	4.295***	4.313***	3.701***
观测值		84	84	84	84	84	84	84
模型选择		固定效应	固定效应	固定效应	固定效应	固定效应	固定效应	固定效应

*、**、***分别表示在 10%、5% 和 1% 水平上显著

从表 5-12 中可以看出，模型 1 检验了人力投入和资本投入两个控制变量对西部地区绿色技术引进的影响作用。回归分析结果表明，人力投入（$\beta=-1.60$，$p>0.1$）对绿色技术引进无显著的影响作用，但资本投入（$\beta=-1.33$，$p<0.1$）对绿色技术引进具有显著的负向影响作用。

模型 2~模型 6 分别检验了环保补助、税收优惠、环境税、绿色采购和绿色信贷对西部地区绿色技术引进的影响作用。结果表明，环保补助（$\beta=-0.07$，$p>0.1$）、税收优惠（$\beta=-0.04$，$p>0.1$）、绿色采购（$\beta=-0.08$，$p>0.1$）和绿色信贷（$\beta=0.16$，$p>0.1$）均未对绿色技术引进产生显著的影响作用，但环境税（$\beta=-0.68$，$p<0.1$）对绿色技术引进具有显著的负向影响作用。

此外，模型 7 的结果表明，当控制变量（人力投入和资本投入）和五类市场型环境政策工具（环保补助、税收优惠、环境税、绿色采购和绿色信贷）全部进入回归方程后，环保补助（$\beta=-0.03$，$p>0.1$）、税收优惠（$\beta=-0.01$，$p>0.1$）、绿色采购（$\beta=0.17$，$p>0.1$）和绿色信贷（$\beta=-0.08$，$p>0.1$）依然未对绿色技术引进产生显著的影响作用，且环境税（$\beta=-0.74$，$p<0.1$）仍对绿色技术引进具有显著的负向影响作用。

2. 市场型环境政策工具与西部地区企业绿色技术创新

以西部地区绿色技术创新为因变量、市场型环境政策工具为自变量及以人力投入和资本投入为控制变量，进行逐步回归分析，结果如表 5-13 所示。

表 5-13　市场型环境政策对企业绿色技术创新影响作用的回归结果（西部地区）

变量		企业绿色技术创新						
		模型 1	模型 2	模型 3	模型 4	模型 5	模型 6	模型 7
常数		14.75**	14.06***	14.75**	15.69**	14.67**	15.46**	17.61***
控制变量	人力投入	−1.59**	−1.65**	−1.58*	−1.60**	−1.57*	−1.63**	−1.54*
	资本投入	−0.03	0.24	−0.02	0.05	−0.02	−0.05	0.26
自变量	环保补助		−0.29***					−0.32***
	税收优惠			−0.01				−0.07
	环境税				−0.16			−0.09
	绿色采购					−0.03		−0.23
	绿色信贷						−0.08	−0.45
统计值	R^2	0.970	0.975	0.969	0.969	0.969	0.969	0.976
	调整后 R^2	0.960	0.967	0.959	0.960	0.959	0.960	0.966
	F 值	106.076***	121.397***	99.212***	100.020***	99.214***	99.440***	99.911***
观测值		84	84	84	84	84	84	84
模型选择		固定效应	固定效应	固定效应	固定效应	固定效应	固定效应	固定效应

*、**、***分别表示在 10%、5%和 1%水平上显著

从表5-13中可以看出，模型1检验了人力投入和资本投入两个控制变量对西部地区绿色技术创新的影响作用。回归分析结果表明，人力投入（$\beta=-1.59$，$p<0.05$）对绿色技术创新具有显著的负向影响作用，而资本投入（$\beta=-0.03$，$p>0.1$）对绿色技术创新无显著影响作用。

模型2~模型6分别检验了环保补助、税收优惠、环境税、绿色采购和绿色信贷对西部地区绿色技术创新的影响作用。结果表明，环保补助（$\beta=-0.29$，$p<0.01$）对绿色技术创新具有显著的负向影响作用，而税收优惠（$\beta=-0.01$，$p>0.1$）、环境税（$\beta=-0.16$，$p>0.1$）、绿色采购（$\beta=-0.03$，$p>0.1$）和绿色信贷（$\beta=-0.08$，$p>0.1$）均未对绿色技术创新产生显著的影响作用。

此外，模型7的结果表明，当控制变量（人力投入和资本投入）和五类市场型环境政策工具（环保补助、税收优惠、环境税、绿色采购和绿色信贷）全部进入回归方程后，环保补助（$\beta=-0.32$，$p<0.01$）仍对绿色技术创新具有显著的负向影响作用，税收优惠（$\beta=-0.07$，$p>0.1$）、环境税（$\beta=-0.09$，$p>0.1$）、绿色采购（$\beta=-0.23$，$p>0.1$）和绿色信贷（$\beta=-0.45$，$p>0.1$）依然未对绿色技术创新产生显著的影响作用。

3. 市场型环境政策工具与西部地区企业绿色技术转化

以西部地区绿色技术转化为因变量、市场型环境政策工具为自变量及以人力投入和资本投入为控制变量，进行逐步回归分析，结果如表5-14所示。

表 5-14　市场型环境政策对企业绿色技术转化影响作用的回归结果（西部地区）

变量		企业绿色技术转化						
		模型1	模型2	模型3	模型4	模型5	模型6	模型7
常数		14.41*	14.31*	14.47*	14.95*	15.58**	13.85	14.04*
控制变量	人力投入	−1.17	−1.18	−1.31	−1.17	−1.52	−1.14	−1.96*
	资本投入	−0.82**	−0.78**	−0.87**	−0.78	−0.92**	−0.80*	−0.86
自变量	环保补助		−0.04					0.02
	税收优惠			0.12*				0.19***
	环境税				−0.09			−0.22
	绿色采购					0.36		0.84*
	绿色信贷						0.06	0.53**
统计值	R^2	0.696	0.696	0.700	0.696	0.700	0.696	0.713
	调整后R^2	0.606	0.600	0.605	0.600	0.604	0.606	0.596
	F值	7.707***	7.221***	7.362***	7.217***	7.325***	7.213***	6.093***
观测值		84	84	84	84	84	84	84
模型选择		固定效应	固定效应	固定效应	固定效应	固定效应	固定效应	固定效应

*、**、***分别表示在10%、5%和1%水平上显著

从表 5-14 中可以看出，模型 1 检验了人力投入和资本投入两个控制变量对西部地区绿色技术转化的影响作用。回归分析结果表明，人力投入（$\beta=-1.17$，$p>0.1$）对绿色技术转化无显著的影响作用，但资本投入（$\beta=-0.82$，$p<0.05$）对绿色技术转化具有显著的负向影响作用。

模型 2~模型 6 分别检验了环保补助、税收优惠、环境税、绿色采购和绿色信贷对西部地区绿色技术转化的影响作用。结果表明，环保补助（$\beta=-0.04$，$p>0.1$）、环境税（$\beta=-0.09$，$p>0.1$）、绿色采购（$\beta=0.36$，$p>0.1$）和绿色信贷（$\beta=0.06$，$p>0.1$）均未对绿色技术转化产生显著的影响作用，但税收优惠（$\beta=0.12$，$p<0.1$）对绿色技术转化具有显著的正向影响作用。

此外，模型 7 的结果表明，当控制变量（人力投入和资本投入）和五类市场型环境政策工具（环保补助、税收优惠、环境税、绿色采购和绿色信贷）全部进入回归方程后，环保补助（$\beta=0.02$，$p>0.1$）和环境税（$\beta=-0.22$，$p>0.1$）依然未对绿色技术转化产生显著的影响作用，但绿色采购（$\beta=0.84$，$p<0.1$）和绿色信贷（$\beta=0.53$，$p<0.05$）对绿色技术转化具有显著的正向影响作用，税收优惠（$\beta=0.19$，$p<0.01$）仍对绿色技术转化具有显著的正向影响作用。

5.3　市场型环境政策工具与企业绿色创新：政策工具的交互作用

由于环保补助、税收优惠、环境税、绿色采购和绿色信贷五类市场型环境政策工具在企业绿色创新的过程中可能存在一定的替代或互补作用，本章将五类市场型环境政策工具划分为激励型政策工具和约束型政策工具，其中，激励型政策工具包含环保补助、税收优惠、绿色采购和绿色信贷，约束型政策工具仅包含环境税，在此基础上，探究不同类别的激励型政策工具之间及激励型政策工具与约束型政策工具之间的替代或互补作用。

5.3.1　不同激励型政策工具的交互作用

1. 不同激励型政策工具交互与企业绿色技术引进

以绿色技术引进作为被解释变量，以市场型环境政策工具及不同激励型政策工具的交互项作为解释变量，以人力投入和资本投入作为控制变量，进行回归分析，结果如表 5-15 所示。

表 5-15　激励型政策工具对企业绿色技术引进的交互影响作用的回归结果

变量		企业绿色技术引进					
		模型 1	模型 2	模型 3	模型 4	模型 5	模型 6
常数		−1.55	−1.63	−1.22	−1.41	0.44	−2.92
控制变量	人力投入	0.88*	0.92*	0.89*	0.86	0.86	0.94*
	资本投入	−0.17	−0.14	−0.08	−0.10	−0.15	−0.18
自变量	环保补助	−0.15	−0.16	−0.46	0.01	0.02	0.01
	税收优惠	−0.06	0.03	0.03	−0.09	−0.31	0.03
	环境税	−0.13	−0.13	−0.15	−0.12	−0.14	−0.14
	绿色采购	−0.003	−0.21	−0.05	−0.30	−0.07	0.06
	绿色信贷	0.25	0.20	−0.07	0.21	−0.37	0.38
交互项	环保补助×税收优惠	0.02					
	环保补助×绿色采购		0.05				
	环保补助×绿色信贷			0.11			
	税收优惠×绿色采购				0.03		
	税收优惠×绿色信贷					0.09	
	绿色采购×绿色信贷						−0.01
统计值	R^2	0.833	0.833	0.833	0.832	0.833	0.832
	调整后 R^2	0.790	0.790	0.790	0.789	0.790	0.789
	F 值	19.455***	19.440***	19.470***	19.410***	19.482***	19.373***
观测值		217	217	217	217	217	217
模型选择		固定效应	固定效应	固定效应	固定效应	固定效应	固定效应

*、***分别表示在 10%、1%水平上显著

从表 5-15 中可以看出，模型 1~模型 6 分别检验了环保补助、税收优惠、绿色采购和绿色信贷的交互项对绿色技术引进的影响作用。结果表明，环保补助×税收优惠（$\beta=0.02$，$p>0.1$）、环保补助×绿色采购（$\beta=0.05$，$p>0.1$）、环保补助×绿色信贷（$\beta=0.11$，$p>0.1$）、税收优惠×绿色采购（$\beta=0.03$，$p>0.1$）、税收优惠×绿色信贷（$\beta=0.09$，$p>0.1$）和绿色采购×绿色信贷（$\beta=-0.01$，$p>0.1$）均未对绿色技术引进产生显著的影响作用。

2. 不同激励型政策工具交互与企业绿色技术创新

以绿色技术创新作为被解释变量，以市场型环境政策工具及不同激励型政策

工具的交互项作为解释变量，以人力投入和资本投入作为控制变量，进行回归分析，结果如表 5-16 所示。

表 5-16　激励型政策工具对企业绿色技术创新的交互影响作用的回归结果

变量		企业绿色技术创新					
		模型 1	模型 2	模型 3	模型 4	模型 5	模型 6
常数		3.97	4.28	0.76	2.09	2.30	−3.24
控制变量	人力投入	−0.18	−0.15	−0.07	−0.10	−0.11	−0.002
	资本投入	0.72***	0.77***	0.61***	0.70***	0.72***	0.56***
自变量	环保补助	−0.38***	−0.46***	0.37	−0.16***	−0.16***	−0.13**
	税收优惠	−0.22***	−0.11***	−0.09**	−0.07	−0.09	−0.07*
	环境税	0.17**	0.16**	0.17**	0.15*	0.16*	0.18**
	绿色采购	−0.10	−0.46**	−0.01	0.01	−0.08	1.34**
	绿色信贷	−0.29*	−0.39**	0.26	−0.16	−0.15	1.27**
交互项	环保补助×税收优惠	0.03					
	环保补助×绿色采购		0.08***				
	环保补助×绿色信贷			−0.13**			
	税收优惠×绿色采购				−0.02		
	税收优惠×绿色信贷					−0.004	
	绿色采购×绿色信贷						−0.36***
统计值	R^2	0.982	0.982	0.982	0.982	0.981	0.982
	调整后 R^2	0.977	0.978	0.977	0.977	0.977	0.978
	F 值	213.661***	216.146***	212.816***	207.440***	207.329***	216.923***
观测值		217	217	217	217	217	217
模型选择		固定效应	固定效应	固定效应	固定效应	固定效应	固定效应

*、**、***分别表示在10%、5%和1%水平上显著

从表 5-16 中可以看出，模型 1~模型 6 分别检验了环保补助、税收优惠、绿色采购和绿色信贷的交互项对绿色技术创新的影响作用。结果表明，环保补助×税收优惠（$\beta=0.03$，$p<0.05$）和环保补助×绿色采购（$\beta=0.08$，$p<0.01$）均对绿色技术创新具有显著的正向影响作用，环保补助×绿色信贷（$\beta=-0.13$，$p<0.05$）和绿色采购×绿色信贷（$\beta=-0.36$，$p<0.01$）均对绿色技术创新具有显著的负向影响作用，而税收优惠×绿色采购（$\beta=-0.02$，$p>0.1$）和税收优惠×绿色信贷（$\beta=-0.004$，$p>0.1$）均未对绿色技术创新产生显著的影响作用。

3. 不同激励型政策工具交互与企业绿色技术转化

以绿色技术转化作为被解释变量，以市场型环境政策工具及不同激励型政策工具的交互项作为解释变量，以人力投入和资本投入作为控制变量，进行回归分析，结果如表 5-17 所示。

表 5-17 激励型政策工具对企业绿色技术转化的交互影响作用的回归结果

变量		企业绿色技术转化					
		模型 1	模型 2	模型 3	模型 4	模型 5	模型 6
常数		2.16	2.49	1.81	1.44	−0.32	−2.26
控制变量	人力投入	0.13	0.14	0.15	0.17	0.20	0.23
	资本投入	−0.30	−0.27	−0.29	−0.31	−0.31	−0.41
自变量	环保补助	−0.07	−0.13	−0.05	0.01	0.001	0.03
	税收优惠	0.09	0.13^*	0.13^*	0.15	0.34	0.15^*
	环境税	0.01	0.01	0.01	0.01	0.02	0.03
	绿色采购	0.02	−0.15	0.02	0.08	0.08	1.00
	绿色信贷	0.10	0.04	0.09	0.15	0.56	1.13
交互项	环保补助×税收优惠	0.01					
	环保补助×绿色采购		0.04				
	环保补助×绿色信贷			0.01			
	税收优惠×绿色采购				−0.005		
	税收优惠×绿色信贷					−0.06	
	绿色采购×绿色信贷						−0.25
统计值	R^2	0.906	0.906	0.906	0.906	0.906	0.906
	调整后 R^2	0.882	0.882	0.882	0.882	0.882	0.882
	F 值	37.575^{***}	37.640^{***}	37.536^{***}	37.535^{***}	37.638^{***}	37.784^{***}
观测值		217	217	217	217	217	217
模型选择		固定效应	固定效应	固定效应	固定效应	固定效应	固定效应

*、***分别表示在 10%、1%水平上显著

从表 5-17 中可以看出，模型 1~模型 6 分别检验了环保补助、税收优惠、绿色采购和绿色信贷的交互项对绿色技术转化的影响作用。结果表明，环保补助×税收优惠（$\beta=0.01$，$p>0.1$）、环保补助×绿色采购（$\beta=0.04$，$p>0.1$）、环保补助×绿色信贷（$\beta=0.01$，$p>0.1$）、税收优惠×绿色采购（$\beta=-0.005$，$p>0.1$）、税收优

惠×绿色信贷（$\beta=-0.06$，$p>0.1$）和绿色采购×绿色信贷（$\beta=-0.25$，$p>0.1$）均未对绿色技术转化产生显著的影响作用。

5.3.2　激励型与约束型政策工具的交互作用

1. 激励型与约束型政策工具的交互对企业绿色技术引进的影响

以绿色技术引进作为被解释变量，以市场型环境政策工具及激励型与约束型政策工具的交互项作为解释变量，以人力投入和资本投入作为控制变量，进行回归分析，结果如表 5-18 所示。

表 5-18　激励型与约束型政策工具对企业绿色技术引进的影响作用的回归结果

变量		企业绿色技术引进			
		模型 1	模型 2	模型 3	模型 4
常数		−0.25	1.15	−0.35	−2.03
控制变量	人力投入	0.92*	0.87	0.90*	0.93*
	资本投入	−0.20	−0.13	−0.14	−0.18
自变量	环保补助	−0.34	0.01	0.01	0.01
	税收优惠	0.03	−0.32	0.03	0.03
	环境税	−0.34	−0.51	−0.36	−0.21
	绿色采购	0.03	0.02	−0.52	0.01
	绿色信贷	0.23	0.23	0.23	0.16
交互项	环保补助×环境税	0.04			
	税收优惠×环境税		0.04		
	绿色采购×环境税			0.05	
	绿色信贷×环境税				0.02
统计值	R^2	0.833	0.833	0.832	0.832
	调整后 R^2	0.790	0.790	0.790	0.789
	F 值	19.495**	19.458**	19.420**	19.374**
观测值		217	217	217	217
模型选择		固定效应	固定效应	固定效应	固定效应

*、**分别表示在 10%、5%水平上显著

从表 5-18 中可以看出，模型 1~模型 4 分别检验了环保补助、税收优惠、绿色采购、绿色信贷与环境税的交互项对绿色技术引进的影响作用。结果表明，环保补助×环境税（$\beta=0.04$，$p>0.1$）、税收优惠×环境税（$\beta=0.04$，$p>0.1$）、绿色采购×环境税（$\beta=0.05$，$p>0.1$）和绿色信贷×环境税（$\beta=0.02$，$p>0.1$）均未对绿色技术引进产生显著的影响作用。

2. 激励型与约束型政策工具的交互对企业绿色技术创新的影响

以绿色技术创新作为被解释变量，以市场型环境政策工具及激励型与约束型政策工具的交互项作为解释变量，以人力投入和资本投入作为控制变量，进行回归分析，结果如表 5-19 所示。

表 5-19　激励型与约束型政策工具对企业绿色技术创新的影响作用的回归结果

变量		企业绿色技术创新			
		模型 1	模型 2	模型 3	模型 4
常数		5.48^{**}	1.17	3.54	-0.95
控制变量	人力投入	-0.13	-0.10	-0.13	-0.08
	资本投入	0.680330^{***}	0.70^{***}	0.73^{***}	0.73^{***}
自变量	环保补助	-0.59^{***}	-0.16^{***}	-0.16^{***}	-0.16^{***}
	税收优惠	-0.11^{***}	0.01	-0.10^{**}	-0.10^{***}
	环境税	-0.09	0.28	0.06	0.51
	绿色采购	-0.06	-0.08	-0.33	-0.06
	绿色信贷	-0.30^{**}	-0.16	-0.23	0.61
交互项	环保补助×环境税	0.05^{**}			
	税收优惠×环境税		-0.01		
	绿色采购×环境税			0.03	
	绿色信贷×环境税				-0.09
统计值	R^2	0.982	0.982	0.982	0.982
	调整后 R^2	0.978	0.977	0.977	0.977
	F 值	215.628^{***}	207.718^{***}	207.756^{***}	208.697^{***}
观测值		217	217	217	217
模型选择		固定效应	固定效应	固定效应	固定效应

、*分别表示在5%和1%水平上显著

从表 5-19 中可以看出，模型 1~模型 4 分别检验了环保补助、税收优惠、绿色采购、绿色信贷与环境税的交互项对绿色技术创新的影响作用。结果表明，环保补助×环境税（$\beta=0.05$，$p<0.05$）对绿色技术创新具有显著的正向影响作用，而税收优惠×环境税（$\beta=-0.01$，$p>0.1$）、绿色采购×环境税（$\beta=0.03$，$p>0.1$）和绿色信贷×环境税（$\beta=-0.09$，$p>0.1$）均未对绿色技术创新产生显著的影响作用。

3. 激励型与约束型政策工具的交互对企业绿色技术转化的影响

以绿色技术转化作为被解释变量，以市场型环境政策工具及激励型与约束型政策工具的交互项作为解释变量，以人力投入和资本投入作为控制变量，进行回归分析，结果如表 5-20 所示。

表 5-20　激励型与约束型政策工具对企业绿色技术转化的影响作用的回归结果

变量		企业绿色技术转化			
		模型 1	模型 2	模型 3	模型 4
常数		3.27	5.20	4.61	−2.14
控制变量	人力投入	0.15	0.09	0.11	0.19
	资本投入	−0.32	−0.25	−0.25	−0.29
自变量	环保补助	−0.22	0.003	0.01	0.01
	税收优惠	0.13*	−0.20	0.13*	0.12*
	环境税	−0.12	−0.33	−0.27	0.40
	绿色采购	0.04	0.03	−0.64	0.05
	绿色信贷	0.07	0.05	0.02	1.03
交互项	环保补助×环境税	0.03			
	税收优惠×环境税		0.03		
	绿色采购×环境税			0.07	
	绿色信贷×环境税				−0.10
统计值	R^2	0.906	0.906	0.906	0.906
	调整后 R^2	0.882	0.882	0.882	0.882
	F 值	37.667***	37.713***	37.721***	37.631***
观测值		217	217	217	217
模型选择		固定效应	固定效应	固定效应	固定效应

*、***分别表示在 10%、1%水平上显著

从表 5-20 中可以看出，模型 1~模型 4 分别检验了环保补助、税收优惠、绿色采购、绿色信贷与环境税的交互项对绿色技术转化的影响作用。结果表明，环保补助×环境税（$\beta=0.03$，$p>0.1$）、税收优惠×环境税（$\beta=0.03$，$p>0.1$）、绿色采购×环境税（$\beta=0.07$，$p>0.1$）及绿色信贷×环境税（$\beta=-0.10$，$p>0.1$）均未对绿色技术转化产生显著的影响作用。

5.4　市场型环境政策工具交互与不同区域企业绿色创新

在上一步分析的基础上，本章将针对不同的区域，探究不同的激励型政策工具、激励型与约束型政策工具对绿色创新不同阶段影响的替代或互补作用。

5.4.1　不同激励型政策工具的交互作用——东部地区

1. 不同激励型政策工具交互与东部地区企业绿色技术引进

以东部地区绿色技术引进作为被解释变量，以市场型环境政策工具及不同激励型政策工具的交互项作为解释变量，以人力投入和资本投入作为控制变量，进行回归分析，结果如表 5-21 所示。

表 5-21　激励型政策工具对企业绿色技术引进的交互影响作用的回归结果（东部地区）

变量		企业绿色技术引进					
		模型 1	模型 2	模型 3	模型 4	模型 5	模型 6
常数		−13.88	−15.24	−8.72	−16.42	−8.87	−11.61
控制变量	人力投入	1.34^*	1.41^{**}	1.27^*	1.57^{**}	1.23	1.33^*
	资本投入	0.65	0.60	0.78	0.48	0.75	0.69
自变量	环保补助	−0.32	0.01	−1.52	−0.16	−0.15	−0.16
	税收优惠	−0.15	−0.10	−0.08	0.15	−0.68	−0.11
	环境税	0.13	0.13	0.09	0.12	0.12	0.11
	绿色采购	−0.12	0.09	−0.15	0.59	−0.13	−0.85
	绿色信贷	0.82	0.76	−0.76	0.60	−0.76	0.08
交互项	环保补助×税收优惠	0.01					
	环保补助×绿色采购		−0.04				
	环保补助×绿色信贷			0.34			
	税收优惠×绿色采购				−0.06		
	税收优惠×绿色信贷					0.16	
	绿色采购×绿色信贷						0.19
统计值	R^2	0.899	0.899	0.900	0.890	0.900	0.899
	调整后 R^2	0.853	0.853	0.854	0.854	0.853	0.853
	F 值	19.342^{***}	19.353^{***}	19.478^{***}	19.458^{***}	19.398^{***}	19.380^{***}
	观测值	77	77	77	77	77	77
	模型选择	固定效应	固定效应	固定效应	固定效应	固定效应	固定效应

*、**、***分别表示在 10%、5%和 1%水平上显著

从表 5-21 中可以看出，模型 1~模型 6 分别检验了环保补助、税收优惠、绿色采购和绿色信贷的交互项对东部地区绿色技术引进的影响作用。结果表明，环

保补助×税收优惠（β=0.01，p>0.1）、环保补助×绿色采购（β=-0.04，p>0.1）、环保补助×绿色信贷（β=0.34，p>0.1）、税收优惠×绿色采购（β=-0.06，p>0.1）、税收优惠×绿色信贷（β=0.16，p>0.1）和绿色采购×绿色信贷（β=0.19，p>0.1）均未对绿色技术引进产生显著的影响作用。

2. 不同激励型政策工具交互与东部地区企业绿色技术创新

以东部地区绿色技术创新作为被解释变量，以市场型环境政策工具及不同激励型政策工具的交互项作为解释变量，以人力投入和资本投入作为控制变量，进行回归分析，结果如表 5-22 所示。

表 5-22　激励型政策工具对企业绿色技术创新的交互影响作用的回归结果（东部地区）

变量		企业绿色技术创新					
		模型 1	模型 2	模型 3	模型 4	模型 5	模型 6
常数		-1.51	-0.46	-3.48	-0.08	-4.36	-2.68
控制变量	人力投入	0.13	0.07	0.13*	0.004	0.17*	0.11**
	资本投入	0.77***	0.810***	0.73***	0.85***	0.72***	0.75***
自变量	环保补助	0.18	-0.09	0.62	-0.005	-0.01	-0.005
	税收优惠	-0.002	-0.06*	-0.07*	-0.16	0.30	-0.057416
	环境税	-0.01	-0.01	0.01	-0.01	-0.01	0.004
	绿色采购	0.28**	0.17	0.28***	-0.01	0.28***	0.74***
	绿色信贷	0.11	0.16**	0.86	0.22**	1.12	0.60*
交互项	环保补助×税收优惠	-0.02					
	环保补助×绿色采购		0.02				
	环保补助×绿色信贷			-0.16			
	税收优惠×绿色采购				0.02		
	税收优惠×绿色信贷					-0.10	
	绿色采购×绿色信贷						-0.12*
统计值	R^2	0.993	0.993	0.993	0.993	0.993	0.993
	调整后 R^2	0.990	0.990	0.990	0.990	0.990	0.990
	F 值	305.957***	305.064***	309.495***	307.614***	308.597***	307.516***
观测值		77	77	77	77	77	77
模型选择		固定效应	固定效应	固定效应	固定效应	固定效应	固定效应

*、**、***分别表示在 10%、5%和 1%水平上显著

从表 5-22 中可以看出，模型 1~模型 6 分别检验了环保补助、税收优惠、绿色采购和绿色信贷的交互项对东部地区绿色技术创新的影响作用。结果表明，环保补助×税收优惠（$\beta=-0.02$，$p>0.1$）、环保补助×绿色采购（$\beta=0.02$，$p>0.1$）、环保补助×绿色信贷（$\beta=-0.16$，$p>0.1$）、税收优惠×绿色采购（$\beta=0.02$，$p>0.1$）、税收优惠×绿色信贷（$\beta=-0.10$，$p>0.1$）均未对绿色技术创新产生显著的影响作用，但绿色采购×绿色信贷（$\beta=-0.12$，$p<0.1$）对绿色技术创新具有显著的负向影响作用。

3. 不同激励型政策工具交互与东部地区企业绿色技术转化

以东部地区绿色技术转化作为被解释变量，以市场型环境政策工具及不同激励型政策工具的交互项作为解释变量，以人力投入和资本投入作为控制变量，进行回归分析，结果如表 5-23 所示。

表 5-23　激励型政策工具对企业绿色技术转化的交互影响作用的回归结果（东部地区）

变量		企业绿色技术转化					
		模型 1	模型 2	模型 3	模型 4	模型 5	模型 6
常数		-16.25^{***}	-10.42^{**}	-13.50	-14.09^{***}	-21.09	-17.45^{**}
控制变量	人力投入	1.50^{***}	1.02^{**}	1.04^{***}	1.56^{***}	1.30^{***}	1.12^{***}
	资本投入	0.06	0.32	0.26	-0.07	0.11	0.19
自变量	环保补助	2.46^{***}	0.75^{*}	1.50	0.04	0.04	0.06
	税收优惠	0.65^{***}	-0.21	-0.21	0.64^{***}	1.25	-0.15
	环境税	0.15	0.21	0.23	0.18	0.21	0.27
	绿色采购	-0.13	0.41	-0.31	2.05^{***}	-0.30	2.26
	绿色信贷	-0.09	0.39	2.11	-0.15	4.23^{*}	2.94^{*}
交互项	环保补助×税收优惠	-0.21^{***}					
	环保补助×绿色采购		-0.14				
	环保补助×绿色信贷			-0.37			
	税收优惠×绿色采购				-0.20^{***}		
	税收优惠×绿色信贷					-0.38	
	绿色采购×绿色信贷						-0.67^{*}
统计值	R^2	0.953	0.948	0.948	0.952	0.948	0.949
	调整后 R^2	0.932	0.924	0.923	0.930	0.924	0.925
	F 值	44.210^{***}	39.522^{***}	39.103^{***}	44.259^{***}	39.741^{***}	40.295^{***}
观测值		77	77	77	77	77	77
模型选择		固定效应	固定效应	固定效应	固定效应	固定效应	固定效应

*、**、***分别表示在 10%、5%和 1%水平上显著

从表 5-23 中可以看出，模型 1~模型 6 分别检验了环保补助、税收优惠、绿色采购和绿色信贷的交互项对东部地区绿色技术转化的影响作用。结果表明，环保补助×税收优惠（$\beta=-0.21$，$p<0.01$）、税收优惠×绿色采购（$\beta=-0.20$，$p<0.01$）和绿色采购×绿色信贷（$\beta=-0.67$，$p<0.1$）均对绿色技术转化具有显著的负向影响作用，而环保补助×绿色采购（$\beta=-0.14$，$p>0.1$）、环保补助×绿色信贷（$\beta=-0.37$，$p>0.1$）和税收优惠×绿色信贷（$\beta=-0.38$，$p>0.1$）均未对绿色技术转化产生显著的影响作用。

5.4.2　激励型与约束型政策工具的交互作用——东部地区

1. 激励型与约束型政策工具的交互对东部地区企业绿色技术引进的影响

以东部地区绿色技术引进作为被解释变量，以市场型环境政策工具及激励型与约束型政策工具的交互项作为解释变量，以人力投入和资本投入作为控制变量，进行回归分析，结果如表 5-24 所示。

表 5-24　激励型与约束型政策工具对企业绿色技术引进的影响作用的回归结果（东部地区）

变量		企业绿色技术引进			
		模型 1	模型 2	模型 3	模型 4
常数		-11.97^{**}	-23.82^{**}	-16.89^{***}	-5.85
控制变量	人力投入	1.33^{***}	1.73^{***}	1.45^{***}	1.25
	资本投入	0.60	0.52	0.59	0.69
自变量	环保补助	-0.61	-0.16	-0.16	-0.15
	税收优惠	-0.07	0.78	-0.10	-0.082
	环境税	-0.10	1.22	0.43	-0.90
	绿色采购	-0.08	-0.06	0.58	-0.07
	绿色信贷	0.81	0.31	0.60	-1.42
交互项	环保补助×环境税	0.04			
	税收优惠×环境税		-0.10		
	绿色采购×环境税			-0.07	
	绿色信贷×环境税				0.26
统计值	R^2	0.899	0.901	0.900	0.900
	调整后 R^2	0.853	0.855	0.853	0.853
	F 值	19.357^{***}	19.696^{***}	19.410^{***}	19.401^{***}
观测值		56	56	56	56
模型选择		固定效应	固定效应	固定效应	固定效应

、*分别表示在 5%和 1%水平上显著

从表 5-24 中可以看出，模型 1~模型 4 分别检验了环保补助、税收优惠、绿色采购、绿色信贷与环境税的交互项对东部地区绿色技术引进的影响作用。结果表明，环保补助×环境税（$\beta=0.04$，$p>0.1$）、税收优惠×环境税（$\beta=-0.10$，$p>0.1$）、绿色采购×环境税（$\beta=-0.07$，$p>0.1$）、绿色信贷×环境税（$\beta=0.26$，$p>0.1$）均未对绿色技术引进产生显著的影响作用。

2. 激励型与约束型政策工具的交互对东部地区企业绿色技术创新的影响

以东部地区绿色技术创新作为被解释变量，以市场型环境政策工具及激励型与约束型政策工具的交互项作为解释变量，以人力投入和资本投入作为控制变量，进行回归分析，结果如表 5-25 所示。

表 5-25　激励型与约束型政策工具对企业绿色技术创新的影响作用的回归结果（东部地区）

变量		企业绿色技术创新			
		模型 1	模型 2	模型 3	模型 4
常数		-2.95^*	-2.14	-0.69	-1.88
控制变量	人力投入	0.12^*	0.13	0.07	0.09
	资本投入	0.81^{***}	0.78^{***}	0.80^{***}	0.79^{***}
自变量	环保补助	0.37^*	-0.01	-0.01	-0.01
	税收优惠	-0.09^{**}	0.06	-0.06	-0.07
	环境税	0.18	0.14	-0.03	0.11
	绿色采购	0.24^{***}	0.27^{***}	0.22	0.26^{***}
	绿色信贷	0.13	0.09	0.16^*	0.42
交互项	环保补助×环境税	-0.03^*			
	税收优惠×环境税		-0.01		
	绿色采购×环境税			0.004	
	绿色信贷×环境税				-0.03
统计值	R^2	0.993	0.993	0.993	0.993
	调整后 R^2	0.990	0.990	0.990	0.990
	F 值	307.104^{***}	305.416^{***}	304.288^{***}	304.400^{***}
观测值		56	56	56	56
模型选择		固定效应	固定效应	固定效应	固定效应

*、**、***分别表示在 10%、5%和 1%水平上显著

从表 5-25 中可以看出，模型 1~模型 4 分别检验了环保补助、税收优惠、绿色采购、绿色信贷与环境税的交互项对东部地区绿色技术创新的影响作用。结果表明，环保补助×环境税（$\beta=-0.03$，$p<0.1$）对绿色技术创新具有显著的负向影响作用，而税收优惠×环境税（$\beta=-0.01$，$p>0.1$）、绿色采购×环境税（$\beta=0.004$，$p>0.1$）和绿色信贷×环境税（$\beta=-0.03$，$p>0.1$）均未对绿色技术创新产生显著的影响作用。

3. 激励型与约束型政策工具的交互对东部地区企业绿色技术转化的影响

以东部地区绿色技术转化作为被解释变量，以市场型环境政策工具及激励型与约束型政策工具的交互项作为解释变量，以人力投入和资本投入作为控制变量，进行回归分析，结果如表 5-26 所示。

表 5-26　激励型与约束型政策工具对企业绿色技术转化的影响作用的回归结果（东部地区）

变量		企业绿色技术转化			
		模型 1	模型 2	模型 3	模型 4
常数		−19.42***	−29.31***	−12.19***	−0.48
控制变量	人力投入	1.18***	1.73***	1.05***	0.82*
	资本投入	0.51*	0.18	0.37	0.48
自变量	环保补助	2.21***	0.05	0.05	0.06
	税收优惠	−0.30	1.86***	−0.21	−0.17
	环境税	1.28***	2.74***	0.79	−0.63
	绿色采购	−0.47	−0.27	1.00	−0.33
	绿色信贷	0.34	−0.64	0.12	−1.28
交互项	环保补助×环境税	−0.20***			
	税收优惠×环境税		−0.22***		
	绿色采购×环境税			−0.13	
	绿色信贷×环境税				0.20
统计值	R^2	0.949	0.954	0.948	0.947
	调整后 R^2	0.925	0.933	0.924	0.923
	F 值	40.211***	45.005***	39.510***	38.765***
观测值		56	56	56	56
模型选择		固定效应	固定效应	固定效应	固定效应

*、***分别表示在10%、1%水平上显著

从表 5-26 中可以看出，模型 1~模型 4 分别检验了环保补助、税收优惠、绿色采购、绿色信贷与环境税的交互项对东部地区绿色技术转化的影响作用。结果表明，环保补助×环境税（β=−0.20，$p<0.01$）和税收优惠×环境税（β=−0.22，$p<0.01$）对绿色技术转化具有显著的负向影响作用，而绿色采购×环境税（β=−0.13，$p>0.1$）和绿色信贷×环境税（β=0.20，$p>0.1$）均未对绿色技术转化产生显著的影响作用。

5.4.3　不同激励型政策工具的交互作用——中部地区

1. 不同激励型政策工具交互与中部地区企业绿色技术引进

以中部地区绿色技术引进作为被解释变量，以市场型环境政策工具及不同激励型政策工具的交互项作为解释变量，以人力投入和资本投入作为控制变量，进

行回归分析，结果如表 5-27 所示。

表 5-27　激励型政策工具对企业绿色技术引进的交互影响作用的回归结果（中部地区）

变量		企业绿色技术引进					
		模型 1	模型 2	模型 3	模型 4	模型 5	模型 6
常数		-55.90^{**}	-24.76	26.89	-5.82	2.69	3.73
控制变量	人力投入	4.19^{**}	3.23	2.59	3.05	3.02	3.22
	资本投入	0.56	0.62	0.28	0.22	0.37	0.46
自变量	环保补助	6.84^{**}	2.03	-7.26^{**}	0.76	0.75	0.69
	税收优惠	2.7^{*}	0.07	0.12	-0.69	-1.69	0.06
	环境税	-1.41^{**}	-1.29	-0.81	-1.17	-1.09	-1.09
	绿色采购	0.61	2.12	0.33	-1.11	0.65	-4.24
	绿色信贷	1.11	0.06	-10.78^{**}	-0.15	-4.84	-5.57
交互项	环保补助×税收优惠	-0.54^{*}					
	环保补助×绿色采购		-0.28				
	环保补助×绿色信贷			2.06^{***}			
	税收优惠×绿色采购				0.17		
	税收优惠×绿色信贷					0.45	
	绿色采购×绿色信贷						1.25
统计值	R^2	0.747	0.720	0.733	0.720	0.720	0.720
	调整后 R^2	0.591	0.546	0.568	0.547	0.547	0.547
	F 值	4.786^{***}	4.154^{***}	4.441^{***}	4.157^{***}	4.157^{***}	4.165^{***}
观测值		56	56	56	56	56	56
模型选择		固定效应	固定效应	固定效应	固定效应	固定效应	固定效应

*、**、***分别表示在 10%、5%和 1%水平上显著

从表 5-27 中可以看出，模型 1~模型 6 分别检验了环保补助、税收优惠、绿色采购和绿色信贷的交互项对中部地区绿色技术引进的影响作用。结果表明，环保补助×税收优惠（$\beta=-0.54$，$p<0.1$）对绿色技术引进具有显著的负向影响作用，环保补助×绿色信贷（$\beta=2.06$，$p<0.01$）对绿色技术引进具有显著的正向影响作用，而环保补助×绿色采购（$\beta=-0.28$，$p>0.1$）、税收优惠×绿色采购（$\beta=0.17$，$p>0.1$）、税收优惠×绿色信贷（$\beta=0.45$，$p>0.1$）和绿色采购×绿色信贷（$\beta=1.25$，$p>0.1$）均未对绿色技术引进产生显著的影响作用。

2. 不同激励型政策工具交互与中部地区企业绿色技术创新

以中部地区绿色技术创新作为被解释变量，以市场型环境政策工具及不同激励型政策工具的交互项作为解释变量，以人力投入和资本投入作为控制变量，进行回归分析，结果如表 5-28 所示。

表 5-28　激励型政策工具对企业绿色技术创新的交互影响作用的回归结果（中部地区）

变量		企业绿色技术创新					
		模型 1	模型 2	模型 3	模型 4	模型 5	模型 6
常数		−14.38	−1.97	10.28**	−14.02	−15.51	−3.53
控制变量	人力投入	0.74	0.45	0.28	0.57	0.55	0.46
	资本投入	−0.98	−1.04	−1.06	−0.78	−0.96	−1.01
自变量	环保补助	1.90	0.02***	−2.35**	0.28*	0.28	0.29***
	税收优惠	0.65	−0.04	−0.03	0.73**	1.07	−0.04
	环境税	0.78***	0.83	0.96***	0.74***	0.72***	0.82
	绿色采购	0.24	−0.03	0.15	2.07**	0.29	0.20
	绿色信贷	1.95*	1.58	− 1.88	1.64	4.59	1.55
交互项	环保补助×税收优惠	−0.14					
	环保补助×绿色采购		0.06				
	环保补助×绿色信贷			0.68***			
	税收优惠×绿色采购				−0.17**		
	税收优惠×绿色信贷					−0.28	
	绿色采购×绿色信贷						0.02
统计值	R^2	0.977	0.975	0.977	0.976	0.976	0.975
	调整后 R^2	0.963	0.960	0.962	0.962	0.960	0.960
	F 值	68.532***	64.078***	67.441***	66.817***	65.081***	63.975***
观测值		56	56	56	56	56	56
模型选择		固定效应	固定效应	固定效应	固定效应	固定效应	固定效应

*、**、***分别表示在 10%、5% 和 1% 水平上显著

从表 5-28 中可以看出，模型 1~模型 6 分别检验了环保补助、税收优惠、绿色采购和绿色信贷的交互项对中部地区绿色技术创新的影响作用。结果表明，环保补助×税收优惠（β=−0.14，p>0.1）、环保补助×绿色采购（β=0.06，p>0.1）、税收优惠×绿色信贷（β=−0.28，p>0.1）和绿色采购×绿色信贷（β=0.02，p>0.1）

均未对绿色技术创新产生显著的影响作用，但环保补助×绿色信贷（$\beta=0.68$，$p<0.01$）对绿色技术创新具有显著的正向影响作用，税收优惠×绿色采购（$\beta=-0.17$，$p<0.05$）对绿色技术创新具有显著的负向影响作用。

3. 不同激励型政策工具交互与中部地区企业绿色技术转化

以中部地区企业绿色技术转化作为被解释变量，以市场型环境政策工具及不同激励型政策工具的交互项作为解释变量，以人力投入和资本投入作为控制变量，进行回归分析，结果如表 5-29 所示。

表 5-29　激励型政策工具对企业绿色技术转化的交互影响作用的回归结果（中部地区）

变量		企业绿色技术转化					
		模型 1	模型 2	模型 3	模型 4	模型 5	模型 6
常数		3.00	2.72	33.49*	−5.64	−22.72	23.43
控制变量	人力投入	−0.27	−0.24	−0.65	−0.16	−0.06	−0.15
	资本投入	0.07	0.04	−0.05	0.22	0.17	0.09
自变量	环保补助	−0.08	−0.03	−5.89**	0.2	0.21	0.14
	税收优惠	0.08	0.21	0.24	0.72	2.46	0.19
	环境税	0.02	0.02	0.344	−0.04	−0.19	0.19
	绿色采购	0.20	−0.08	−0.07	1.38	0.24	−5.42
	绿色信贷	−0.77	−0.74	−8.78**	−0.69	5.31	−6.90
交互项	环保补助×税收优惠	0.03					
	环保补助×绿色采购		0.05				
	环保补助×绿色信贷			1.56**			
	税收优惠×绿色采购				−0.11		
	税收优惠×绿色信贷					−0.57	
	绿色采购×绿色信贷						1.43
统计值	R^2	0.820	0.820	0.829	0.820	0.822	0.822
	调整后 R^2	0.708	0.708	0.724	0.709	0.712	0.712
	F 值	7.360***	7.359***	7.868***	7.388***	7.482***	7.483***
观测值		56	56	56	56	56	56
模型选择		固定效应	固定效应	固定效应	固定效应	固定效应	固定效应

*、**、***分别表示在 10%、5%和 1%水平上显著

从表 5-29 中可以看出，模型 1~模型 6 分别检验了环保补助、税收优惠、绿色采

购和绿色信贷的交互项对中部地区绿色技术转化的影响作用。结果表明，环保补助×税收优惠（$\beta=0.03$，$p>0.1$）、环保补助×绿色采购（$\beta=0.05$，$p>0.1$）、税收优惠×绿色采购（$\beta=-0.11$，$p>0.1$）、税收优惠×绿色信贷（$\beta=-0.57$，$p>0.1$）和绿色采购×绿色信贷（$\beta=1.43$，$p>0.1$）均未对绿色技术转化产生显著的影响作用，但环保补助×绿色信贷（$\beta=1.56$，$p<0.05$）对绿色技术转化具有显著的正向影响作用。

5.4.4　激励型与约束型政策工具的交互作用——中部地区

1. 激励型与约束型政策工具的交互对中部地区企业绿色技术引进的影响

以中部地区绿色技术引进作为被解释变量，以市场型环境政策工具及激励型与约束型政策工具的交互项作为解释变量，以人力投入和资本投入作为控制变量，进行回归分析，结果如表 5-30 所示。

表 5-30　激励型与约束型政策工具对企业绿色技术引进的影响作用的回归结果（中部地区）

变量		企业绿色技术引进			
		模型 1	模型 2	模型 3	模型 4
常数		−19.30	−96.00**	72.44	102.16
控制变量	人力投入	3.19	3.52	2.20	2.61
	资本投入	0.43	0.13	−0.22	−0.17
自变量	环保补助	1.43	0.87	0.80	0.86
	税收优惠	0.07	6.98*	0.18	0.19
	环境税	−0.94	6.09*	−8.30	−11.56**
	绿色采购	0.68	0.69	−17.55	0.65
	绿色信贷	−0.14	0.31	−0.35	−30.90*
交互项	环保补助×环境税	−0.06			
	税收优惠×环境税		−0.65*		
	绿色采购×环境税			1.69	
	绿色信贷×环境税				2.87*
统计值	R^2	0.718	0.731	0.728	0.718
	调整后 R^2	0.545	0.564	0.560	0.545
	F 值	4.132**	4.391**	4.335**	4.132**
观测值		56	56	56	56
模型选择		固定效应	固定效应	固定效应	固定效应

*、**分别表示在 10%、5%水平上显著

从表 5-30 中可以看出，模型 1~模型 4 分别检验了环保补助、税收优惠、绿色采购、绿色信贷与环境税的交互项对中部地区绿色技术引进的影响作用。结果

表明，环保补助×环境税（$\beta=-0.06$，$p>0.1$）和绿色采购×环境税（$\beta=1.69$，$p>0.1$）均未对绿色技术引进产生显著的影响作用，但税收优惠×环境税（$\beta=-0.65$，$p<0.1$）对绿色技术引进具有显著的负向影响作用，绿色信贷×环境税（$\beta=2.87$，$p<0.1$）对绿色技术引进具有显著的正向影响作用。

2. 激励型与约束型政策工具的交互对中部地区企业绿色技术创新的影响

以中部地区绿色技术创新作为被解释变量，以市场型环境政策工具及激励型与约束型政策工具的交互项作为解释变量，以人力投入和资本投入作为控制变量，进行回归分析，结果如表 5-31 所示。

表 5-31　激励型与约束型政策工具对企业绿色技术创新的影响作用的回归结果（中部地区）

变量		企业绿色技术创新			
		模型 1	模型 2	模型 3	模型 4
常数		-37.35^{***}	5.43	-27.67	-41.32^{**}
控制变量	人力投入	0.87	0.42	0.72	0.64
	资本投入	-1.1	-0.97	-0.83	-0.81
自变量	环保补助	7.04^{***}	0.27	0.27	0.25
	税收优惠	-0.08	-0.84	-0.07	-0.08
	环境税	3.927	-0.02	2.75	4.10^{**}
	绿色采购	0.20	0.26	5.19	0.27^{*}
	绿色信贷	1.52	1.57	1.68	11.40^{**}
交互项	环保补助×环境税	-0.62^{***}			
	税收优惠×环境税		0.07		
	绿色采购×环境税			-0.46	
	绿色信贷×环境税				-0.91^{**}
统计值	R^2	0.980	0.975	0.976	0.977
	调整后 R^2	0.967	0.960	0.961	0.962
	F 值	77.641^{***}	64.318^{***}	65.504^{***}	67.550^{***}
观测值		56	56	56	56
模型选择		固定效应	固定效应	固定效应	固定效应

*、**、***分别表示在 10%、5%和 1%水平上显著

从表 5-31 中可以看出，模型 1~模型 4 分别检验了环保补助、税收优惠、绿色采购、绿色信贷与环境税的交互项对中部地区绿色技术创新的影响作用。结果表明，环保补助×环境税（$\beta=-0.62$，$p<0.01$）和绿色信贷×环境税（$\beta=-0.91$，$p<0.05$）均对绿色技术创新具有显著的负向影响作用，而税收优惠×环境税（$\beta=0.07$，$p>0.1$）和绿色采购×环境税（$\beta=-0.46$，$p>0.1$）均未对绿色技术创新产生显著的影响作用。

3. 激励型与约束型政策工具的交互对中部地区企业绿色技术转化的影响

以中部地区绿色技术转化作为被解释变量，以市场型环境政策工具及激励型与约束型政策工具的交互项作为解释变量，以人力投入和资本投入作为控制变量，进行回归分析，结果如表 5-32 所示。

表 5-32　激励型与约束型政策工具对企业绿色技术转化的影响作用的回归结果（中部地区）

变量		企业绿色技术转化			
		模型 1	模型 2	模型 3	模型 4
常数		−11.01	21.93	−5.54	39.07
控制变量	人力投入	−0.08	−0.32	−0.15	−0.40
	资本投入	0.02	0.15	0.12	−0.13
自变量	环保补助	2.64	0.18	0.21	0.25
	税收优惠	0.19	−1.59	0.20	0.24
	环境税	1.12	−1.90	0.54	−3.31
	绿色采购	0.17	0.19	1.55	0.19
	绿色信贷	−0.75	−0.82	−0.69	−10.62
交互项	环保补助×环境税	−0.22			
	税收优惠×环境税		0.17		
	绿色采购×环境税			−0.13	
	绿色信贷×环境税				0.92
统计值	R^2	0.820	0.821	0.820	0.822
	调整后 R^2	0.710	0.710	0.708	0.711
	F 值	7.400***	7.405***	7.359***	7.454***
观测值		56	56	56	56
模型选择		固定效应	固定效应	固定效应	固定效应

***表示在 1% 水平上显著

从表 5-32 中可以看出，模型 1~模型 4 分别检验了环保补助、税收优惠、绿色采购、绿色信贷与环境税的交互项对中部地区绿色技术转化的影响作用。结果表明，环保补助×环境税（$\beta=-0.22$，$p>0.1$）、税收优惠×环境税（$\beta=0.17$，$p>0.1$）、绿色采购×环境税（$\beta=-0.13$，$p>0.1$）和绿色信贷×环境税（$\beta=0.92$，$p>0.1$）均未对绿色技术转化产生显著的影响作用。

5.4.5　不同激励型政策工具的交互作用——西部地区

1. 不同激励型政策工具交互与西部地区企业绿色技术引进

以西部地区绿色技术引进作为被解释变量，以市场型环境政策工具及不同激励型政策工具的交互项作为解释变量，以人力投入和资本投入作为控制变量，进行回归分析，结果如表 5-33 所示。

表 5-33　激励型政策工具对企业绿色技术引进的交互影响作用的回归结果（西部地区）

变量		企业绿色技术引进					
		模型 1	模型 2	模型 3	模型 4	模型 5	模型 6
常数		26.70***	26.38***	29.95***	26.66***	34.32***	29.58*
控制变量	人力投入	−1.76***	−1.80***	−2.22***	−1.82***	−2.22**	−2.09*
	资本投入	−1.03	−1.00	−0.70	−0.98	−1.09	−0.92
自变量	环保补助	−0.111	−0.07	−0.82	−0.03	−0.003	−0.05
	税收优惠	−0.07	−0.01	−0.03	−0.05	−0.67***	−0.03
	环境税	−0.75	−0.74	−0.80	−0.75	−0.74	−0.76
	绿色采购	0.18	0.122	0.01	0.08	−0.02	−0.36
	绿色信贷	−0.13	−0.11	−0.66	−0.12	−1.29***	−0.63
交互项	环保补助× 税收优惠	0.02					
	环保补助× 绿色采购		0.01				
	环保补助× 绿色信贷			0.18			
	税收优惠× 绿色采购				0.01		
	税收优惠× 绿色信贷					0.19***	
	绿色采购× 绿色信贷						0.14
统计值	R^2	0.602	0.601	0.607	0.601	0.612	0.602
	调整后 R^2	0.430	0.409	0.438	0.429	0.445	0.430
	F 值	3.502***	3.494***	3.589***	3.494***	3.663***	3.502***
观测值		84	84	84	84	84	84
模型选择		固定效应	固定效应	固定效应	固定效应	固定效应	固定效应

*、**、***分别表示在 10%、5% 和 1% 水平上显著

从表 5-33 中可以看出，模型 1~模型 6 分别检验了环保补助、税收优惠、绿色采购和绿色信贷的交互项对西部地区绿色技术引进的影响作用。结果表明，环保补助×税收优惠（$\beta=0.02$，$p>0.1$）、环保补助×绿色采购（$\beta=0.01$，$p>0.1$）、环保补助×绿色信贷（$\beta=0.18$，$p>0.1$）、税收优惠×绿色采购（$\beta=0.01$，$p>0.1$）和绿色采购×绿色信贷（$\beta=0.14$，$p>0.1$）均未对绿色技术引进产生显著的影响作用，但税收优惠×绿色信贷（$\beta=0.19$，$p<0.01$）对绿色技术引进具有显著的正向影响作用。

2. 不同激励型政策工具交互与西部地区企业绿色技术创新

以西部地区绿色技术创新作为被解释变量，以市场型环境政策工具及不同激励型政策工具的交互项作为解释变量，以人力投入和资本投入作为控制变量，进行回归分析，结果如表 5-34 所示。

表 5-34　激励型政策工具对企业绿色技术创新的交互影响作用的回归结果（西部地区）

变量		企业绿色技术创新					
		模型 1	模型 2	模型 3	模型 4	模型 5	模型 6
常数		17.87***	17.71***	17.60***	17.32***	22.20***	11.56
控制变量	人力投入	−1.50**	−1.49**	−1.54*	−1.53**	−1.78**	−1.02
	资本投入	0.24	0.28*	0.26	0.24	0.21	0.11
自变量	环保补助	−0.38***	−0.45***	−0.32	−0.32***	−0.31***	−0.29**
	税收优惠	−0.12	−0.08	−0.07	−0.03	−0.45**	−0.04
	环境税	−0.09	−0.07	−0.09	−0.095	−0.09	−0.06
	绿色采购	−0.22	−0.38	−0.23	−0.15	−0.34	0.75
	绿色信贷	−0.48*	−0.54**	−0.45	−0.42	−1.15**	0.57
交互项	环保补助× 税收优惠	0.01					
	环保补助× 绿色采购		0.04				
	环保补助× 绿色信贷			−0.0005			
	税收优惠× 绿色采购				−0.01		
	税收优惠× 绿色信贷					0.11	
	绿色采购× 绿色信贷						−0.26
统计值	R^2	0.976	0.976	0.976	0.976	0.977	0.976
	调整后 R^2	0.966	0.966	0.966	0.966	0.967	0.966
	F 值	94.576***	95.105***	94.289***	94.328***	97.506***	96.097***
观测值		84	84	84	84	84	84
模型选择		固定效应	固定效应	固定效应	固定效应	固定效应	固定效应

*、**、***分别表示在 10%、5% 和 1% 水平上显著

从表 5-34 中可以看出，模型 1~模型 6 分别检验了环保补助、税收优惠、绿色采购和绿色信贷的交互项对西部地区绿色技术创新的影响作用。结果表明，环保补助×税收优惠（$\beta=0.01$，$p>0.1$）、环保补助×绿色采购（$\beta=0.04$，$p>0.1$）、环保补助×绿色信贷（$\beta=-0.0005$，$p>0.1$）、税收优惠×绿色采购（$\beta=-0.01$，$p>0.1$）、

税收优惠×绿色信贷（$\beta=0.11$，$p>0.1$）和绿色采购×绿色信贷（$\beta=-0.26$，$p>0.1$）均未对绿色技术创新产生显著的影响作用。

3. 不同激励型政策工具交互与西部地区企业绿色技术转化

以西部地区绿色技术转化作为被解释变量，以市场型环境政策工具及不同激励型政策工具的交互项作为解释变量，以人力投入和资本投入作为控制变量，进行回归分析，结果如表 5-35 所示。

表 5-35　激励型政策工具对企业绿色技术转化的交互影响作用的回归结果（西部地区）

变量		企业绿色技术转化					
		模型 1	模型 2	模型 3	模型 4	模型 5	模型 6
常数		14.33	14.30	15.84**	19.01*	14.08**	18.25
控制变量	人力投入	−1.92*	−1.82	−2.17**	−2.12*	−1.97*	−2.33*
	资本投入	−0.88	−0.82	−0.71	−0.48	−0.86	−0.75
自变量	环保补助	−0.05	−0.3	−0.38	0.01	0.02	−0.01
	税收优惠	0.14	0.16	0.18**	−0.51	0.18	0.16*
	环境税	−0.22	−0.16	−0.25	−0.24	−0.224	−0.24
	绿色采购	0.85*	0.45	0.76	−0.57	0.83*	0.15
	绿色信贷	0.49	0.30	0.24	−0.07	0.52	−0.19
交互项	环保补助×税收优惠	0.01					
	环保补助×绿色采购		0.12				
	环保补助×绿色信贷			0.09			
	税收优惠×绿色采购				0.18		
	税收优惠×绿色信贷					0.001	
	绿色采购×绿色信贷						0.18
统计值	R^2	0.713	0.717	0.74	0.722	0.713	0.713
	调整后 R^2	0.589	0.596	0.590	0.602	0.589	0.590
	F 值	5.759***	5.891***	5.783***	6.030***	5.750***	5.771***
观测值		84	84	84	84	84	84
模型选择		固定效应	固定效应	固定效应	固定效应	固定效应	固定效应

*、**、***分别表示在 10%、5%和 1%水平上显著

从表 5-35 中可以看出，模型 1~模型 6 分别检验了环保补助、税收优惠、绿色采购和绿色信贷的交互项对西部地区绿色技术转化的影响作用。结果表明，环

保补助×税收优惠（$\beta=0.01$，$p>0.1$）、环保补助×绿色采购（$\beta=0.12$，$p>0.1$）、环保补助×绿色信贷（$\beta=0.09$，$p>0.1$）、税收优惠×绿色采购（$\beta=0.18$，$p>0.1$）、税收优惠×绿色信贷（$\beta=0.001$，$p>0.1$）和绿色采购×绿色信贷（$\beta=0.18$，$p>0.1$）均未对绿色技术转化产生显著的影响作用。

5.4.6　激励型与约束型政策工具的交互作用——西部地区

1. 激励型与约束型政策工具的交互对西部地区企业绿色技术引进的影响

以西部地区绿色技术引进作为被解释变量，以市场型环境政策工具及激励型与约束型政策工具的交互项作为解释变量，以人力投入和资本投入作为控制变量，进行回归分析，结果如表 5-36 所示。

表 5-36　激励型与约束型政策工具对企业绿色技术引进的影响作用的回归结果（西部地区）

变量		企业绿色技术引进			
		模型 1	模型 2	模型 3	模型 4
常数		26.63***	28.62***	27.21***	31.85**
控制变量	人力投入	−1.79***	−1.71***	−1.80***	−2.07***
	资本投入	−1.02	−0.98	−0.99	−1.02
自变量	环保补助	−0.08	−0.03	−0.03	−0.04
	税收优惠	−0.01	−0.28	−0.012	−0.01
	环境税	−0.77	−1.04*	−0.84	−1.17
	绿色采购	0.17	0.17	−0.06	0.11
	绿色信贷	−0.10	−0.19	−0.13	−1.11
交互项	环保补助×环境税	0.01			
	税收优惠×环境税		0.03		
	绿色采购×环境税			0.02	
	绿色信贷×环境税				0.12
统计值	R^2	0.601	0.602	0.601	0.602
	调整后 R^2	0.429	0.430	0.429	0.430
	F 值	3.494***	3.505***	3.495***	3.512***
观测值		84	84	84	84
模型选择		固定效应	固定效应	固定效应	固定效应

*、**、***分别表示在 10%、5%和 1%水平上显著

从表 5-36 中可以看出，模型 1~模型 4 分别检验了环保补助、税收优惠、绿色采购、绿色信贷与环境税的交互项对西部地区绿色技术引进的影响作用。结果表明，环保补助×环境税（$\beta=0.01$，$p>0.1$）、税收优惠×环境税（$\beta=0.03$，$p>0.1$）、

绿色采购×环境税（β=0.02，p>0.1）、绿色信贷×环境税（β=0.12，p>0.1）均未对绿色技术引进产生显著的影响作用。

2. 激励型与约束型政策工具的交互对西部地区企业绿色技术创新的影响

以西部地区绿色技术创新作为被解释变量，以市场型环境政策工具及激励型与约束型政策工具的交互项作为解释变量，以人力投入和资本投入作为控制变量，进行回归分析，结果如表 5-37 所示。

表 5-37　激励型与约束型政策工具对企业绿色技术创新的影响作用的回归结果（西部地区）

变量		企业绿色技术创新			
		模型 1	模型 2	模型 3	模型 4
常数		18.68***	14.86**	19.80***	21.72***
控制变量	人力投入	−1.46**	−1.66**	−1.52**	−1.73**
	资本投入	0.20	0.23*	0.30	0.25
自变量	环保补助	−0.51**	−0.32***	−0.32***	−0.33***
	税收优惠	−0.08	0.25	−0.08	−0.08
	环境税	−0.20	0.27	−0.34	−0.41
	绿色采购	−0.21	−0.24	−0.80	−0.27
	绿色信贷	−0.51**	−0.32	−0.58***	−1.22
交互项	环保补助×环境税	0.03			
	税收优惠×环境税		−0.04		
	绿色采购×环境税			0.06	
	绿色信贷×环境税				0.09
统计值	R^2	0.976	0.976	0.976	0.976
	调整后 R^2	0.966	0.966	0.966	0.966
	F 值	95.139***	95.338***	94.984***	94.879***
观测值		84	84	84	84
模型选择		固定效应	固定效应	固定效应	固定效应

*、**、***分别表示在 10%、5%和 1%水平上显著

从表 5-37 中可以看出，模型 1~模型 4 分别检验了环保补助、税收优惠、绿色采购、绿色信贷与环境税的交互项对西部地区绿色技术创新的影响作用。结果表明，环保补助×环境税（β=0.03，p>0.1）、税收优惠×环境税（β=−0.04，p>0.1）、绿色采购×环境税（β=0.06，p>0.1）和绿色信贷×环境税（β=0.09，p>0.1）均未对绿色技术创新产生显著的影响作用。

3. 激励型与约束型政策工具的交互对西部地区企业绿色技术转化的影响

以西部地区绿色技术转化作为被解释变量，以市场型环境政策工具及激励型与约束型政策工具的交互项作为解释变量，以人力投入和资本投入作为控制变量，

进行回归分析，结果如表 5-38 所示。

表 5-38　激励型与约束型政策工具对企业绿色技术转化的影响作用的回归结果（西部地区）

变量		企业绿色技术转化			
		模型 1	模型 2	模型 3	模型 4
常数		14.79	18.23*	24.29**	6.71
控制变量	人力投入	−1.91	−1.78	−1.85	−1.62
	资本投入	−0.90	−0.81	−0.67	−0.84
自变量	环保补助	−0.11	0.01	0.04	0.04
	税收优惠	0.18***	−0.31	0.15**	0.20***
	环境税	−0.29	−0.76	−1.39	0.35
	绿色采购	0.85*	0.85*	−1.80*	0.90*
	绿色信贷	0.49*	0.33	−0.06	1.90
交互项	环保补助×环境税	0.02			
	税收优惠×环境税		0.05		
	绿色采购×环境税			0.29***	
	绿色信贷×环境税				−0.16
统计值	R^2	0.713	0.715	0.726	0.714
	调整后 R^2	0.589	0.592	0.608	0.591
	F 值	5.760***	5.809***	6.14***	5.796***
观测值		84	84	84	84
模型选择		固定效应	固定效应	固定效应	固定效应

*、**、***分别表示在 10%、5% 和 1% 水平上显著

　　从表 5-38 中可以看出，模型 1~模型 4 分别检验了环保补助、税收优惠、绿色采购、绿色信贷与环境税的交互项对西部地区绿色技术转化的影响作用。结果表明，环保补助×环境税（$\beta=0.02$，$p>0.1$）、税收优惠×环境税（$\beta=0.05$，$p>0.1$）和绿色信贷×环境税（$\beta=-0.16$，$p>0.1$）均未对绿色技术转化产生显著的影响作用，但绿色采购×环境税（$\beta=0.29$，$p<0.01$）对绿色技术转化具有显著的正向影响作用。

5.5　研究结果汇总

　　通过以上分析，本章将结果汇总如下。

1. 市场型环境政策工具与绿色创新

　　在总体、东部、中部和西部地区样本中，市场型环境政策工具对绿色创新三

个阶段的影响结果如表 5-39 所示。

表 5-39 市场型环境政策工具与绿色创新（汇总）

绿色创新阶段	区域	环保补助	税收优惠	环境税	绿色采购	绿色信贷
绿色技术引进	总体	0.01	0.03	−0.14	0.01	0.32**
	东部	−0.16	−0.09	0.13	−0.10	0.78
	中部	0.75	0.07	−1.25*	0.69	−0.13
	西部	−0.03	−0.01	−0.74*	0.17	−0.08
绿色技术创新	总体	−0.16**	−0.10**	0.16***	−0.08	−0.19
	东部	−0.01	−0.07*	−0.01	0.26***	0.15
	中部	0.29**	−0.04	0.82***	0.26	1.62**
	西部	−0.32***	−0.07	−0.09	−0.23	−0.45
绿色技术转化	总体	0.01	0.13**	0.01	0.03	0.13
	东部	0.05	−0.19	0.19	−0.36	0.47
	中部	0.21	0.21	0.01	0.20	−0.71
	西部	0.02	0.19***	−0.22	0.84*	0.53**

*、**、***分别表示在 10%、5% 和 1% 水平上显著

表 5-39 显示，5 类市场型环境政策工具对绿色创新三个阶段的影响作用效果因样本区域差异而有所不同。在总体样本中，仅绿色信贷（$\beta=0.32$，$p<0.05$）对绿色技术引进具有显著的正向影响作用，支持 H_{5-5a}，不支持 H_{5-1a}、H_{5-2a}、H_{5-3a} 和 H_{5-4a}；仅环保补助（$\beta=-0.16$，$p<0.05$）和税收优惠（$\beta=-0.10$，$p<0.05$）对绿色技术创新具有显著的负向影响作用，而环境税（$\beta=0.16$，$p<0.01$）对绿色技术创新具有显著的正向影响作用，支持 H_{5-3b}，不支持 H_{5-1b}、H_{5-2b}、H_{5-4b} 和 H_{5-5b}；仅税收优惠（$\beta=0.13$，$p<0.05$）对绿色技术转化具有显著的正向影响作用，支持 H_{5-2c}，不支持 H_{5-1c}、H_{5-3c}、H_{5-4c} 和 H_{5-5c}。

在东部地区，未发现市场型政策工具对绿色技术引进的影响；税收优惠（$\beta=-0.07$，$p<0.1$）对绿色技术创新具有显著的负向影响作用，但绿色采购（$\beta=0.26$，$p<0.01$）对绿色技术创新具有显著的正向影响作用；也未发现市场型环境政策工具对绿色技术转化产生显著的影响作用。

在中部地区，仅环境税（$\beta=-1.25$，$p<0.1$）对绿色技术引进具有显著的负向影响作用；环保补助（$\beta=0.29$，$p<0.05$）、环境税（$\beta=0.82$，$p<0.01$）和绿色信贷（$\beta=1.62$，$p<0.05$）均对绿色技术创新具有显著的正向影响作用；未发现市场型环境政策工具对绿色技术转化产生显著的影响作用。

在西部地区，仅环境税（$\beta=-0.74$，$p<0.1$）对绿色技术引进具有显著的负向影响作用；仅环保补助（$\beta=-0.32$，$p<0.01$）对绿色技术创新具有显著的负向影响作用；税收优惠（$\beta=0.19$，$p<0.01$）、绿色采购（$\beta=0.84$，$p<0.1$）和绿色信贷

（$\beta=0.53$，$p<0.05$）均对绿色技术转化具有显著的正向影响作用。

2. 不同激励型环境政策工具的交互与绿色创新

在总体、东部、中部和西部地区样本中，不同激励型环境政策工具对绿色创新三个阶段的交互影响结果如表 5-40 所示。

表 5-40　不同激励型环境政策工具交互与绿色创新（汇总）

绿色创新阶段	区域	环保补助×税收优惠	环保补助×绿色采购	环保补助×绿色信贷	税收优惠×绿色采购	税收优惠×绿色信贷	绿色采购×绿色信贷
绿色技术引进	总体	0.02	0.05	0.11	0.03	0.09	−0.01
	东部	0.01	−0.04	0.34	−0.06	0.16	0.19
	中部	−0.54*	−0.28	2.06***	0.17	0.45	1.25
	西部	0.02	0.01	0.18	0.01	0.19***	0.14
绿色技术创新	总体	0.03**	0.08**	−0.13**	−0.02	−0.004	−0.36***
	东部	−0.02	0.02	−0.16	0.02	−0.10	−0.12*
	中部	−0.14	0.06	0.68***	−0.14**	−0.28	0.02
	西部	0.01	0.04	−0.0005	−0.01	0.11	−0.26
绿色技术转化	总体	0.01	0.04	0.01	−0.005	−0.06	−0.25
	东部	−0.21***	−0.14	−0.37	−0.20***	−0.38	−0.67*
	中部	0.03	0.05	1.56***	−0.11	−0.57	1.43
	西部	0.01	0.12	0.09	0.18	0.001	0.18

*、**、***分别表示在 10%、5%和 1%水平上显著

表 5-40 显示出，不同激励型环境政策工具交互对绿色创新三个阶段的影响作用效果因样本区域差异而有所不同。在总体样本中，不同激励型环境政策工具交互均未对绿色技术引进产生显著的影响作用；环保补助×税收优惠（$\beta=0.03$，$p<0.05$）和环保补助×绿色采购（$\beta=0.08$，$p<0.05$）均对绿色技术创新具有显著的正向影响作用，而环保补助×绿色信贷（$\beta=-0.13$，$p<0.05$）和绿色采购×绿色信贷（$\beta=-0.36$，$p<0.01$）均对绿色技术创新具有显著的负向影响；不同激励型环境政策工具交互均未对绿色技术转化产生显著的影响作用。

在东部地区，不同激励型环境政策工具交互均未对绿色技术引进产生显著的影响作用；仅绿色采购×绿色信贷（$\beta=-0.12$，$p<0.1$）对绿色技术创新具有显著的负向影响作用；环保补助×税收优惠（$\beta=-0.21$，$p<0.01$）和税收优惠×绿色采购（$\beta=-0.20$，$p<0.01$）均对绿色技术转化具有显著的负向影响作用。

在中部地区，环保补助×税收优惠（$\beta=-0.54$，$p<0.1$）对绿色技术引进具有显著的负向影响作用，但环保补助×绿色信贷（$\beta=2.06$，$p<0.01$）对绿色技术引进具有显著的正向影响作用；环保补助×绿色信贷（$\beta=0.68$，$p<0.01$）对绿色技术创新

具有显著的正向影响作用，而税收优惠×绿色采购（$\beta=-0.14$，$p<0.05$）对绿色技术创新具有显著的负向影响作用；仅环保补助×绿色信贷（$\beta=1.56$，$p<0.01$）对绿色技术转让具有显著的正向影响作用。

在西部地区，仅税收优惠×绿色信贷（$\beta=0.19$，$p<0.01$）对绿色技术引进具有显著的正向影响作用；不同激励型环境政策工具交互均未对绿色技术创新产生显著的影响作用；也未发现不同激励型环境政策工具交互对绿色技术转化产生显著的影响作用。

3. 激励型与约束型环境政策工具的交互与绿色创新

在总体、东部、中部和西部地区样本中，激励型与约束型政策工具对绿色创新三个阶段的交互影响结果如表 5-41 所示。

表 5-41　激励型与约束型环境政策工具交互与绿色创新（汇总）

绿色创新阶段	区域	环保补助×环境税	税收优惠×环境税	绿色信贷×环境税	绿色采购×环境税
绿色技术引进	总体	0.04	0.04	0.05	0.02
	东部	0.04	−0.10	−0.07	0.26
	中部	−0.06	−0.65*	1.69	2.87*
	西部	0.01	0.03	0.02	0.12
绿色技术创新	总体	0.05**	−0.01	0.03	−0.09
	东部	−0.03*	−0.01	0.004	−0.03
	中部	−0.62***	0.07	−0.46	−0.91**
	西部	0.03	−0.04	0.06	0.09
绿色技术转化	总体	0.03	0.03	0.07	−0.10
	东部	−0.20***	−0.22***	−0.13	0.20
	中部	−0.22	0.17	−0.13	0.92
	西部	0.02	0.05	0.29***	−0.16

*、**、***分别表示在 10%、5%和 1%水平上显著

表 5-41 显示出，激励型与约束型环境政策工具交互对绿色创新三个阶段的影响作用效果因样本区域差异而有所不同。在总体样本中，激励型与约束型环境政策工具交互均未对绿色技术引进产生显著的影响作用；仅环保补助×环境税（$\beta=0.05$，$p<0.05$）对绿色技术创新具有显著的正向影响作用；也未发现激励型与约束型环境政策工具交互对绿色技术转化产生显著的影响作用。

在东部地区，激励型与约束型环境政策工具交互均未对绿色技术引进产生显著的影响作用；仅环保补助×环境税（$\beta=-0.03$，$p<0.1$）对绿色技术创新具有显著的负向影响作用；环保补助×环境税（$\beta=-0.20$，$p<0.01$）和税收优惠×环境税（$\beta=-0.22$，$p<0.01$）均对绿色技术转化具有显著的负向影响作用。

在中部地区，税收优惠×环境税（$\beta=-0.65$，$p<0.1$）对绿色技术引进具有显著的负向影响作用，但绿色采购×环境税（$\beta=2.87$，$p<0.1$）对绿色技术引进具有显著的正向影响作用；环保补助×环境税（$\beta=-0.62$，$p<0.01$）和绿色采购×环境税（$\beta=-0.91$，$p<0.05$）均对绿色技术创新具有显著的负向影响作用；激励型与约束型环境政策工具交互未对绿色技术转化产生显著的影响作用。

在西部地区，激励型与约束型环境政策工具交互未对绿色技术引进产生显著的影响作用；也未发现激励型与约束型环境政策工具交互对绿色技术创新产生显著的影响作用；仅绿色信贷×环境税（$\beta=0.29$，$p<0.01$）对绿色技术转化具有显著的正向影响作用。

5.6　结论和讨论

5.6.1　研究结果

本章基于制度理论，通过对市场型环境政策工具和绿色创新相关文献的梳理和分析，构建了市场型环境政策工具与绿色创新不同阶段的关系模型，选取2010~2017年的相关数据作为研究样本，得出以下主要结论。

1. 市场型环境政策工具与绿色创新

（1）绿色信贷对绿色技术引进具有显著的正向影响作用。绿色信贷作为引导企业绿色发展的环境政策，根据企业的绿色行为或环境表现来衡量贷款利率，并考虑对环境表现好的企业进行可持续性融资（任海军和张艳婷，2019），这不仅可以降低企业借款成本，还能解决企业的融资困难，为绿色技术引进阶段的企业打下良好的基础，有利于企业引进绿色技术。

（2）环境税对绿色技术创新具有正向影响作用，而环保补助和税收优惠对绿色技术创新具有显著的负向影响作用。环境税以一种对环境污染活动进行成本定价的方式，在企业的生产和消费环节施加价格压力，鼓励企业开发碳减排技术，推动绿色技术创新的发展（陈诗一，2011；褚睿刚，2018）。同时，这种创新方式又能为企业带来额外的收益，进一步提高企业绿色技术创新。环保补助未能促进企业积极进行绿色技术创新，主要有两点原因。其一，环保补助的挤出、替代效应存在，激励效应缺失。挤出、替代效应的存在使企业对政府环保补助的依赖程度增加，而自身研发投资的支出在不断减少，激励效应缺失是因为研发者不能很好地修正自己的行为（李扬，1990；Lach，2002；吕久琴和郁丹丹，2011）。其二，有关环保补助的披露和监管机制并不完善，无法确保企业将获得的环保补助仅用在污染减排和绿色技术创新项目上，且环保补助金额过多，无法有效引导企业发展清洁技术及减少政府补助的依赖性（吕久琴和郁丹丹，2011；李楠和于金，2016）。税收优惠作为政府间接资助的一种，学术界对其与企业绿色技术创新关系的研究结论可归纳为正相关、负相关、U 形关系和不确定性关系（郭英远等，2018）。税收优惠与企业绿色技术创新负相关，可将原因归纳为两点：其一，税收优惠会对企业的研发投入产生挤出和替代效应，从而抑制企业绿色技术创新（Görg and Strobl，2007；梁富山，2021）；其二，税收优惠的异质性导致的作用效果，如 David 等（2000）研究表明，税收优惠对研发投入产生的挤出效应在企业层面得到支持，在政府和产业层面并非如此；夏力（2012）也指出只有在政策环境较好的地区和政治联系较弱的企业，税收优惠政策才能显著促进企业技术创新。

（3）税收优惠对绿色技术转化具有正向影响作用。税收优惠可以降低企业的研发风险和成本，鼓励企业加大对绿色产品创新的投入（Song et al.，2020），从而有利于后续的绿色技术转移转化；同时，通过信号传递效应，向外部利益相关者传递出利好的信号，以便企业获得更多的资金支持（Lee and Cin，2010；Bacon et al.，2012），为绿色技术转移转化提供资金支撑。

此外，本章发现人力投入对绿色技术引进也具有正向影响作用。丰富的知识型和技术型人才，为绿色技术引进提供了良好的基础，既能推动绿色技术的引进，又能最大限度地让引进后的绿色技术发挥效应。同时，资本投入对绿色技术创新具有正向影响作用。加大资本投入可以提升企业绿色技术创新的能力（许君如，2019）；企业拥有充足的资本投入，可以更好地开展绿色技术创新活动。

2. 不同激励型环境政策工具交互与绿色创新

（1）环保补助×税收优惠、环保补助×绿色采购均对绿色技术创新具有显著的正向影响作用。环保补助与税收优惠分别属于政府的直接与间接资助，均可以降低企业的研发成本与风险，提高企业自主创新的积极性，从而在一定程度上缓解由绿色创新的"双重外部性"所带来的市场失灵问题（Doran and Ryan，2016；闫华红等，2019）。环保补助是一种直接性的事前激励政策，其目的是激励企业提升节能减排和绿色技术创新的能力，但作用的时效短，只利于企业的短期行为，而税收优惠是一种间接性的事后补偿政策，有利于企业发挥主观能动性，作用时效长，两者相结合，可以发挥协同作用（李传喜和赵讯，2016；褚媛媛，2019）。绿色采购政策的实行，不仅可以推动市场对环保产品和服务的需求，引导企业进行绿色技术创新，还可以发挥绿色采购的示范、扶持和生态效应，引导消费者形成绿色消费模式（Rainville，2017）。因此，环保补助和绿色采购政策有利于企业绿色技术创新的发展。

（2）环保补助×绿色信贷、绿色采购×绿色信贷均对绿色技术创新具有显著的负向影响作用。绿色信贷以绿色、低碳及可持续发展作为企业能否获得银行贷款的授信条件，以减轻企业融资约束、鼓励企业施行绿色创新为目标，督促金融机构积极承担环境责任（吴晟等，2019，2020；谢乔昕和张宇，2021）。符合授信条件的绿色企业，在绿色信贷的资金支持下，可以淘汰污染环境的技术，开展清洁生产（吴晟等，2019；谢乔昕和张宇，2021）；但不符合授信条件的污染企业，在遇到严重的资金和融资约束问题时，不得不另谋出路，政府环保补助作为对企业环保行为的一种直接性的事前补偿措施，使得企业更加关注环保补助金如何获得而不是如何有效利用，且易招致企业的非生产性寻租行为（Shleifer and Vishny，1994；Faccio et al.，2006；崔广慧和刘常青，2017），这削弱了绿色信贷的融资约束力，也弱化了绿色信贷政策对企业绿色创新行为的激励作用（谢乔昕和张宇，2021）。因此，环保补助和绿色信贷的协同对企业绿色技术创新产生了消极作用。绿色采购政策要求优先采购绿色产品和服务，为企业绿色技术创新提供动力（韩琳，2018），但绿色采购只能为企业的创新成果提供资金，无法解决企业在创新前期因无法获得绿色信贷而造成的融资约束问题，这种情况下，绿色采购与绿色信贷政策的协同，仍无法降低企业的研发成本和风险，政策激励效应无法发挥，不利于企业绿色技术创新。

3. 激励型与约束型环境政策工具交互与绿色创新

本章发现，环保补助×环境税对绿色技术创新具有显著的正向影响作用。对企业征收环境税的经济补偿行为会增大企业的压力与危机感，促使企业清洁生产技术的升级和改造，有利于企业绿色创新成果的产出，这种环保产出刺激了消费者的需求，需求的增加又进一步刺激企业的环保产出，形成良性的循环（Pearce，1991；Chintrakarn，2008；乔俊娜，2017；李瑞等，2020）。但是，征收环境税也会对企业绿色创新产生抑制作用，主要表现在两方面：其一，基于古典经济学理论，环境税负担或者环境规制的强度过大会增加企业的环境成本，降低企业的生产效率和市场竞争力（Gray，1987；Brännlund et al.，1995；吴清，2011；毕茜和于连超，2016）；其二，当企业绿色创新的成本和风险高于企业的预期经济收益时，企业会更倾向于缴纳环境税（褚睿刚，2018；李瑞等，2020）。因此，在征收环境税的同时对企业实施激励型的环保补助政策，可以帮助面临高成本压力和高研发风险的企业减轻环境税负担，进而促进绿色技术创新。

4. 市场型环境政策工具与不同区域的绿色创新

（1）环境税对绿色技术引进的影响存在区域差异性。在东部地区，环境税对绿色技术引进的影响并不显著；在中部和西部地区，环境税对绿色技术引进具有显著负向影响。征收环境税的目的是希望以环境成本和合法性压力倒逼企业开发清洁生产及节能减排技术，促进企业绿色发展（于连超等，2019）。在东部地区，较高的区域经济发展水平及环保科技水平，保障了企业的绿色技术创新能力，使企业依靠绿色技术引进的程度较低，因此，是否征收环境税对绿色技术引进的影响不大；但中西部地区的区域经济发展水平和创新水平较低，不少企业仍需要通过技术引进来淘汰耗能、污染性技术（耿云江和赵欣欣，2020），但是环境税的征收加剧了企业的资金压力，不利于企业的绿色技术引进。

（2）绿色采购对绿色技术创新的影响存在区域差异性。在东部地区，绿色采购对绿色技术创新具有显著的正向影响；在中西部地区，绿色采购对绿色技术创新的影响并不显著。绿色采购规定了政府采购的标准，即选购环境友好型的产品和服务（Bouwer et al.，2005）；同时，作为一种财政激励政策，它针对的是企业的环保产出，强调整个生产和销售阶段环境保护成果的有效性。在追求绿色发展过程中，东部地区良好的地理条件及合理配置的财力资本为绿色采购政策的实施奠定了基础（王辉，2008），同时绿色采购会使公众的环保意识增强、绿色消费模式兴起及市场绿色需求增大，这都诱使企业进行绿色技术创新。但在中西部地区，地理优势的欠缺及资源的不合理配置使经济发展成了政府和企业追寻的目标（王辉，2008），环境保护成效并不显著，导致绿色采购对绿色技术创新没有显著影响。

（3）绿色信贷对绿色技术转化的影响存在区域差异性。在东部和中部地区，绿色信贷对绿色技术转化的影响不显著；在西部地区，绿色信贷对绿色技术转化具有显著的正向影响作用。绿色信贷政策通过为污染企业设置信贷门槛，增加其融资成本，限制污染企业的发展，倒逼企业运用节能环保技术，开发环境友好型产品与服务，从而达到保护环境的目的（连莉莉，2015；陈琪和张广宇，2019；滕云，2021）。绿色技术成果的转移转化具有风险性，需要一定的资金支持，尤其是在经济发展水平较低，融资渠道较少的西部地区（滕云，2021），绿色信贷政策对绿色技术转化的促进作用更为显著；在经济发展较好的东部和中部地区，因获取国内外金融机构融资的渠道较多（滕云，2021），受到的融资约束力度较小，绿色信贷的作用并不显著。

5. 不同激励型环境政策工具交互与不同区域的绿色创新

（1）税收优惠×绿色信贷对绿色技术引进的影响存在区域差异性。在东部和中部地区，税收优惠×绿色信贷对绿色技术引进无显著的影响作用；在西部地区，税收优惠×绿色信贷对绿色技术引进具有显著的正向影响作用。较低水平的绿色创新，使得绿色技术引进成为西部地区提高创新水平的重要手段（马永军等，2021）。税收优惠×绿色信贷政策的协同降低了企业的研发风险和成本，鼓励企业加大对绿色技术的引进和研发（Song et al.，2020），有利于绿色技术向西部地区流动。相较于东部地区，中部和西部地区受经济发展水平、节能环保产业发展水平（余蓉，2020）、企业自主创新效率（刘汉初等，2018）等因素的影响，税收优惠×绿色信贷政策的协同对于绿色技术引进并无显著的影响。

（2）环保补助×绿色信贷对绿色技术创新的影响存在区域差异性。在东部和西部地区，环保补助×绿色信贷对绿色技术创新的影响作用不显著；在中部地区，环保补助×绿色信贷对绿色技术创新具有显著的正向影响作用。有两点原因：其一，相比较而言，中部地区具有良好的绿色金融发展，为绿色信贷政策发挥积极作用提供了支撑；其二，政府环保补助为企业绿色创新提供资金支持，增加了企业的绿色研发支出（Feldman and Kelley，2006），进而提高了东部地区的绿色创新水平。

（3）环保补助×税收优惠对绿色技术转化的影响存在区域差异性。在东部地区，环保补助×税收优惠对绿色技术转化具有显著负向影响；在中部和西部地区，环保补助×税收优惠对绿色技术转化没有显著的影响作用。环保补助×税收优惠效果的发挥受多种因素的影响，如在经济发达的东部地区，环保补助×税收优惠的政策红利更容易向政治关联强的企业倾斜（郭玲玲和王东辉，2019）。

6. 激励型与约束型环境政策工具交互与不同区域的绿色创新

（1）税收优惠×环境税对绿色技术引进的影响存在区域差异性。在东部和西部地区，税收优惠×环境税对绿色技术引进的影响不显著；在中部地区，税收优惠×环境税对绿色技术引进具有显著的负向影响作用。早期，中部地区在依靠高强度资源利用和消耗带动区域经济快速发展的同时，给生态环境带来了严峻的挑战，污染治理和节能减排成为政府和企业亟待解决的难题（杨艳琳和许淑嫦，2010；张发明等，2021）。税收优惠×环境税通过以税收负担和减轻税负相结合的方式推动绿色技术引进，但是需要与中部地区的产业密切结合，才能产生作用。若结合不紧密，征收环境税会加剧企业的资金压力，会导致税收优惠×环境税对绿色技术引进没有正向影响。

（2）绿色采购×环境税对绿色技术创新的影响存在区域差异性。在东部和西部地区，绿色采购×环境税对绿色技术创新的影响作用不显著；在中部地区，绿色采购×环境税对绿色技术创新具有显著的负向影响作用。绿色采购作为需求侧的市场型环境政策工具，目的是激励企业绿色创新，同时引导公众绿色消费（Rainville，2017）。但绿色采购政策在中部地区的运用受到地区经济发展水平的限制，较低的节能环保支出无法提供更多的绿色采购机会，降低了企业绿色技术创新的积极性，环境税的征收对中部地区清洁生产、节能减排带来了税负压力，因此，绿色采购×环境税对绿色技术创新没有产生正向影响。

（3）环保补助×环境税对绿色技术转化的影响存在区域差异性。在东部地区，环保补助×环境税对绿色技术转化具有显著的负向影响作用；在中部和西部地区，环保补助×环境税对绿色技术转化的影响作用不显著。以往研究指出，环保补助对企业创新具有激励效应（张慧雪等，2020），也指出在经济发达的东部地区实行环境规制有助于企业绿色技术创新（李楠和于金，2016）。但是，本章发现，环保补助×环境税对绿色技术转化具有消极作用，这说明激励型与约束型环境政策工具交互对绿色技术创新和绿色技术转化的影响作用存在一定的差别，受多种因素的影响。

5.6.2　研究不足

本章基于省级面板数据，分析了五类市场型环境政策工具及其交互对企业绿色创新的影响作用机理，在深化制度理论研究的同时，也存在几点不足。其一，在数据测量方面，仅从专利视角测量企业绿色创新，测量方法较为单一，未来可进一步从投入和产出视角测量绿色创新；其二，本章仅基于省级面板数据，探索了区域差异对市场型环境政策工具与企业绿色创新两者之间关系的影响作用，无法解释企业异质性对两者关系的影响作用；其三，在数据分析方面，本章仅探索了两类政策交互对企业绿色创新的影响，未检验在同时受到三类及三类以上市场型环境政策工具作用时，企业绿色创新会发生怎样的变化。

5.7　本　章　小　结

本章基于制度理论，探讨了市场型环境政策工具及其交互对企业绿色创新的影响。具体包括环保补助、税收优惠、环境税、绿色采购及绿色信贷对企业绿色技术引进、绿色技术创新和绿色技术转化的影响；环保补助×税收优惠、环保补助×绿色采购、环保补助×绿色信贷、税收优惠×绿色采购、税收优惠×绿色信贷及绿色采购×绿色信贷六种不同激励型环境政策工具交互对企业绿色技术引进、绿色技术创新和绿色技术转化的影响；环保补助×环境税、税收优惠×环境税、绿色信贷×环境税及绿色采购×环境税四种不同激励型环境政策工具交互对企业绿色技术引进、绿色技术创新和绿色技术转化的影响。此外，本章将区域差异纳入以上研究之中，探讨了东部、中部及西部地区市场型环境政策工具及其交互对企业绿色创新的影响。本章得出的研究结果为理解市场型环境政策工具对企业绿色创新的作用机制提供了理论和实践的基础，同时，本章也指出了存在的不足，为今后进一步的研究提供了借鉴。

（本章执笔人：廖中举，周严严，刘萍）

第6章　市场型环境政策工具组合与绿色创新：基于模糊集定性比较分析

　　绿色创新的驱动因素一直是管理和环境经济学领域的重要研究主题。本章从政策工具组合的视角分析企业绿色创新的驱动因素。其一，选取重污染行业2012~2017年A股上市的209家公司作为样本，采用模糊集定性比较分析方法，检验环保补助、税收优惠、环境税、绿色采购和绿色信贷五类市场型环境政策工具对企业绿色技术创新的影响作用；其二，选择30个省区市作为研究样本，检验环保补助、税收优惠、环境税、绿色采购和绿色信贷五类市场型环境政策工具对绿色技术引进、绿色技术创新和绿色技术转化的影响作用。

6.1　市场型环境政策工具组合与绿色创新：微观企业层面视角

6.1.1　引言

　　市场型环境政策工具通过市场方式——改变市场价格、设置某物品的上限或者改变其数量、改善市场运作方式，或者在没有市场的情况下创造市场，积极影响个人和集体行为，以此来实现目标（Portney and Stavins，2000）。显然，它侧重于依赖市场的力量，调节经济主体选择行为的方式。以往学者在探究市场型环境政策工具对企业绿色创新的影响作用时，主要是检验税收、补贴等单一类别的政策工具的作用（Veugelers，2012；Desmarchelier et al.，2013）。然而，市场型环境政策工具包含多种类别，当不同类别的政策工具组合时，会对绿色创新产生怎么样的作用，以往的研究仍缺乏清晰的答案。其中，Veugelers（2012）指出尽管证据表明政策工具类型（如关税和补贴）对刺激清洁创新有效，但哪种政策工具组合在刺激清洁创新和传播方面更有效，仍然缺乏完整的结论；Zubeltzu-Jaka 等（2018）也指出尚不清楚在促进绿色创新时，市场、技术、企业特异性和监管驱动因素等潜在决定因素是如何作用的。

为了弥补以往研究的不足，本节从复杂性理论视角出发，假设变量间的不对称及非线性，即导致同一结果的路径不唯一，且单一的前因产生的作用效果也不尽相同（Wu et al.，2014），采用模糊集定性比较分析方法，探讨环保补助、税收优惠、环境税、绿色采购和绿色信贷及这五类市场型环境政策工具的组合对企业绿色创新的影响作用。定性比较分析方法对于解释多重并发前因条件下的因果非对称性关系有着突出的优势（Ragin，2009），近几年广受国内外研究学者的关注，但在市场型环境政策领域的应用缺乏。因此，本节主要有两个贡献。第一个贡献在于采用模糊集定性比较分析法，阐述市场型环境政策工具对企业绿色创新的影响及其路径选择。第二个贡献在于从市场型环境政策工具的角度出发，构建驱动绿色创新发展的研究框架，丰富了制度理论在绿色创新领域的运用。此外，本节在弥补以往研究不足的同时，也为市场型环境政策工具的优化提供了理论依据。

6.1.2　文献回顾与研究框架

设计良好的环境政策能够激发创新，降低企业生产成本，在提高资源利用率和企业竞争力的同时，达到减少环境污染的良好效果（Porter and van der Linde，1995a）。由于市场型环境政策工具能够降低环境政策成本，为企业开发新环境技术提供强大的激励（Vollebergh，2007；Popp et al.，2010），它在能源、环境、生态等多个领域受到了学者的广泛关注（Filatova，2014）。

从单一形态视角出发，关于市场型环境政策工具对企业绿色创新的影响作用，以往展开了大量的研究，并得出了正向和负向两种研究结论。第一种观点认为，除命令控制型环境政策外，排污税、补贴、排污交易权等市场导向型环境政策能够促进降低污染物排放的技术创新（Magat，1978）。例如，何小钢（2014）研究发现，政府税收优惠政策能够激励企业加大绿色技术创新的投入；李楠和于金（2016）以高污染企业为样本研究证实，环保补助有利于促进企业的技术创新；Rainville（2017）采用案例研究方法发现，绿色公共采购政策可以推动市场对环境产品和服务的需求，并刺激绿色创新。然而，第二种观点认为，政府补助、税收优惠等市场型环境政策工具会对企业的研发行为产生挤出和替代效应，甚至挤占企业自主的技术创新投入（Wallsten，2000；Lach，2002；Görg and Strobl，2007）。例如，张颖和吴桐（2019）研究表明，从发展的长期来看，绿色信贷政策对高排放企业的投资行为是无效的，或者说影响有限；Kemp 和 Pontoglio（2011）研发现，税收和排污权交易对技术创新的影响十分有限。

从组合形态视角出发，早在 1976 年 Roberts 和 Spence 就提出，使用排污费、补贴及排污交易权的环境政策组合激励企业减少排污量，最终以相对较低的成本实现较高的收益。目前，国内外有关政策工具组合的研究分为两类。第一类是直接补贴和税收优惠政策组合，如 Radas 等（2015）以发展中国家的中小企业为研究样本，证实直接补贴与税收优惠的联合使用会加强企业的研发方向和创新产出，Neicu（2019）研究发现直接补贴与税收优惠一起使用时可以增加企业的研发支出；但是，Montmartin 和 Herrera（2015）使用 1990~2009 年 25 个 OECD 国家的数据库，就研发补贴和财政激励对企业研发强度的宏观经济效应提供了新的实证证据，即在一国之内研发补贴和财政激励的政策组合对企业的研发投入产生了替代效应，Dumont（2017）也发现同时采用补贴和税收优惠政策会降低研发支持的有效性。第二类是需求侧、供给侧及环境侧的政策组合。基于供给侧和环境侧政策组合，Veugelers（2012）利用比利时企业数据进行研究，发现相较于单种政策，税收或法规与补贴的政策组合对企业绿色创新的影响更加显著，Huergo 和 Moreno（2017）根据西班牙企业的数据构建了多元 Probit 模型，研究发现补贴和贷款的政策组合对中小企业的研发强度具有激励效应；基于供给侧与需求侧政策组合，Guerzoni 和 Raiteri（2015）认为供给侧（如研发补贴、研发税收抵免）和需求侧（如公共采购）的不同政策组合对企业的创新影响最大，但 Fernández-Sastre 和 Montalvo-Quizhpi（2019）利用厄瓜多尔企业数据，并采用逆概率加权法，分析发现公共采购与补贴的政策组合对企业投资研发活动的决策未产生显著影响。

综上所述，从单一类别政策工具的视角，大量研究阐释了市场型环境政策工具对企业绿色创新的影响。但从政策组合视角出发，现有研究仍存在两点不足：第一，不同政策组合对绿色创新影响作用的结论尚不统一；第二，市场型环境政策组合形态多样，不拘泥于两类或三类市场型环境政策工具组合，研究成果有待丰富。考虑到研究结论的不一致性及市场型环境政策工具的多样性，本节将进一步拓展市场型环境政策工具的组合形态，揭示绿色创新同时受到多种形态的市场型环境政策工具作用的现实。

6.1.3　研究设计

1. 研究方法

自 Fiss 提出定性比较分析可以解决复杂因素多重交互问题后，定性比较分析在管理学研究领域得到了广泛的应用，并且也被认为是超越定性与定量方法的一种社会科学研究方法（张驰等，2017）。定性比较分析是以布尔代法为计算基础，基于集合论思想，采用整体分析视角研究前因条件组态与结果变量之间复杂的因果关系的一种分析方法（Fiss，2007；杜运周和贾良定，2017；张驰等，2017）。它与一般实证分析不同，在用组态研究解决因果复杂性的问题时具有一定的"思想实验"和探索性（Ragin，2009）。它为处理多重并发的因果关系、因果非对称和多种方案等效性等因果复杂性问题提供了全新的思路（Fiss，2007；杜运周和贾良定，2017）。模糊集定性比较分析在清晰集定性比较分析的基础上进行了改进；原则上可以对 0~1 的任何数字进行赋值，这有效避免了清晰集中使用 0~1 二分法赋值所导致的部分数据信息流失情况（Rihoux and Ragin，2008）。

本节采用模糊集定性比较分析基于以下几点考虑：一是企业的绿色创新是一个复杂的战略决策，传统的回归分析法侧重于研究单一变量或者双变量的交互项对绿色创新产生的净效应，很难解释绿色创新驱动因素之间的多重并发关系；二是传统的定量研究难以解答不同的条件组合导致结果发生的等效性及因果的非对称性等问题，尽管结构方程模型也拥有解释不同的前因条件组合的功能，但它对样本量和数据量要求较高；三是模糊集定性比较分析方法被认为是探索"联合效应"和"互动关系"的有效方法，其分析结果的稳健性不取决于样本大小，只取决于样本是否涵盖了代表性个体（Ragin，2009）。

2. 样本数据来源

本节数据来源于上海证券交易所、深圳证券交易所、中国政府采购网和国家知识产权局网站。根据《上市公司环保核查行业分类管理名录》中规定的 16 个重污染行业，本节以沪深两市 A 股上市的重污染行业的公司为研究对象，剔除年度报告缺失及财务异常的 ST 及*ST 公司之后，共收集到 209 家企业 2018 年的年度报告。鉴于创新产出存在一定的滞后性，市场型环境政策工具采用 2018 年的数据，绿色创新采用 2019 年的数据。

3. 变量测量

（1）绿色创新。以往研究主要采用专利（Jaffe and Palmer，1997；Wang et al.，2020b）、新产品产值（Arundel and Kemp，2009；张倩，2015）等数据测量企业的绿色创新。基于数据的可获得性，本节使用绿色专利申请量来衡量企业绿色创新的水平。其中，将 2019 年申请绿色专利的企业赋值为 1，否则为 0。

（2）环保补助（SUBSIDY）。本节借鉴李楠和于金（2016）的做法，从公司年报披露的政府补助项目表中手动搜集政府环保补助的数据。筛选的标准是具备"节能技改"、"环保治理"、"资源综合利用"、"节约减排"和"循环回收"等性质的项目补助金、奖励金、补贴及税收返还。最终，将获得政府环保补助的企业赋值为 1，否则为 0。

（3）税收优惠（DISCOUNT）。本节采用企业年报的所得税费用表中列项的研发费用加计扣除来衡量政府的税收优惠（冯海红等，2015）。本节将获得研发费用加计扣除的企业赋值为 1，否则为 0。

（4）环境税（TAX）。本节从企业年报查找环境保护税的金额，并将缴纳环境保护税的企业赋值为 1，否则为 0。

（5）绿色采购（BUY）。绿色采购的标准是强制或优先选择对环境危害最小或者有利于保护环境的产品或服务，因此本节从数据的可获得性出发，将获得 ISO 14001 认证的企业默认为政府绿色采购的对象，并赋值为 1，否则为 0。

（6）绿色信贷（CREDIT）。本节借鉴陈毓佳（2018）的做法，首先查询 2018 年企业资产负债表的负债总额，从中确定企业的绿色负债额，并将既含有短期绿色负债又含有长期绿色负债的企业赋值为 1，将含有短期绿色负债或长期绿色负债的企业赋值为 0.5，将不含有任何绿色负债的企业赋值为 0。

6.1.4　研究结果

1. 单个条件的必要性分析

根据定性比较分析方法，本节首先使用 fsQCA 3.0 软件分析单个前因条件（包括其非集）是否构成推进绿色创新发展的必要条件。必要条件的存在表明结果变量的集合构成前因条件集合的子集（Rihoux and Ragin，2008），即结果出现时前因条件必然存在。绿色创新的必要条件分析结果，如表 6-1 所示。

表 6-1　绿色创新的必要条件分析

前因条件	一致性	覆盖度
SUBSIDY	0.625	0.762
subsidy	0.375	0.471
DISCOUNT	0.711	0.655
discount	0.289	0.544
TAX	0.563	0.667
tax	0.438	0.566
BUY	0.742	0.709
buy	0.258	0.452
CREDIT	0.535	0.606
credit	0.465	0.633

注：小写形式表示逻辑"非"

从表 6-1 中可以看出，各前因条件（包括非集）对绿色创新影响的一致性均未超过 0.9。某一前因条件被判定为结果的必要条件的依据是其一致性指标大于 0.9（Rihoux and Ragin，2008），因此，在单个因素作用的条件下，都不能被认为是推动绿色创新发展的必要条件。为了进一步研究绿色创新的多重并发的因果关系，需要进行条件组态的充分性分析。

2. 条件组态的充分性分析

条件组态来源于多个前因条件构成的不同组合，其组态的数量（N）取决于前因条件的个数（k），即 $N=2^k$（Rihoux and Ragin，2008）。与必要条件分析不同，组态分析是试图揭示多个前因条件构成的不同组态导致结果产生的充分性分析（张明等，2019）。除此之外，还需要通过设置一致性水平及案例频数阈值指标来检验对结果变量具有充分性解释的前因条件（Rihoux and Ragin，2008）。本节借鉴 Ragin（2006）的做法，将一致性水平的门槛值设置为 0.8；并在频数阈值的确定上按照 Schneider 和 Wagemann（2012）的做法，将大样本频数阈值设置为 2。

通过 fsQCA 3.0 的运算，可以得到三类解，分别是复杂解、简洁解及中间解，本节将专注于中间解并辅以简洁解来汇报所得到的不同条件组态，其中，核心条件是指在进行充分性分析时既存在于中间解又存在于简洁解中的前因条件，辅助条件是指仅存在于中间解中的前因条件（Fiss，2011）。通过 fsQCA 3.0 运算得到的四种条件组态，如表 6-2 所示。

表 6-2　影响绿色创新的条件组态结果

前因条件	组态 1	组态 2	组态 3	组态 4
环保补助	●	●	●	●
税收优惠	●		●	⊗
环境税	●	●		⊗
绿色采购	●	●	●	•
绿色信贷		●	●	⊗
原始覆盖度	0.211	0.191	0.230	0.016
唯一覆盖度	0.086	0.066	0.105	0.016
一致性	0.818	0.817	0.881	1
所有组态的一致性		0.857		
所有组态的覆盖度		0.398		

注："●、•"表示条件存在，"⊗、⊗"表示条件不存在，"空白"区域代表条件可有可无，"●、⊗"代表核心条件，"•、⊗"代表辅助条件

本节在充分性分析中发现了影响绿色创新的四条路径：组态 1（环保补助×税

收优惠×环境税×绿色采购）、组态 2（绿色信贷×环保补助×环境税×绿色采购）、组态 3（绿色信贷×环保补助×税收优惠×绿色采购）、组态 4（~绿色信贷×环保补助×~税收优惠×~环境税×绿色采购），表明这些多重并发的影响因素导致了相同的结果（Fiss，2011）。除此之外，单个组态的一致性水平远高于 0.75，五种组态的总的一致性水平达到 0.857，具有非常好的解释力度。总体覆盖度为 0.398，已超过 Sun 等（2020）在研究中指出的覆盖度大于 0.05 的水平，因此能够较好地解释所研究的问题。

本节进一步从单个组态的分析中发现，组态 1 的一致性为 0.818，其唯一覆盖度为 0.086，覆盖了 20 个案例。该组态以环保补助、税收优惠、环境税及绿色采购存在作为核心条件。组态 2 的一致性为 0.817，其唯一覆盖度为 0.066，覆盖了 20 个案例。该组态以绿色信贷、环保补助、环境税及绿色采购存在作为核心条件。组态 3 的一致性为 0.881，其唯一覆盖度在所有组态中最高为 0.105，覆盖了 20 个案例。该组态以绿色信贷、环保补助、税收优惠及绿色采购存在作为核心条件。组态 4 的一致性为 1，其唯一覆盖度为 0.016，覆盖了两个案例。该组态以环保补助存在，绿色信贷、税收优惠及环境税缺失作为核心条件，绿色采购存在作为辅助条件。为了更好地反映各组态之间的差异，在对每种组态有清晰了解的基础上，本节根据组态中要素的存在状态及条件种类将组态划分为三类：激励+惩罚型、金融支持型、补助+需求型。

3. 稳健性检验

QCA 研究结果极具敏感性和随机性争议，已经有学者提出通过稳健性检验的方法来解决（Schneider and Wagemann，2012）。例如，张明和杜运周（2019）指出可以通过调整校准的阈值、改变案例频数、变动一致性门槛、增加其他条件及补充或剔除案例等方法来检验结果的稳健性。本节借鉴 Schneider 和 Wagemann（2012）、张明和杜运周（2019）等的方法，通过变动一致性门槛来进行稳健性检验。具体而言，一致性水平从 0.80 提升至 0.81，案例频数阈值仍然设置为 2。表 6-3 显示了一致性水平变动后，影响绿色创新的条件组态结果。

表 6-3　影响绿色创新的条件组态结果（一致性水平调至 0.81）

前因条件	组态 1	组态 3	组态 4
环保补助	●	●	●
税收优惠	●	●	⊗
环境税	●		⊗
绿色采购	●	●	•
绿色信贷		●	⊗

前因条件	组态 1	组态 3	组态 4
原始覆盖度	0.211	0.230	0.016
唯一覆盖度	0.086	0.105	0.016
一致性	0.818	0.881	1
所有组态的一致性		0.853	
所有组态的覆盖度		0.252	

注："●、●"表示条件存在，"⊗、⊗"表示条件不存在，"空白"区域代表条件可有可无，"●、⊗"代表核心条件，"●、⊗"代表辅助条件

从表 6-3 中可以看出，所有组态的一致性水平为 0.853，较之前下降 0.004，仍具有较好的解释效果，覆盖度为 0.252，虽有下降，但仍大于 0.05。另外，结果显示除了筛掉了组态 2 之外，其他组态未发生变化。因此，提高一致性水平之后，研究结果依然是可靠的。

6.1.5　结论和讨论

1. 研究结论

本节采用模糊集定性比较分析方法，探究了环保补助、税收优惠、环境税、绿色采购及绿色信贷五类市场型环境政策工具对企业绿色创新的影响作用。选取中国重污染行业的 209 家企业作为研究样本，并得出了影响绿色创新的四条路径，将其归纳为三种模式。

（1）激励+惩罚型。绿色创新的发展依赖于国家财税政策的支持，从表 6-2 的组态结果中得到了证实。组态 1 和组态 2 很好地解释了激励+惩罚型市场环境政策工具的运用，从组态 1 中可以看出，在不考虑企业是否获得绿色信贷的情况下，即使对企业征收环境税，只要政府的环保补助、税收优惠及绿色采购政策落到实处，就能推动企业的绿色创新；从组态 2 中可以看出，对企业征收环境税的同时，忽略税收优惠政策给企业带来的影响，给予企业绿色信贷、环保补助及绿色采购的政策支持同样有利于企业绿色创新。由此，可将促进企业绿色创新的两大动力归纳为获得激励及逃避惩罚。具体体现在：一方面，绿色创新的发展离不开企业的研发投入，但研发投入不一定能带来预期的结果，因此创新活动所带来的高成本和高风险迫使企业承受资金压力和机会成本；另一方面，严厉的环境规制提高了企业污染环境的成本，迫使企业开展生产技术创新，提供更加环保的产品和服务，以此来降低环境成本。组态 1 和组态 2 均覆盖了 20 个案例，这些企业涉及建材、化工、纺织、煤炭、制药、冶金业，其中 35 家企业属于高新技术企业，5 家

企业属于非高新技术企业，并集中分布在我国的东部和中部地区。可理解为环境税的征收提高了重污染企业的环境成本，环保补助和绿色采购政策给予了高新技术企业更多的资金支持以开发环保技术，降低了企业的研发成本，同时在经济发展和技术管理水平良好的东部和中部地区，税收优惠或绿色信贷政策也为绿色创新的发展锦上添花。总之，对重污染企业征收环境税提高了企业保护环境的意识，环保补助、绿色采购、税收优惠、绿色信贷等经济激励政策的实行在一定程度上缓解了企业的资金压力，引导企业进行绿色发展。

（2）金融支持型。组态 3 的结果体现了金融支持型市场型环境政策工具运用的优良性，在不考虑企业是否缴纳环境税的情况下，环保补助、税收优惠、绿色信贷及绿色采购的综合运用对企业绿色创新具有促进作用。从经济激励视角出发，政府主动让利给企业，包括直接的环保补助和间接的税收优惠，有利于促进绿色创新。Almus 和 Czarnitzki（2003）、Hall 和 Lerner（2010）等认为这种直接和间接的财政政策为企业提供了更多的净现金流量，降低了创新的风险性，从而达到了激发企业投资创新项目的目的。从绿色金融视角出发，绿色采购和绿色信贷政策为公众树立了绿色的价值导向，不仅能够引导绿色消费，还能让节能环保企业获得较多的资金支持，激励企业提高自身节能减排和绿色生产的能力，推动企业的绿色转型。组态 3 覆盖了 20 个案例，其中 19 个属于高新技术企业，且分布在中国的东部、中部和西部地区，这表明金融支持为推动高新技术企业绿色创新的发展提供了强大的动力，并且这种金融支持型市场型环境政策在考虑地域差异的基础上仍可广泛应用。

（3）补助+需求型。组态 4 的结果表明，一个不需缴纳环境税的企业，当它无法获得税收优惠和绿色信贷时，环保补助和绿色采购政策的运用同样有利于企业的绿色创新。以往研究表明，环保补助一方面可以直接给企业带来资金支持；另一方面通过信号传递效应帮助企业获取外部融资，在降低企业成本的同时，助力企业绿色创新（傅利平和李小静，2014；Li et al.，2018）。绿色采购政策通过扶持效应和示范效应带动消费者主动购买绿色产品，以及拉动企业的绿色创新（Liu et al.，2019c）。组态 4 覆盖了两个案例，一家是四川省化工行业的高新技术企业，另一家是安徽省酿造行业的非高新技术企业。组态结果证实了环保补助和绿色采购政策在高新技术企业和非高新技术企业中的运用是同质的，但对不同地域的企业可能存在差异。

2. 管理启示

本节得出的结论对政府和企业具有一定的管理启示。从政府层面而言，发展绿色创新是我国应对环境挑战的重要抉择，在推动绿色创新发展的过程中应考虑不同的市场型环境政策工具组合所带来的影响，并结合地域差异和企业特征来不断优化政策设计，提高政策的适用性，构建行之有效的政策框架，如在东部和中部地区推广激励+惩罚型的市场型环境政策，在高新技术企业中推行金融支持型的市场型环境政策。从企业层面而言，在绿色发展的大环境下，要积极响应政府的环境政策，创造优势并利用优势，助力自身绿色发展。例如，企业要加大研发力度专注于环保技术的发展，生产符合国家标准的绿色产品和服务，尤其是高新技术企业要抓住政府绿色采购政策的红利，加强技术研发。

3. 研究不足与未来展望

本节采用模糊集定性比较方法，分析了市场型环境政策工具对企业绿色创新的影响作用，但还存在几点不足。第一，研究样本来源于中国重污染行业的上市公司，选取范围偏窄，研究结论缺乏普适性，未来研究需要将其他行业的企业纳入研究样本之中，也可以比较不同行业间研究结果的异同。第二，进行组态分析时，本节仅聚焦于五类市场型环境政策工具，未将企业层面的影响因素纳入研究中，未来的研究可以将企业的规模、成长阶段等纳入研究模型之中。第三，并不是所有进行绿色创新的企业都会申请绿色专利，因此，本节采用专利申请量测量企业的绿色创新具有一定的偏差。未来可以考虑采用问卷调研的形式获得研究数据。

6.2 市场型环境政策工具组合与绿色创新链：省级层面视角

6.2.1 引言

从新古典主义角度而言，绿色创新具有研发溢出效应和环境溢出效应，在技术扩散过程中，绿色创新的正外部性若不能转化为技术或者产品市场效应，则会出现市场失灵现象（Rennings，2000；Liao，2018a）。在这种情况下，环境政策成为绿色创新的一个强烈的具体决定因素，尤其是旨在将环境外部性内部化的环境政策和法规（Pereira and Vence，2012；Yang F and Yang M，2015）。目前，我国环境政策工具可划分为三类：命令控制型环境政策工具包括禁令、限制性标准等；市场型环境政策工具包括污染收费、财政补贴等；自愿型环境政策工具包括环境听证会、环境信访和教育等（林枫等，2018；Ren et al.，2018）。其中，市场型环境政策工具因支持市场机制，并充分利用市场的无形之手进行调节，减少了政府有形之手对经济的干预，成了灵活性较强且最具成本效益的选择（Hahn and Stavins，1992；许士春，2012）。因此，运用市场型环境政策驱动绿色创新成为许多国家的共识。回顾以往的文献可以发现，国内外大量学者从单一政策工具和少数政策工具组合的视角，探究了环保补助、税收优惠、环境税、绿色采购和绿色信贷五类市场型环境政策工具对绿色创新的影响。

基于单个影响因素视角，Lee 和 Cin（2010）、褚媛媛（2019）、张翼和王书蓓（2019）等检验了不同国家的市场型环境政策工具对绿色创新的影响作用。例如，在环保补助方面，Lee 和 Cin（2010）以韩国中小企业为样本，利用双重差分估计方法，实证研究环保补助对企业研发投资的影响，结果表明，环保补助可以通过与政府分担研发失败风险和降低新技术开发项目的资金成本来帮助中小企业克服风险研发项目的障碍，促进韩国企业的研发投资；褚媛媛（2019）以我国重污染上市企业为研究样本进行研究，结果发现，环保补助未对企业绿色技术创新产生积极的影响，反而抑制了企业当期和滞后一期的绿色技术创新。在税收优惠方面，张翼和王书蓓（2019）研究发现，税收优惠政策对绿色创新产生了激励和杠杆作用，有利于企业绿色创新的发展；何凌云等（2020）则认为税收优惠与绿色创新之间呈现倒"U"形而非线性关系。在环境税方面，程建平（2020）研究发现，环境税征收的激励效应存在地区差异，在东部和中部地区激励效应明显，在西部地区则产生了抑制效应；谭媛元（2021）认为获得环境税激励的企业，既可通过绿色创新获得政府的一些税收优惠支持，又可以从绿色创新成果中获取竞争优势。在绿色采购方面，Slavtchev 和 Wiederhold（2016）、陈志刚和吴丽萍（2021）等分别以美国和中国为研究对象，实证检验了政府绿色采购与创新的关系，研究表明，绿色采购能够激励企业创新，提高其创新水平。在绿色信贷方面，何凌云等（2019）研究发现，单一的绿色信贷政策并未对企业技术创新产生直接的促进作用；吴晟等（2020）、赵娜（2021）的研究结果则均表明绿色信贷与绿色创新显著正相关。

基于政策工具交互的视角，许士春和龙如银（2012）、刘海英和郭文琪（2021）、Kim 和 Lee（2020）等检验了不同政策工具对绿色创新的交互影响。例如，许士春和龙如银（2012）采用博弈研究的方法发现，不管在哪种市场结构下，环境税与环保补助的政策组合总能达到市场经济的最优状态，且推动环保产业的发展；刘海英和郭文琪（2021）也运用博弈论的方法，发现环境税与税收优惠政策组合可鼓励企业加大创新研发投入，进而诱导企业绿色创新的发生；王春元和于井远（2020）以 1 898 家企业为研究样本，实证检验了财政补贴、税收优惠与企业创新的关系，结果表明财政补贴与税收优惠政策组合在解决市场失灵、推动企业创新的发展上具有较强互补性。此外，Guerzoni 和 Raiteri（2015）基于欧盟数据分析了通过财政支持、税收支持和公共采购促进企业研发投资的效果，并提出了总体积极的政策组合效果；Kim 和 Lee（2020）研究表明，为克服市场失灵而提供的税收支持和财务支持促进了中小企业更积极的研发活动，并指出这种政策组合措施是实现创新目标的理想方向；Neicu 等（2016）研究发现，通过研发税收抵免和研发补贴相结合的方式，支持企业使用免税金额来增加研发项目的规模和数量，对企业研发产生了积极影响；Marino 等（2016）也得出了相似的结果，认为研发税收抵免和研发补贴的政策组合有利于提高企业的研发水平。

以往研究从单因素或者多因素交互视角，探究了市场型环境政策工具对绿色创新的影响，在取得进展的同时，还存在不足。例如，单一类别的市场型环境政策工具是否有利于促进绿色创新，以往研究仍缺乏统一的结论；以往研究仅检验了少数类别的市场型环境政策工具对绿色创新的交互影响作用，缺乏针对绿色创新链条的系统性研究。鉴于以往研究存在的不足，环境政策工具间的互补、替代、冲突效应，以及不同情境下政策工具作用的差异性（杨燕和邵云飞，2011；Díaz-García et al.，2015），本节利用模糊集定性比较分析方法，全面分析五类市场型环境政策工具组合驱动高水平绿色创新的路径，弥补以往研究仅考虑单一政策工具或两到三类政策工具组合对绿色创新影响的不足，厘清五类环境政策工具组合的作用机制，探究绿色创新受到多个政策工具作用的路径，为驱动企业绿色创新提供新的政策启示。

6.2.2　研究设计

1. 研究方法

本节采用模糊集定性比较分析方法对制度理论视角下绿色创新水平的提升路径进行研究。定性比较分析法从整体视角出发看待各变量之间复杂的关系，是一种利用集合论思想将变量导向（定量）与案例导向（定性）融合为一体的综合性研究方法，它以布尔代数法作为运算基础，并借助反事实分析法研究不同前因条件如何组合来解释结果变量的产生（罗天正和关皓，2020；谢佩洪和于诗荟，2021）。

定性比较分析法包含三种类型。多值定性比较分析法允许条件或结果变量是多值可分类的变量，适用于研究多类别的现象；清晰集定性比较分析只能研究二分类的变量，需对条件和结果变量进行二进制校准即变量取值为 0 或者 1；模糊集定性比较方法可以对条件或结果变量进行非二进制的校准，即变量可取值为 0~1 的任意数值，且除了处理类别问题外，还可解决程度化和部分隶属问题（Cronqvist and Berg-Schlosser，2009；杜运周和贾良定，2017；罗天正和关皓，2020）。

因此，本节以 30 个省区市为例，采用模糊集定性比较分析法，对条件与结果变量之间的充分关系和必要关系进行实证分析。

2. 数据来源

本次研究的数据主要从两种渠道获得：第一，条件变量来源于《中国统计年鉴》；第二，结果变量来自国家知识产权局。考虑到数据的可获得性、完整性及绿色创新产出存在时滞性等特点，本节以 30 个省区市（不包括西藏）作为研究对象，条件变量选取 2019 年的数据，而结果变量选择 2020 年数据。

3. 变量测量与校准

（1）绿色创新。当前对于绿色创新的测量主要有两种方法：一种是问卷调查法，如 Chen 等（2006）、Sezen 和 Cankaya（2013）等采用此方法测量绿色产品创新、绿色工艺创新及绿色管理创新；另一种是二手数据法，如 Brunnermeier 和 Cohen（2003）、Arundel 和 Kemp（2009）、Kesidou 和 Demirel（2012）等分别使用绿色专利、新产品产值及 R&D 支出测量绿色创新。本节参照 Brunnermeier 和 Cohen（2003）的方法，采用绿色专利衡量绿色创新。具体而言，分别采用绿色专利引进量、申请量和转让量衡量绿色技术引进、绿色技术创新和绿色技术转化。

（2）环保补助。借鉴张彦博和李琪（2013）及范莉莉和褚媛媛（2019）的做法，本节选取各省区市工业污染治理投资总额衡量政府环保补助。

（3）税收优惠。借鉴冯海红等（2015）的做法，本节采用研发费用加计扣除减免税来衡量政府的税收优惠。

（4）环境税。2018 年 1 月 1 日，我国正式施行《中华人民共和国环境保护税法》，因此，本节直接选用环境保护税金额衡量环境税。

（5）绿色采购。以往主要采用问卷调查法或以政府部门的公共采购金额衡量绿色采购（王明，2010；展刘洋等，2015），鉴于数据的可获得性，本节采用政府节能环保支出总额衡量绿色采购。

（6）绿色信贷。2017 年我国确定了五个绿色金融改革创新试验区（浙江、江西、广东、贵州、新疆），因此，本节运用虚拟变量，将纳入绿色金融改革创新试验区的省区设置为 1，未纳入绿色金融改革创新试验区的省区设置为 0。

4. 校准

校准就是利用锚点将条件变量的数据转化成隶属于结果变量的模糊集集合（陈红等，2021），在进行校准之前，本节参考 Coduras 等（2016）的做法，将环保补助、税收优惠、环境税、绿色信贷、绿色技术引进、绿色技术创新、绿色技术转化等七个变量的上四分位数（25%）、中位数（50%）及下四分位数（75%）设置为完全不隶属、交叉点及完全隶属三个锚点，将绿色信贷设置为虚拟变量则无须利用锚点校准。因此，条件和结果变量的校准参数，如表 6-4 所示。

表 6-4　条件和结果变量的校准参数

条件和结果变量	完全隶属（75%）	交叉点（50%）	完全不隶属（25%）
环保补助（SUBSIDY）	2 981 852 500	1 267 945 000	566 747 500
税收优惠（DICOUNT）	44 221 228 125	22 328 778 750	7 078 800 000
环境税（TAX）	742 500 000	459 000 000	295 000 000
绿色采购（BUY）	27 898 500 000	20 811 000 000	14 959 750 000
绿色信贷（CREDIT）	1=绿色金融改革创新试验区，0=非绿色金融改革创新试验区		
绿色技术引进（GRTY）	16.75	5.5	2.25
绿色技术创新（GRTC）	3 439.75	1 473.5	384
绿色技术转化（GRTZ）	20.75	8	4.25

6.2.3　研究结果

1. 条件变量的必要性分析

本节借助软件 fsQCA 3.0 进行模糊集定性比较的实证分析。在进行组态分析前，首先对校准后的条件变量进行必要性检验，以判断其是否会对结果变量产生重要影响。一致性指标可以帮助判断条件变量与结果变量是否存在必要性关系；本节参考 Rihoux 和 Ragin（2008）的做法，将一致性指标超过 0.9 的条件变量认为是导致结果变量产生的必要条件。软件 fsQCA 3.0 的运行结果，如表 6-5 所示。

表 6-5　单个条件变量的必要性分析

条件变量	绿色技术引进（GRTY）		绿色技术创新（GRTC）		绿色技术转化（GRTZ）	
	一致性	覆盖度	一致性	覆盖度	一致性	覆盖度
SUBSIDY	0.695	0.653	0.691	0.696	0.710	0.681
subsidy	0.444	0.438	0.430	0.455	0.390	0.393
DISCOUNT	0.803	0.805	0.821	0.882	0.830	0.849
discount	0.354	0.328	0.327	0.324	0.312	0.295
TAX	0.692	0.685	0.633	0.671	0.680	0.686
tax	0.432	0.405	0.475	0.476	0.393	0.376
BUY	0.742	0.709	0.792	0.807	0.759	0.736
buy	0.806	0.766	0.312	0.326	0.325	0.323
CREDIT	0.188	0.542	0.158	0.490	0.190	0.560
credit	0.812	0.469	0.842	0.520	0.810	0.477

注：小写形式表示逻辑"非"。

从表 6-5 中可以看出，当结果变量为绿色技术引进时，条件变量税收优惠的一致性指标最高，为 0.803（<0.9）；当结果变量为绿色技术创新时，条件变量税收优惠的一致性指标还是最高，为 0.821（<0.9）；当结果变量为绿色技术转化时，

条件变量税收优惠的一致性指标依然最高，为 0.830（<0.9）。因此，所有条件变量均不构成绿色技术引进、绿色技术创新及绿色技术转化的必要条件。五类市场型环境政策工具均无法成为绿色创新的必要条件，表明绿色创新无法依靠单一条件变量的作用，但并不意味着提升绿色创新水平可以忽视五类市场型环境政策工具的影响，因此，有必要进一步从组态分析的角度继续探索绿色创新发展的路径。

2. 条件变量的组态分析

在运用软件 fsQCA 3.0 进行组态分析前，需要构建真值表，并设置一致性和样本频数阈值。Schneider 和 Wagemann（2012）认为满足充分性条件的一致性指标须大于 0.75，并根据样本大小确定频数阈值，就中小样本而言，频数阈值一般设置为 1 即可。结合研究的实际情况，借鉴黄钟仪等（2020）的做法，本节将一致性指标设置为 0.8，考虑到至少应将 75% 的观察样本纳入组态研究中，以及本节的样本总数为 30，因此，将样本频数阈值设置为 1。由此，得到了经过筛选的真值表。此外，本节主要以中间解为中心，以简洁解为辅助，来进行条件变量的组态分析，并按常规做法，将同时出现在中间解和简洁解中的条件变量归为核心条件变量，仅出现在中间解的条件变量归为辅助条件变量（Fiss，2011；黄钟仪等，2020）。张明和杜运周（2019）指出，在一致性指标上，只有超过了原先设定的一致性指标值（0.8）的组态才值得被解释；在整体覆盖度上，二手数据的定性比较分析研究其整体覆盖度要超过 0.3，问卷数据的定性比较分析研究其总体覆盖度要远高于 0.3，才可以被接受。因此，实现高绿色创新水平的条件组态结果如表 6-6 所示，具体的案例样本如表 6-7 所示。

表 6-6　条件变量组态分析

条件变量	绿色技术引进（GRTY）					绿色技术创新（GRTC）			绿色技术转化（GRTZ）		
	组态 1a	组态 2a	组态 3a	组态 4a	组态 5a	组态 1b	组态 2b	组态 3b	组态 1c	组态 2c	组态 3c
SUBSIDY	⊗		⊗	●			⊗	•	⊗		
DISCOUNT	●	●			⊗	●			●	●	●
TAX			●	⊗	●		●				●
BUY				●	●		●				•
CREDIT		●	⊗			⊗				●	
原始覆盖度	0.332	0.180	0.309	0.257	0.214	0.678	0.239	0.547	0.325	0.178	0.506
唯一覆盖度	0.072	0.086	0.046	0.053	0.061	0.203	0.059	0.124	0.137	0.091	0.263
一致性	0.936	0.989	0.970	0.888	0.809	0.890	0.902	0.913	0.938	0.996	0.869
整体覆盖度			0.698				0.873			0.745	
整体一致性			0.886				0.880			0.896	

注："●、•"表示条件变量存在，"⊗、⊗"表示条件变量不存在，"空白"区域代表条件变量可有可无，"●、⊗"代表核心条件变量，"•、⊗"代表辅助条件变量

表 6-7　各组态覆盖的案例样本

组态	覆盖的案例样本	案例数
1a	湖南（0.95，0.98）；重庆（0.6，0.39）；四川（0.54，0.81）；辽宁（0.53，0.77）	4
2a	浙江（1，1）；广东（1，1）；江西（0.56，0.6）	3
3a	北京（0.99，0.97）；云南（0.58，0.53）；辽宁（0.56，0.77）；四川（0.54，0.81）	4
4a	浙江（0.88，1）；安徽（0.83，0.99）；湖南（0.52，0.98）	3
5a	山西（0.68，0.77）；北京（0.55，0.97）；陕西（0.55，0.09）	3
1b	江苏（1，1）；山东（1，1）；福建（0.96，0.68）；河南（0.96，0.87）；上海（0.95，0.96）；安徽（0.95，1）；湖北（0.95，0.91）；湖南（0.95，0.86）；河北（0.81，0.33）；四川（0.72，1）；重庆（0.6，0.49）；辽宁（0.53，0.4）	12
2b	北京（0.99，1）；四川（0.54，1）	2
3b	江苏（1，1）；山东（0.98，1）；广东（0.97，1）；河南（0.96，0.87）；浙江（0.93，1）；安徽（0.93，1）；河北（0.81，0.33）；湖北（0.53，0.91）	8
1c	湖南（0.95，0.96）；重庆（0.6，0.5）；四川（0.54，0.5）；辽宁（0.53，0.87）	4
2c	浙江（1，1）；广东（1，1）；江西（0.56，0.72）	3
3c	江苏（1，1）；山东（0.98，1）；河南（0.96，0.72）；湖北（0.95，1）；广东（0.89，1）；河北（0.81，0.5）；四川（0.72，0.5）	7

从表 6-6 中可以看出，促进绿色技术引进的市场型环境政策组合有五种。单个组态的一致性超过 0.8，整体组态一致性为 0.886，满足了组态分析的要求；整体覆盖度为 0.698，表明这五种组态在 69.8%的程度上解释了绿色技术引进水平提升的原因，即对本节所研究的问题具有较好的解释力度。组态 1a（~SUBSIDY×DISCOUNT）以环保补助缺失和税收优惠的存在作为核心条件变量；该组态一致性为 0.936，唯一覆盖度为 0.072，覆盖了湖南、重庆、四川和辽宁四个案例。组态 2a（DISCOUNT×CREDIT）以税收优惠和绿色信贷的存在作为核心条件变量；该组态一致性为 0.989，唯一覆盖度为 0.086，覆盖了浙江、广东及江西三个案例。组态 3a（~SUBSIDY×TAX×~CREDIT）中以环保补助、绿色信贷的缺失及环境税的存在作为核心条件变量；该组态的一致性为 0.970，唯一覆盖度为 0.046，覆盖了北京、云南、辽宁及四川四个案例。组态 4a（SUBSIDY×~TAX×BUY）以环保补助、绿色采购存在和环境税缺失作为核心条件变量；该组态一致性为 0.888，唯一覆盖度为 0.053，覆盖了浙江、安徽及湖南三个案例。组态 5a（~DISCOUNT×TAX×BUY）以环境税、绿色采购存在及税收优惠缺失作为核心条件变量；该组态一致性为 0.809，覆盖度为 0.061，覆盖了山西、北京和陕西三个案例。

从表 6-6 中可以看出，促进绿色技术创新的市场型环境政策组合有三种。单个组态的一致性超过 0.85，整体组态一致性为 0.880，满足了组态分析的要求；整体覆盖度为 0.873，表明这三种组态在 87.3%的程度上解释了绿色技术创新水平提升的原因，即对本节所研究的问题具有较好的解释力度。组态 1b（DISCOUNT×~CREDIT）以税收优惠存在和绿色信贷缺失作为核心条件变量；该组态的一致性为 0.890，唯一覆盖度为 0.203，覆盖了江苏、山东、福建、河南、上海、安徽、湖北、湖南、河北、四川、重庆及辽宁 12 个案例。组态 2b（~SUBSIDY×TAX×BUY）以环境税、绿色采购存在及环保补助缺失作为核心条件变量；该组态的一致性为 0.902，唯一覆盖度为 0.059，覆盖了北京和四川两个案例。组态 3b（SUBSIDY×DISCOUNT×BUY）以税收优惠和绿色采购存在作为核心条件变量，以环保补助存在作为辅助条件变量；该组态一致性为 0.913，唯一覆盖度为 0.124，覆盖了江苏、山东、广东、河南、浙江、安徽、河北及湖北八个案例。

从表 6-6 中可以看出，促进绿色技术转化的市场型环境政策组合有三种。单个组态的一致性超过 0.85，整体组态一致性为 0.896，满足了组态分析的要求；整体覆盖度为 0.745，表明这 3 种组态在 74.5%的程度上解释了绿色技术转化水平提升的原因，具有较好的解释力度。组态 1c（~SUBSIDY×DISCOUNT）以环保补助缺失和税收优惠存在作为核心条件变量；该组态的一致性为 0.938，唯一覆盖度为 0.137，覆盖了湖南、重庆、四川和辽宁四个案例。组态 2c（DISCOUNT×CREDIT）以税收优惠和绿色信贷存在作为核心条件变量；该组态一致性为 0.996，唯一覆盖度为 0.091，覆盖了浙江、广东及江西三个案例。组态 3c（DISCOUNT×TAX×BUY）以税收优惠和环境税存在作为核心条件变量，以绿色采购存在作为辅助条件变量；该组态一致性为 0.869，唯一覆盖度为 0.263，覆盖了江苏、山东、河南、湖北、广东、河北及四川七个案例。

3. 稳健性检验

在模糊集定性比较分析方法中，稳健性检验可以帮助降低参数设定威胁及模型设定威胁（Krogslund et al.，2015）。目前，常见的用于稳健性检验的方法包括改变一致性指标、案例/样本频数、变更校准阈值或增加条件变量等（Schneider and Wagemann，2012）。借鉴张明等（2019）的做法，本节通过改变一致性指标达到稳健性检验的目的。因此，在样本频数阈值仍设置为 1 的背景下将一致性指标从 0.80 增加到 0.82。稳健性检验的结果，如表 6-8 所示。

表 6-8　条件变量组态分析（一致性指标调至 0.82）

条件变量	绿色技术引进（GRTY）				绿色技术创新（GRTC）		绿色技术转化（GRTZ）		
	组态 1a	组态 2a	组态 3a	组态 5a	组态 1b	组态 3b	组态 1c	组态 2c	组态 3c
SUBSIDY	⊗		⊗			●	⊗		
DISCOUNT	●	●		⊗	●	●	●	●	●
TAX			●	●					●
BUY			●			●			·

续表

条件变量	绿色技术引进（GRTY）				绿色技术创新（GRTC）		绿色技术转化（GRTZ）		
	组态1a	组态2a	组态3a	组态5a	组态1b	组态3b	组态1c	组态2c	组态3c
CREDIT		●	⊗		⊗			●	
原始覆盖度	0.332	0.180	0.309	0.214	0.678	0.547	0.326	0.178	0.506
唯一覆盖度	0.092	0.159	0.090	0.064	0.266	0.136	0.304	0.156	0.263
一致性	0.936	0.989	0.970	0.809	0.890	0.913	0.938	0.996	0.869
整体覆盖度	0.645				0.814		0.745		
整体一致性	0.893				0.895		0.896		

注："●、●"表示条件变量存在，"⊗、⊗"表示条件变量不存在，"空白"区域代表条件变量可有可无，"●、⊗"代表核心条件变量，"●、⊗"代表辅助条件变量

从表 6-8 中可以看出，当结果变量为绿色技术引进（GRTY）时，得到了四种组态分别对应原组态 1a、2a、3a、5a。虽筛掉了原组态 4a，但其他组态并没有发生变化。整体一致性指标从 0.886 提升到 0.893，整体覆盖度从 0.698 降为 0.645，并无显著的变化。因此，从集合关系状态与组态拟合参数差异两方面来看（Schneider and Wagemann，2012），研究结果是稳健的。当结果变量为绿色技术创新（GRTC）时，得到了两种组态分别对应原组态 1b、3b。虽筛掉了原组态 2b，但其他组态并没有发生变化。整体一致性指标从 0.880 提升到 0.895，整体覆盖度从 0.873 降为 0.814，并无显著的变化。因此，从集合关系状态与组态拟合参数差异两方面来看（Schneider and Wagemann，2012），研究结果依旧是可靠的。当结果变量为绿色技术转化（GRTZ）时，得到了三种组态分别对应原组态 1c、2c、3c，其整体一致性指标与整体覆盖度均未变化。因此，从集合关系状态与组态拟合参数差异两方面来看（Schneider and Wagemann，2012），本节的结果是相当稳健的。

6.2.4　结论与讨论

1. 研究结论

本节采用模糊集定性比较分析方法，从组态视角探究了市场型环境政策工具如何影响我国 30 个省区市（不含港澳台西藏）的绿色技术引进、绿色技术创新和绿色技术转化水平，条件组态的结果显示出 11 种组态，即 11 条提升绿色创新水平的路径，可以其归纳为四种模式：金融支持型、惩罚型、惩罚+激励型、惩罚+采购型。

（1）金融支持型。绿色创新的"双重外部性"造成了市场失灵现象的产生，仅依靠市场的激励作用难以促进绿色创新的发展，还需依靠政府的激励（王班班和齐绍洲，2016；Liao，2018b）。波特假说也提出设计良好的环境政策可以激励

企业的创新，使其具有竞争优势（Porter and van der Linde，1995a）。此次，fsQCA 3.0 运行结果显示，组态 1a、2a、4a、1b、3b、1c 及 2c 均证实金融支持型政策对绿色创新有激励作用。

组态 1a 结果显示，在不考虑环境税、绿色采购及绿色信贷政策的情况下，税收优惠政策与环保补助政策的缺乏相结合能够促进绿色技术引进。因为，税收优惠政策为企业减轻了税收负担，降低了绿色技术引进的成本；并且环保补助政策的缺失也避免了它对企业研发投入资金所产生的"挤出效应"。绿色技术引进是提高我国绿色创新发展水平的重要手段，尤其是针对创新水平能力低下的中西部地区（马永军等，2021）。在省级的样本研究中，辽宁、湖南、四川和重庆均包含在内，充分证明此类政策组合对推动我国东部、中部和西部地区绿色技术引进具有一定的适用性。组态 2a 结果显示，在不考虑政府补助、环境税及绿色采购政策的情况下，同时享受税收优惠和绿色信贷政策才有助于绿色技术引进。当绿色技术引进需要大量资金支持时，税收优惠和绿色信贷政策的组合，既可降低税收成本，又可降低贷款成本，从而为绿色技术引进节约大量外部成本。在省级的样本研究中，浙江、广东及江西均包含在内，充分说明东部和中部地区的绿色技术引进均可以通过此类政策组合来实现。组态 4a 结果显示，在不考虑税收优惠和绿色信贷政策的情况下，不缴纳环境税但享受环保补助和绿色采购政策的支持对推动绿色技术引进产生了积极的作用。在省级的样本研究中，浙江、安徽及湖南均包含在内，表明在我国东部和中部地区，对环境表现较好的企业实行环保补助和绿色采购相结合的政策，可促进当地的绿色技术引进。

组态 1b 结果显示，在不考虑环保补助、环境税及绿色采购政策的情况下，税收优惠政策与绿色信贷政策的缺乏相组合能够促进绿色技术创新。在省级的样本研究中，江苏、辽宁、上海、山东、福建、河北、安徽、湖北、湖南、河南、四川、重庆均包含在内，这说明尽管绿色信贷政策的缺失提高了企业融资的成本，但是在我国东部、中部及西部地区，实行税收优惠政策可消除绿色信贷政策缺失所带来的不利影响。组态 3b 结果显示，在不考虑环境税和绿色信贷政策的情况下，同时享受环保补助、税收优惠及绿色采购政策会对企业的绿色技术创新产生积极的影响。在省级的样本研究中，江苏、浙江、山东、广东、河北、河南、安徽及湖北均包含在内，这证实在我国东部和中部地区，此类政策组合具有一定的适用性。

组态 1c 的结果显示，在不考虑环境税、绿色采购及绿色信贷政策的情况下，税收优惠政策与受制约的环保补助政策相结合能够促进绿色技术转化。在此次省级的案例研究中，辽宁、湖南、四川和重庆均包含在内，这与绿色技术引进中组态 1a 的结果相同。表明企业的绿色技术引进和绿色技术转化具有相同的政策激励路径，且在我国东部、中部和西部地区激励效果无差别。组态 2c 的结果显示，在不考虑政府补助、环境税及绿色采购政策的情况下，同时享受税收优惠和绿色信贷政策才有助于绿色技术转化。在省级的样本研究中，浙江、广东及江西均包含在内，这与绿色技术引进中组态 2a 的结果相同，进一步证实了东部和中部地区实行税收优惠和绿色信贷政策组合对绿色技术转化的重要性。

（2）惩罚型。组态 3a 的结果显示，在不考虑税收优惠和绿色采购政策的情况下，环保补助和绿色信贷政策的缺失，使得缴纳环境税成了企业推动绿色技术引进的唯一路径。环境税以一种污染付费的方式增加了企业的内部成本，倒逼企业做出缴纳环境税、减少生产过程中的环境污染或者进行绿色创新的选择，是一种形成反向压力的环境政策工具（褚睿刚，2018）。在省级的样本研究中，北京、辽宁、四川及云南均包含在内，这证明在东部和西部地区，此类政策组合有利于企业的绿色技术引进，Kesidou 和 Demirel（2012）也指出更严厉的环境政策对那些只满足最低环境要求且缺乏创新的地区或企业来说是很重要的。

（3）惩罚+激励型。组态 3c 结果显示，在不考虑环保补助和绿色信贷政策的情况下，税收优惠、环境税与绿色采购政策的组合对绿色技术转化产生了积极的作用。在省级的样本研究中，江苏、山东、广东、河北、河南、湖北及四川均包含在内，这表明此类政策组合，对于缴纳环境税的东部、中部和西部地区产生了良好的激励效果，税收优惠政策为地区或企业提供了直接的资金支持，绿色采购政策加大了政府对绿色产品和服务的需求，这些均有利于促进当地的绿色技术转化。以往研究也指出在制定和严格执行严厉的环境规制时，增加对企业的财政补贴和税收优惠，可帮助企业降低成本，引导企业进行绿色创新（Lee and Cin, 2010；褚媛媛，2019）。

（4）惩罚+采购型。组态 5a 的结果显示，在不考虑环保补助和绿色信贷政策的情况下，对已缴纳环境税但未获得税收优惠的企业实行绿色采购政策，会给企业的绿色技术引进带来积极的影响，并且在省级的样本中，北京、山西及陕西均包含在内，表明此类政策组合，为缴纳环境税的东部、中部及西部地区实行绿色技术引进带来了动力。组态 2b 的结果显示，在不考虑环保补助和绿色信贷政策的情况下，对已缴纳环境税但未获得税收优惠的企业实行绿色采购政策，有利于推动企业的绿色技术创新发展。在省级的样本中，北京和四川均包含在内，进一步证实与组态 5a 相同的政策组合，对缴纳环境税的东部和西部地区的绿色技术创新产生了促进作用。因为，环境税的征收从污染源头上倒逼企业进行绿色创新，而绿色采购为企业带来绿色需求，进一步降低了绿色创新的风险，这些政策都在推动企业的绿色转型。

2. 管理启示

基于以上研究结论，本节得出了以下三点启示。第一，从绿色创新的驱动过程来看，单个条件变量并不构成驱动地区或企业绿色创新的必要条件，而是由多个条件变量共同作用的结果。国家或地方政府在制定或执行相关环境政策工具时，既要关注单类市场型环境政策工具对绿色创新的影响，更要关注市场型环境政策间的多元互动和联合效应。同时，从整体视角出发，探究提升绿色创新水平的市场型环境政策组合。第二，从影响绿色创新的关键因素来看，环保补助、税收优惠、环境税、绿色采购及绿色信贷均对绿色技术引进产生了影响；税收优惠、环境税及绿色采购均对绿色技术创新产生了影响；环境税、税收优惠、绿色信贷则对绿色技术转化产生了影响。这意味着要重视不同市场型环境政策的适用性，国家或地方政府在设计及制定市场型环境政策时要有针对性。第三，提高绿色创新水平的组合路径并非都适用于我国东部、中部和西部地区。例如，金融支持型政策组合适用于我国东部、中部和西部地区的绿色技术引进，而惩罚型政策组合只适用于我国东部和西部地区的绿色技术引进。因此，部分省区市不能简单复制其他省区市的政策组合，需要具体结合本地区的实际情况。

3. 研究不足与展望

本节还存在以下三点不足之处，未来需要加以弥补和完善。第一，影响绿色创新的市场型环境政策有很多，而本节选取的五类市场型环境政策工具只是大类，未来可将排污许可证交易、排污收费等政策工具纳入研究中，继续探究政策组合。第二，本节利用的是省级面板的截面数据，研究样本较为单薄，未来需要进一步地扩大样本量。第三，模糊集定性比较分析的研究方法只能从定性的角度确定条件变量是否为必要条件，并不能深入判断单个条件变量到底在多大程度上是驱动绿色创新的必要条件（Vis and Dul，2018），未来的研究可将其他方法与定性比较分析方法相结合，继续探索推动绿色创新的各条件变量间的联合效应。

6.3　本　章　小　结

本章采用模糊集定性比较分析方法，从微观企业层面检验了环保补助、税收优惠、环境税、绿色采购和绿色信贷五类市场型环境政策工具对企业绿色创新的影响作用，从省级层面检验了五类市场型环境政策工具对绿色技术引进、绿色技术创新和绿色技术转化的影响作用。针对重污染行业的企业，研究发现，绿色技术创新并不依赖于某个必要条件，而是由五类市场型环境政策工具组合作用的结果；五类市场型环境政策工具形成了四条路径，可以归纳为激励+惩罚、金融支持及补助+需求三类模式。针对省级层面的研究表明，驱动绿色创新的路径有 11 条，可将其归纳为金融支持型、惩罚型、惩罚+激励型及惩罚+采购型四种模式。本章的研究结果为进一步优化市场型环境政策工具的组合和提升企业的绿色创新水平提供了借鉴和参考。

（本章执笔人：廖中举，刘萍）

第 7 章　绿色创新与企业绩效：元分析

绿色创新是战略管理研究中的重要变量，但是关于绿色创新的作用结果的研究却得出了差异性的结论。本章运用元分析方法对研究绿色创新与企业绩效之间关系的 33 篇实证文献进行再统计分析，并检验了国家经济发展水平、文化背景、行业多样性和数据类型四类变量的调节作用。

7.1　引　　言

绿色创新日益成为企业解决环境问题，平衡经济发展与改善环境绩效的举措（Beise and Rennings，2005；Sezen and Cankaya，2013）。众多学者也基于三条主线对绿色创新展开了广泛的研究：绿色创新的构成和测量、绿色创新的驱动因素及绿色创新的作用结果，其系统性方法主要涉及定性和定量整合研究两个类别（Cai and Li，2018；Zubeltzu-Jaka et al.，2018；Bitencourt et al.，2020）。

在绿色创新的作用结果方面，学者们多从多个角度出发，探讨和检验了绿色创新与企业绩效之间的关系，得出了正向、负向、无影响等多种结论（廖中举和黄超，2017）。例如，Putri 和 Sari（2019）研究发现，绿色创新对企业财务绩效没有显著影响，但 Ong 等（2019）研究证实绿色创新对企业财务绩效产生了显著的正向影响；Fernando 等（2019）通过对马来西亚 95 家企业的调查发现，绿色创新积极而显著地影响着企业的环境绩效。这些异质性的结论使绿色创新是否有利于改善环境、提高企业财务绩效引起了质疑（González-Blanco et al.，2018）。

为了识别和厘清绿色创新的作用结果，本章采用 Meta 分析方法，检验绿色创新与企业财务绩效、环境绩效之间的关系，以及潜在变量的调节作用。元分析技术最早被用来做医学研究，是解决学术结论分歧，尤其是检验两个变量之间关系及探测是否存在调节变量的有效方法（崔森等，2019）。早在 2001 年 Stanley 就指出，Meta 分析因其自身明显的科学性优势和广泛的影响，成了在总结、评价和分析实证研究方面重要的统计学方法（Stanley，2001）。因此，本章利用 Meta 分析方法，针对收集的 33 篇实证文献的样本进行定量分析，旨在回答以下几个问题：第一，绿色创新与企业财务绩效之间存在何种关系？第二，绿色创新与企业环境绩效的关系如何？第三，国家经济发展水平、文化背景、行业多样性、数据类型等，在绿色创新的影响作用中是否起到了调节作用？本章的结果将有助于梳理以往实证研究的结论，并对其异质性给出客观、合理的解释，为绿色创新领域后续相关理论的发展与实证研究提供借鉴。

7.2　理论基础与研究假设

7.2.1　绿色创新与企业财务绩效

绿色创新与企业财务绩效之间的关系是人们长期争论的一个问题。Grewatsch 和 Kleindienst（2017）的一项批判性综述表明，有 59%的研究发现了两者之间积极的关系，另外 41%的研究报告了企业绿色活动和企业财务绩效之间无关紧要或好坏参半的结果。尽管如此，多数创新领域的研究都假设企业财务绩效提升的核心前提是绿色创新（Cheng et al.，2014；Long et al.，2017）。

早期管理理论研究一直在表达一种狭隘的环境概念，即强调政治、经济、社会和技术方面对自然环境的排斥（Stead W E and Stead J G，2015；Shrivastava and Hart，1995）；但是，随着生态问题的弊端日益显露，这种遗漏使得现有的理论不足以解释竞争优势的新兴来源。基于此，1995 年，Hart 将自然资源纳入资源基础观，提出了一个基于自然资源的基础观，其核心观点是"未来几年的战略和竞争优势很可能将植根于促进环境可持续的经济活动的能力"（Hart，1995）。具体而言，绿色创新对企业财务绩效的积极影响主要体现在三个方面：第一，采用绿色创新的企业通过创新产品、改进工艺、变通经营方式、降低经营成本等，进而实现竞争效益；第二，绿色创新有利于企业区别竞争，通过创造合法性和声誉，进而使总收益得到增加（Porter and van der Linde，1995a；Ambec and Lanoie，2008）；第三，绿色创新是突破资源环境约束，增强企业竞争力，实现产业结构升级，促进经济高质量增长的重要手段（Du et al.，2019）。因此，本章提出以下假设：

H_{7-1}：绿色创新与企业财务绩效之间存在显著正相关关系。

7.2.2　绿色创新与企业环境绩效

由于自然资源的减少和全球变暖的加剧，企业开始受到来自社会和其他利益相关者的压力（Albort-Morant et al.，2018），他们要求企业放弃造成环境问题的做法，采用能够确保可持续发展的行为（Davenport et al.，2019）。可持续发展的方针注重保护自然环境，确保清洁的水和空气，减少自然资源的消耗，尤其是不可再生资源，生产环境友好型产品，减少危险气体和液体排放（Lucas，2010）。在当前环境意识逐渐增强的时代，绿色创新是企业追求可持续发展和绩效改善的原动力（Zandi et al.，2019）。

波特假说提出污染是一种会降低价值的废物，是产品或过程中出现问题的征兆，减少或消除污染不但不会削弱反而会增强企业的竞争力（Porter and van der Linde，1995a）；同时，波特竞争理论也指出加强环境监管会刺激企业增加研发支出，转变生产流程，从而促进绿色创新；随着绿色创新的提高，理想的产出会增加，环境污染物也会减少（Porter and van der Linde，1995b）。因此，绿色创新以经济有效的方式成了一种实现环境目标的途径（Frondel et al.，2008）。此外，Liao（2018a）认为绿色创新是企业遵守环境法规、承担社会责任的具体表现；它可以在促进经济发展的同时减少对环境的不利影响（Strand and Toman，2010；Polzin et al.，2016）。El-Kassar 和 Singh（2019）研究表明，不管是绿色产品创新还是绿色工艺创新都对企业环境绩效产生了直接正向的影响。因此，本章提出以下假设：

$H_{7\text{-}2}$：绿色创新与企业环境绩效之间存在显著正相关关系。

7.2.3　绿色创新与企业绩效的关系：潜在调节变量

在对绿色创新与企业绩效关系的实证研究中，不少学者都指出了自己研究的不足在于来源样本的局限性。例如，Xue 等（2019）在研究局限中指出样本仅来自中国的企业，并且对财务绩效的评价方法仅使用了主观评价，未来的研究应该考虑不同的经济体系（发达国家与发展中国家），财务绩效也可用客观评价的方法；Costantini 等（2017b）则认为绿色创新与企业绩效之间的关系可能会因为行业的类型而有所不同，而且某种技术的成熟程度和决策过程可能会因国家而异。因此，本章将国家经济发展水平、文化背景、行业多样性和数据类型这四类调节变量纳入研究框架之中，以更好地剖析绿色创新与企业绩效之间的关系。

1. 国家经济发展水平

国家的经济发展水平与企业的发展是交相呼应和相辅相成的，尤其是在第二次世界大战之后，国家的经济增长是通过物质资源与能源的急剧增加而实现的（Xue et al.，2019）。早在 2014 年，部分学者就提出发展中国家的绿色创新水平仍然处于初级阶段，并认为实施绿色创新会带来机会成本的增加，与通常已拥有绿色创新所需资源的发达国家相比，发展中国家需要更多资源进行绿色创新，以此来改善环境和社会（Dong et al.，2014）；相较于发达国家已经处在后工业化时期，服务业成为主要的产业；发展中国家还处在工业化时期，制造业是主要的产业（Jo et al.，2015）。因此，这会对绿色创新与企业绩效之间的关系产生一定的影响。由于发展中国家经济发展水平偏低，企业受制于自身资源、能力等因素的影响，会影响绿色创新的实施效果。因此，本章提出以下假设：

H$_{7-3a}$：绿色创新与企业财务绩效之间的关系受国家经济发展水平的调节，即两者之间的关系在发达国家中更强。

H$_{7-3b}$：绿色创新与企业环境绩效之间的关系受国家经济发展水平的调节，即两者之间的关系在发达国家中更强。

2. 文化背景

文化作为人们行为潜力的指南而存在（Kroeber and Kluckhohn，1952）。不同的文化价值观构成了文化差异的基础。例如，西方文化崇尚个人主义，核心单位是个人，社会的存在是为了促进个人的福祉；东方文化强调集体主义，核心单位是团体，社会是存在的，个人必须融入其中，以集体为导向（Oyserman and Lee，2008）。近几十年来，环保问题引起了大众越来越多的关注和重视，各国也基于其基本国情制定不同的国策来应对全球的气候变化问题。企业进行绿色创新一部分原因是对其各所属国国策的响应，又因不同文化背景下的价值观，导致了行为结果的差异。由于东方文化更加注重天人合一，讲求人与自然的平衡（葛剑雄，1997），因此，公众对绿色产品的需求会更强，这使得绿色创新对企业财务绩效和环境绩效的影响作用更强。所以，本章提出假设：

H$_{7-3c}$：绿色创新与企业财务绩效之间的关系受文化背景的影响，且两者之间的关系在东方文化中更强。

H$_{7-3d}$：绿色创新与企业环境绩效之间的关系受文化背景的影响，且两者之间的关系在东方文化中更强。

3. 行业多样性

以往关于绿色创新结果变量的研究大多集中在制造企业，往往因忽视非制造企业而被后来研究者批判。例如，非制造企业进行绿色创新并没有使财务绩效得到提高，可能是因为服务业和信息业等行业的企业难以开发绿色技术；而制造企业似乎可以从绿色创新中获得较大的益处，因为绿色创新有助于减少浪费，提高生产过程的效率，创造和提供具有可持续吸引力的产品和服务（de Azevedo Rezende et al.，2019）。所以，绿色创新与企业绩效之间的关系会受行业类型的影响。因此，本章提出以下假设：

H7-3e：绿色创新与企业财务绩效之间的关系受行业多样性的调节。

H7-3f：绿色创新与企业环境绩效之间的关系受行业多样性的调节。

4. 数据类型

对文献样本数据进行分类整理发现，研究的数据类型通常分为两类，分别是主观数据与客观数据。具体表现为主观数据均是通过调查问卷的形式获得的，而客观数据大多表现为企业的财务经营报表或其他二手数据。主观数据更具主观性，客观数据更加偏于客观性（斯坦迪什和高洁，2019）。Xue 等（2019）在研究绿色创新对企业绩效的影响时，指出不应仅依靠主观评价获得数据，今后最好开发其他的数据类型，如客观数据；客观数据因其具有科学性而更加令人信服，主观数据的变化大，难以验证结果的普适性和稳定性。因此，本章提出假设：

H7-3g：绿色创新与企业财务绩效之间的关系受数据类型的调节。

H7-3h：绿色创新与企业环境绩效之间的关系受数据类型的调节。

综合上述分析，本章提出研究假设模型，如图 7-1 所示。

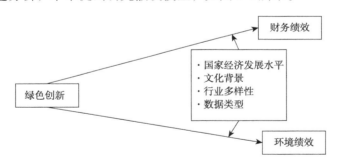

图 7-1　绿色创新与企业绩效研究模型

7.3　研　究　方　法

Meta 分析与文献综述方法有一定的相似之处，也有一定的区别。原因之一就在于 Meta 分析的倾向性更小且仅对定量研究结果进行验证分析，进而得出普适性的结论（李靖华和常晓然，2013）。鉴于以往研究结论的不一致性，本章使用 Meta

分析的方法，旨在扩大研究的样本量，揭示单个研究中结论的不确定性，从而深入探究绿色创新与企业财务绩效和环境绩效之间的关系，并对研究中产生差异的原因给出进一步的解释。

1. 文献检索与筛选

为了尽可能多地涵盖与绿色创新结果变量相关的实证研究结果，本章使用 Web of Science、Science Direct、Springer Link、EBSCO 等数据库作为搜索引擎，检索 2019 年 12 月以前的相关文献。为了防止遗漏，本章在更大范围内利用关键词 green innovation、environmental innovation、eco-innovation 等进行标题检索，通过查看文献摘要进行初步筛选，得到研究绿色创新结果变量的英文文献近 300 篇。

为了能够在得到元分析所需信息的同时保证所选文献的质量，本章将初步筛选得到的文献按照以下标准进行再次甄选：必须是研究绿色创新与企业绩效关系的实证研究，剔除与研究主题和目的不相符或者属于定性研究的文献；仅保留含有样本量、相关系数或者可以转化成相关系数的 t 值、p 值、回归系数、路径系数及相关关系矩阵等的实证研究；研究的样本必须是相互独立的，如果不同文献中使用了相同的样本，则选择其中一篇文献纳入数据库中；如果不同文献中出现了研究样本交叉的情况，则选择样本量较大的文献纳入数据库中；如果一篇文献中使用了不同的独立样本，则将这些样本分别编码纳入数据库中（崔淼等，2019）。最终，得到与研究主题相符的实证研究共 33 篇。

2. 文献编码

在进行编码之前，编码负责人首先需要参考其他学者意见确定编码的标准，保证编码的客观性。一般来说，需要编码的内容通常包含两个方面：第一，研究的描述项，包括文献作者、发表时间、研究对象、样本量等信息；第二，效应值统计量，包含自变量与因变量的信度、相关系数或者可以转化成相关系数的 t 值、p 值、回归系数、路径系数等信息；最后，仔细检查编码结果，在减少不必要误差的同时提高编码的准确性（Lipsey and Wilson，2001）。

3. 数据处理

在使用元分析软件 CMA 2.0 之前，本章对一系列需要的数据进行预处理。第一，先针对个别研究中自变量和因变量信度缺失的情况，采用相似构念研究中的样本加权信度来代替（Geyskens et al.，1998）；第二，关于变量的多个维度的可用数据（相关系数、t 值、p 值、回归系数等），采用取平均值的方法计算；第三，因部分研究缺乏直接可用的相关系数，提取文献中的回归系数 β、t

值及 p 值并运用转换公式将其转换成相关系数（Peterson and Brown，2005；Pigott，2006）。

7.4　数据分析结果与讨论

7.4.1　绿色创新结果变量主效应元分析结果

表 7-1 显示了异质性检验和主效应元分析的结果。表中结果显示，Q_W 值为 1 235.559（$p<0.001$），表明文献间存在异质性，I-squared 值为 98.705，表明 98.705% 的观察差异是由效应值的真实差异引起的，1.295% 的观察差异是由随机差异造成；Tan-squared 值为 0.112，表明研究间变异有 11.20% 可以用于计算权重。本章采用随机效应模型，同样，对其他因变量和调节变量进行数据分析，结果表明均应采用随机效应模型。

从表 7-1 中可以看出，绿色创新与企业财务绩效之间存在显著的正相关关系（$r=0.304$，$p<0.001$）；根据 Durlak 和 Lipsey（1991）的观点，当相关系数的效应值 $\geqslant 0.25$ 时，可认为变量之间中度相关，因此这种显著关系为中高等强度关系。由于失效安全系数为 2 273，根据 Rothstein 等（2005）的观点，其远大于临界值 95（$K=17$），结果相当稳健。因此，假设 H_{7-1} 成立。

绿色创新与企业环境绩效之间的相关系数为 0.636，显著性小于 0.001，由于其相关系数大于 0.4，因此两者之间存在非常显著的高强度正相关关系（Durlak and Lipsey，1991），即绿色创新对企业环境绩效有显著的促进作用。该效应值的失效安全系数为 7 684，临界值为 100（$K=18$），表明两者之间的相关关系相当稳健。因此，假设 H_{7-2} 成立。

7.4.2　绿色创新与企业绩效之间的潜在调节效应检验结果

从表 7-1 的组内异质性检验中可以看到，绿色创新与企业两类绩效的组内异质性检验统计量 Q_W 均显著（$p<0.001$），说明两者关系中存在潜在调节变量。因此，本章接下来进行调节效应的分析，以检验国家经济发展水平、文化背景、行业多样性和数据类型在绿色创新与企业财务绩效、环境绩效之间所起到的调节作用，结果如表 7-2 所示。

表 7-1 效应值异质性检验及主效应元分析结果

结果变量	研究数	样本数 k	异质性 Q_w	异质性 $Df(Q)$	异质性 p 值	Tan-squared	I-squared	模型	效应值及95%的置信区间 点估计	下限	上限	双尾检验 Z	双尾检验 p	失效安全系数
财务绩效	17	14 530	1 235.559	16	0.000	0.112	98.705	随机	0.304	0.140	0.468	3.626	0.000	2 273
环境绩效	18	7 397	1 336.748	17	0.000	0.254	98.728	随机	0.636	0.401	0.872	5.293	0.000	7 684

表 7-2 绿色创新与企业绩效之间的潜在调节效应随机模型分析结果

结果变量	调节变量		研究数	样本数	异质性分析 I^2	Q_w	$Df(Q)$	p 值	Q_B	$Df(Q)$	p 值	效应值及95%置信区间 点估计	下限	上限	双尾检验 Z	双尾检验 P	失效安全系数
财务绩效	国家经济发展水平	发达国家	5	6 144	97.991	199.062	4	0.000	7.296	2	0.026	0.372	0.148	0.596	3.254	0.001	898
		发展中国家	8	2 057	95.793	166.404	7	0.000				0.345	0.126	0.563	3.096	0.002	333
	文化背景	东方文化	6	1 133	92.350	65.363	5	0.000	9.230	2	0.010	0.427	0.238	0.585	4.185	0.000	332
		西方文化	7	7 068	98.437	383.832	6	0.000				0.263	0.048	0.454	2.387	0.017	901
	行业多样性	单一行业	7	6 586	95.773	141.960	6	0.000	1.097	1	0.295	0.438	0.187	0.688	3.418	0.001	314
		多种行业	10	7 944	98.099	473.459	9	0.000				0.231	0.051	0.411	2.516	0.012	1 236
	数据类型	主观数据	7	4 988	97.425	232.985	6	0.000	4.485	2	0.106	0.411	0.172	0.651	3.365	0.001	1 113
		客观数据	9	9 340	94.075	135.026	8	0.000				0.189	0.073	0.305	3.190	0.001	278
环境绩效	国家经济发展水平	发达国家	2	4 050	91.297	11.491	1	0.001	44.432	2	0.000	0.257	0.004	0.511	1.988	0.047	—
		发展中国家	16	7 068	98.787	1236.179	15	0.000				0.614	0.363	0.864	4.804	0.000	5 988
	文化背景	东方文化	13	2 964	98.155	650.234	12	0.000	0.224	1	0.636	0.671	0.402	0.940	4.888	0.000	4 516
		西方文化	5	4 433	98.425	253.996	4	0.000				0.546	0.104	0.987	2.423	0.015	414
	行业多样性	单一行业	10	5 905	99.061	958.725	9	0.000	0.028	1	0.868	0.619	0.281	0.957	3.585	0.000	2 678
		多种行业	8	1 492	97.326	261.767	7	0.000				0.658	0.341	0.976	4.065	0.000	1 283
	数据类型	主观数据	17	3 528	97.845	745.609	16	0.000	20.102	1	0.000	0.666	0.437	0.895	5.706	0.000	6 936
		客观数据	1	3 869	0.000	0.000	0	1.000				0.138	0.106	0.169	8.572	0.000	—

1. 国家经济发展水平的调节作用

表 7-2 的结果显示，在国家经济发展水平不同的情况下，绿色创新与企业财务绩效之间的关系存在显著性差异（$Q_B=7.296$，$p<0.05$）。在发达国家，绿色创新与企业财务绩效之间呈显著正相关关系（$r=0.372$；$p<0.005$）；在发展中国家，绿色创新也显著正向影响企业的财务绩效（$r=0.345$，$p<0.005$），但是相关系数偏低。因此，H_{7-3a} 成立。

同样，表 7-2 显示，绿色创新与企业环境绩效之间的关系在国家经济发展程度不同时，也存在显著性差异（$Q_B=44.432$，$p<0.001$）。在发达国家，绿色创新与企业环境绩效之间呈显著正相关关系（$r=0.257$，$p<0.05$）；在发展中国家，绿色创新也显著正向影响企业的环境绩效（$r=0.614$，$p<0.001$），在发展中国家的影响作用更强。因此，H_{7-3b} 不成立。

2. 文化背景的调节作用

从表 7-2 中可以看出，不同文化背景下，绿色创新与企业财务绩效之间的关系存在显著性差异（$Q_B=9.230$，$p<0.05$）。在东方文化背景下，绿色创新对企业财务绩效具有显著的正向影响作用（$r=0.427$，$p<0.001$）；同样，在西方文化背景下，绿色创新也显著正向影响企业的财务绩效（$r=0.263$，$p<0.05$）。但是，绿色创新对企业财务绩效的影响，在东方文化背景下更强。因此，H_{7-3c} 成立。此外，不同的文化背景并未导致绿色创新与企业环境绩效之间的关系存在显著的差异（$Q_B=0.224$，$p=0.636$），即文化背景在绿色创新与企业环境绩效的关系中并未起到显著的调节作用。因此，H_{7-3d} 不成立。

3. 行业多样性的调节作用

表 7-2 的结果显示，绿色创新与企业绩效之间的关系并未受到行业多样性的影响。绿色创新与企业财务绩效之间的关系在行业多样性中并不存在显著性差异（$Q_B=1.097$，$p=0.295$）；绿色创新与企业环境绩效之间的关系在行业多样性中也不存在显著性差异（$Q_B=0.028$，$p=0.868$）。总体而言，行业多样性对绿色创新与企业绩效之间关系的调节作用并不显著。因此，H_{7-3e} 和 H_{7-3f} 均不成立。

4. 数据类型的调节作用

从表 7-2 中可以发现，数据类型的不同并未导致绿色创新与企业财务绩效之间的关系存在显著性的差异（$Q_B=4.485$，$p>0.10$），即数据类型并未在两变量的关系中起到调节作用。因此，H_{7-3g} 不成立。绿色创新与企业环境绩效之间的关系在不同的数据类型下存在显著性的差异（Q_B=20.102，$p<0.001$），即不同数据类型在绿色创新与企业环境绩效中起到了显著的调节作用（$r\geqslant0.138$，$p<0.001$）。因此，$H_{7\text{-}3h}$ 成立。

7.5　结　　论

7.5.1　研究结论

本章采用元分析的方法，探究了绿色创新与企业财务绩效、环境绩效之间的关系，检验了国家经济发展水平、文化背景、行业多样性和数据类型四种变量的调节作用，主要得出以下研究结论。

（1）绿色创新对企业财务和环境绩效均具有显著正向促进作用。

该结论与 Ong 等（2019）、Xue 等（2019）的研究结果一致，即进行绿色创新的企业，其财务绩效和环境绩效的水平都会得到显著提高。但也有一些学者的结论与此相反，如 Aguilera-Caracuel 和 Ortiz-de-Mandojana（2013）研究发现，相较于非绿色创新企业，进行绿色创新的企业财务绩效不会有更大的改善；Ambec 和 Lanoie（2008）、Driessen 等（2013）证实绿色创新对企业财务绩效具有负面影响；González-Blanco 等（2018）发现绿色创新会给企业环境绩效带来负面影响。其主要原因在于这些研究认为企业进行绿色创新会带来额外的成本，尤其是对于缺乏资金优势的企业来说会有较大的风险，但是忽略了绿色创新给企业带来的一系列优势，如降低企业污染治理的费用、确立企业的绿色市场定位、满足顾客对绿色产品的需求和提高竞争优势等。

（2）国家经济发展水平和文化背景均对绿色创新与企业财务绩效之间的关系起到调节作用。

以往学者指出与发达经济体相比，新兴经济体中的企业因拥有较少的资源而倾向于优先考虑无须大量前期投资就可产生快速财务回报的项目，并且新兴经济体中缺乏有助于企业进行绿色创新的组织和必要条件，这导致绿色创新对此类企业的吸引力更小（Iyer et al.，2006）。这与本次研究的结果一致，即在经济发展不平衡的国家进行绿色创新受到的限制性条件更多，对绿色创新的实施效果也产生了不容忽视的影响。价值观的不同而带来的文化差异，使得企业采取与环境相关的行为会有所区别（Morren and Grinstein，2016；Gallego-Álvarez and Ortas，2017）。东西方文化中的个人和集体主义价值观，对促使企业进行绿色创新以达到改善企业绩效的目的具有一定的影响。这一点与 Bitencourt 等（2020）的结论一致，即文化背景的差异调节了绿色创新与企业绩效之间的关系（Ho et al.，2012；Morren and Grinstein，2016）。

（3）绿色创新与企业环境绩效之间的关系受到国家经济发展水平和数据类型的调节。

各国的经济增长对绿色创新结果的影响也是学术研究的主题（Bitencourt et al.，2020）。Huber（2008）认为不平衡的发展阻碍了欠发达国家开展绿色创新，因为在引入绿色创新方面处于领先地位的国家一般表现出高度的经济发展、良好的教育及完善的制度状况，以此促进研发的投资，提高公民环境意识，认识到绿色创新的必要性（Sarasini，2009）。同时，受国家自身因素的影响，发展中国家主动进行绿色创新会形成更大的改善环境绩效的潜力。数据是研究的基础，数据来源应加以重视（斯坦迪什和高洁，2019）。以往关于绿色创新与企业绩效之间关系的研究指出，在利用收集的主观数据进行研究时，可以进一步收集客观数据做研究，以此来判别研究的结果是否存在差异（Xue et al.，2019）。

7.5.2　管理启示

本章得出的结论对企业和政府具有如下启示。第一，对企业而言，应致力于实施绿色创新战略，认识到任何致力于环境改善的努力，都会带来经济和环境绩效的改善。第二，为更好地发挥绿色创新的积极作用，不同国家和不同文化背景下的企业需要充分考虑情境条件。第三，对政府而言，可以通过鼓励手段（如融通资金与渠道、降低防污染税收等）促进企业进行绿色创新，进而使环境问题得到有效缓解；也要通过惩罚手段（如增加污染治理费、申请绿色信贷等）使企业进一步认识到绿色创新的重要性。

7.5.3　研究局限与未来展望

本章在取得进展的同时，还存在三点不足。其一，在研究绿色创新与企业绩效的关系时，仅考虑了变量间的单向关系，未来可对变量关系进行双向研究，如企业绩效对绿色创新有何影响，以及哪些变量起到了调节作用。其二，在检验绿色创新对企业绩效的影响作用时，本章仅考虑了企业绩效的不同维度，未考虑绿色创新的不同维度，如绿色工艺创新、绿色产品创新、绿色管理创新等。其三，在剖析绿色创新与企业绩效之间的作用机理时，仅选择了四类调节变量，未来研究需要进一步将其他变量纳入研究框架之中。

7.6　本　章　小　结

　　本章采用元分析的方法，选择 33 个研究样本，从企业的层面探究了绿色创新与企业财务绩效、环境绩效之间的关系，检验了国家经济发展水平、文化背景、行业多样性和数据类型四种变量的调节作用。结果发现，绿色创新对企业财务绩效和环境绩效均具有正向促进作用；在发达国家和东方文化背景下，绿色创新对企业财务绩效的影响作用更强；绿色创新与企业环境绩效之间的关系也受到国家经济发展水平和数据类型的调节。

　　　　　　　　　　　　　　　　　　　　　（本章执笔人：廖中举，刘萍）

第8章 市场型环境政策工具、绿色创新与企业绩效：政策仿真及优化路径

绿色创新是企业绩效增长的核心驱动力已成为国内外的共识。但是，对于促进绿色创新和企业绩效增长的市场型环境政策工具还没有一个确切的结论。因此，本章利用系统动力学，通过 Vensim 软件仿真模拟市场型环境政策工具对绿色创新和企业绩效的影响，以便为市场型环境政策的优化提供依据。

8.1 引　言

目前，国内外众多学者的研究表明，需要通过政策或制度来解决绿色创新的双重外部性问题，从而提升企业绿色创新的动力（彭雪蓉等，2014）。市场型环境政策的主要目标就是减少污染排放，无论是监管标准还是经济激励措施，均对企业绿色创新具有重要影响（Bergek et al.，2014）。虽然很多市场型环境政策工具已经被开发和应用（Jordan et al.，2003），但是，这些市场型环境政策工具对绿色创新作用的影响仍然没有一致的结论（杨燕和邵云飞，2011）。市场型环境政策和制度的设计、开发及优化会有效地推动绿色创新活动的开展。此外，尽管对于绿色创新对企业绩效的影响，学者们已经开展了大量的探索和研究，但是一些实证研究对绿色创新与企业绩效的研究结果却存在很多差异（Cheng et al.，2014）。

鉴于此，本章将市场型环境政策工具、绿色创新和企业绩效相结合展开研究。由于绿色创新过程和政策环境的复杂性和动态性，绿色创新和企业绩效之间的研究更加复杂化，通过一般的研究方法很难实现。随着计算机技术的快速发展和环境政策工具研究定量化研究的需求，政策仿真技术的应用兴起了（郭韬等，2019）。政策仿真可以模拟出政策实施的效果，通过调整政策直至达到最佳效果，从而避免出现方向性错误

和政策强度上的偏差（李大宇等，2011；Rad et al.，2015）。鉴于此，本章利用 Vensim 软件仿真模拟市场型环境政策工具对企业绿色创新和企业绩效的影响。

8.2　系统动力学仿真建模

本章构建市场型环境政策工具、绿色创新与企业绩效系统动力学模型，主要目的是更加直观地解析市场型环境政策工具、绿色创新与企业绩效之间的相互关联影响，同时更详尽地发掘市场型环境政策工具构成要素基础参数的不断变化如何影响企业绿色创新与企业绩效。基于研究目的，确定市场型环境政策工具的边界和系统的划分是进行政策仿真和优化路径的基础。

本章将市场型环境政策工具、绿色创新与企业绩效视为一个复杂的整体系统，根据 Bergek 等（2014）、Kiefer 等（2019）的研究，以及市场型环境政策工具的目的和特征，将市场型环境政策工具分为环保补助、税收优惠、环境税、绿色采购和绿色信贷，并将这五类政策工具分别与绿色创新和企业绩效组合形成相互作用的复杂适应系统。系统内部各要素之间相互影响，形成复杂的正负反馈循环，共同构成本章的主系统。

8.2.1　因果关系回路图

市场型环境政策影响绿色创新与企业绩效的因果关系回路图，表明了环保补助、税收优惠、环境税、绿色采购和绿色信贷五类政策工具分别与绿色创新、企业绩效，以及企业利用信息技术与外界环境实现协同演化的机制。基于上述理论分析，首先利用 Vensim 软件建立系统的因果关系回路图（图 8-1），箭头的"+"表示起到促进作用，"−"表示起到抑制作用，正反馈循环用 R 表示，负反馈循环用 B 表示，主要反馈回路如图 8-1 所示。

基于环境补助的正反馈循环 R1：环保补助→资源冗余→绿色技术创新→经济绩效→环保补助

基于税收优惠的正反馈循环 R2：税收优惠→研发成本→绿色技术创新→经济绩效→税收优惠

基于环境税的正反馈循环 R3：环境税→环境污染成本→绿色技术创新→环境绩效→环境税

基于绿色采购的正反馈循环 R4：绿色采购→营业收入→绿色技术创新→经济绩效→绿色采购

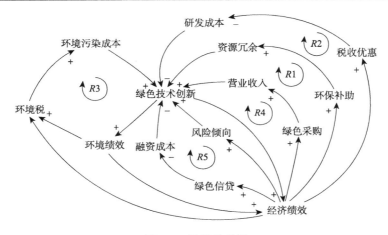

图 8-1　因果关系图

基于绿色信贷的正反馈循环 R5：绿色信贷→融资成本→绿色技术创新→环境绩效→经济绩效→绿色信贷

8.2.2　存量流量图

以上的因果关系反馈回路初步描述了市场型环境政策、绿色创新与企业绩效之间的逻辑关系，但并没有区分变量性质，所以不能准确展现复杂系统的管控机制。为了直观地了解市场型环境政策工具分别与绿色创新和企业绩效之间的控制规律，接下来将基于因果关系图，利用 Vensim PLE 构建不同性质变量之间的存量流量图，基于软件内设的 DYNAMO 语言设置变量方程。存量流量图如图 8-2 所示。

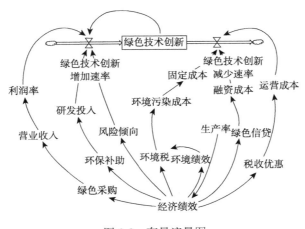

图 8-2　存量流量图

1）变量类型

图 8-2 的系统动力学流图，包括 1 个水平变量，2 个速率变量，15 个辅助变量，1 个常量。为了清楚地表明建模基础，特做变量解释说明，如表 8-1 所示。

表 8-1　系统动力学流图变量类型

变量类型	个数	变量名称
水平变量	1	绿色创新 $L1$
速率变量	2	绿色技术创新增加速率 $R1$，绿色技术创新减少速率 $R2$
辅助变量	15	运营成本 $A1$、税收优惠 $A2$、融资成本 $A3$、绿色信贷 $A4$、固定成本 $A5$、环境污染成本 $A6$、环境税 $A7$、经济绩效 $A8$、风险倾向 $A9$、研发投入 $A10$、环保补助 $A11$、绿色采购 $A12$、营业收入 $A13$、利润率 $A14$、环境绩效 $A15$
常量	1	生产率 $C1$
影子变量	1	Time

2）变量赋值和参数方程

水平变量、速率变量、辅助变量和常量的设置，主要根据《中国环境统计年鉴》、《中国环境年鉴》、《工业企业科技活动统计年鉴》、《中国财政统计年鉴》、《中国工业统计年鉴》、《中国统计年鉴》和国家知识产权局的数据，以及已有的研究成果。其中，基于数据的可获得性和完整性，环保补助、税收优惠、环境税、绿色采购、绿色信贷、绿色创新、环境绩效和经济绩效是基于 2009~2015 年的数据，DYNAMO 方程设置为表函数（主要函数、模型的仿真时间等涉及内容较多，予以省略）。

8.3　仿真及灵敏度分析

系统仿真过程主要通过调整与绿色创新相关的市场型环境政策，分析该政策工具对绿色创新、经济绩效的影响。为了确保仿真结果的稳健性，并进一步检验每一种政策工具对绿色创新的影响，本章通过调整模型中环保补助、税收优惠、环境税、绿色采购、绿色信贷的值进行灵敏度分析，对模型的输出结果进行比较。

1. 单政策工具

实验 1：得出环保补助对绿色创新和经济绩效的影响，在不改变其他因素的情况下，调整影响系数，观察绿色技术创新和经济绩效的变动情况，结果如图 8-3 所示。

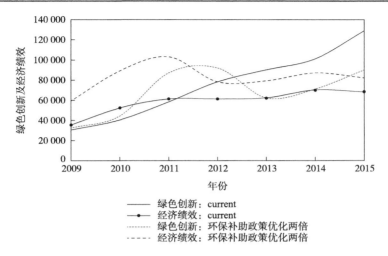

图 8-3　环保补助政策仿真结果

　　对比环保补助政策对绿色创新、经济绩效的当前影响与系数提高两倍的仿真结果，由图 8-3 可知，环保补助政策在翻倍后，绿色创新会呈现上升趋势，在临界点出现明显的下降，经济绩效呈现稳步提升，但到达临界点后会逐渐呈现下降趋势趋于平缓，绿色创新临界点的时间明显滞后于经济绩效，表明存在时间延迟现象，即绿色创新受环保补助政策的影响远远滞后于经济绩效。

　　实验 2：得出税收优惠对绿色创新和经济绩效的影响，在不改变其他因素的情况下，调整影响系数，观察绿色创新和经济绩效的变动情况，结果如图 8-4 所示。

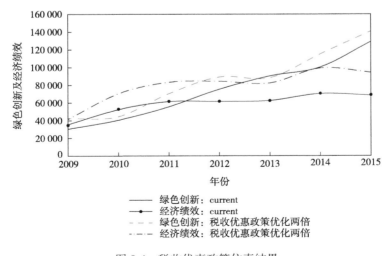

图 8-4　税收优惠政策仿真结果

对比税收优惠政策对绿色创新、经济绩效的当前影响与系数提高两倍的仿真结果，由图 8-4 可知，税收优惠政策在翻倍后，绿色创新在初始阶段呈现上升趋势，经过一段时间后上升趋势停滞，趋于平缓；经济绩效会呈现小幅波动，但整体趋势是逐渐上升。从经济绩效与绿色创新两者的对比来看，其发展趋势大体趋于一致，但在 2013 年出现拐点，在拐点之前，经济绩效发展略高于绿色创新，在拐点之后，绿色创新高于经济绩效。

实验 3：得出环境税对绿色创新和经济绩效的影响，在不改变其他因素的情况下，调整影响系数，观察绿色创新和经济绩效的变动情况，结果如图 8-5 所示。

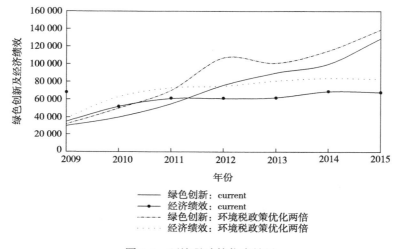

图 8-5　环境税政策仿真结果

对比环境税政策对绿色创新、经济绩效的当前影响与系数提高两倍时的仿真结果，由图 8-5 可知，环境税政策在翻倍后，绿色创新呈现上升趋势，而且随着时间的推移会呈现出一个小的波峰；经济绩效也会稳步提升，但上升的幅度比较小，趋于缓慢。

实验 4：得出绿色采购对绿色创新和经济绩效的影响，在不改变其他因素的情况下，调整影响系数，观察绿色创新和经济绩效的变动情况，结果如图 8-6 所示。

对比绿色采购政策对绿色创新、经济绩效的当前影响与系数提高两倍时的仿真结果，由图 8-6 可知，绿色采购政策在翻倍后，绿色创新逐渐呈现迅猛的上升趋势，有轻微幅度的震荡；经济绩效呈上升趋势，出现两个波峰。从经济绩效与绿色创新两者的对比来看，其发展趋势大体趋于一致，绿色创新的增幅要明显大于经济绩效。

实验 5：得出绿色信贷对绿色创新和经济绩效的影响，在不改变其他因素的情况下，调整影响系数，观察绿色创新和经济绩效的变动情况，结果如图 8-7 所示。

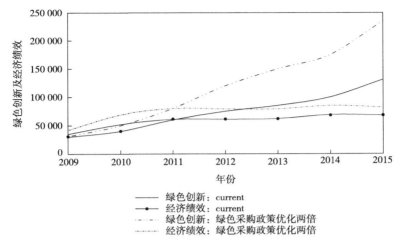

图 8-6　绿色采购政策仿真结果

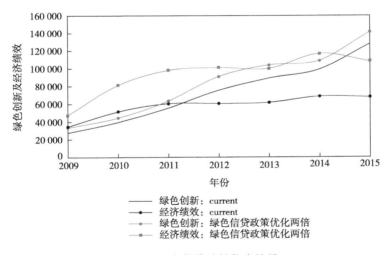

图 8-7　绿色信贷政策仿真结果

对比绿色信贷政策对绿色创新、经济绩效的当前影响与系数提高两倍时的仿真结果，由图 8-7 可知，与未变化之前相比，绿色信贷政策在翻倍后，绿色创新增加的趋势缓慢，且趋于平稳；经济绩效增幅明显，达到一定的拐点后增幅趋于缓慢，逐渐又会形成新一波增幅。从经济绩效与绿色创新两者的对比来看，经济绩效的增幅要明显大于绿色创新。

2. 政策工具组合

实验 6：实验 1~实验 5 都是改变单变量的实验，实验 6 通过变量组合来考察市场型环境政策对绿色创新和经济绩效的影响效应。

五个变量分别两两组合共有 10 种组合关系，分别为环保补助和税收优惠、环保补助和环境税、环保补助和绿色采购、环保补助和绿色信贷、税收优惠和环境税、税收优惠和绿色采购、税收优惠和绿色信贷、环境税和绿色采购、环境税和绿色信贷、绿色采购和绿色信贷，以及五个变量全部形成的一种组合。本章将分析每种组合对绿色创新和经济绩效影响的相互增强、抵消或者混合效应。

1）环保补助和税收优惠同时调整两倍

将环保补助和税收优惠同时调整两倍，对比该组合与每个政策单独调整两倍及当前影响，如图 8-8 所示。

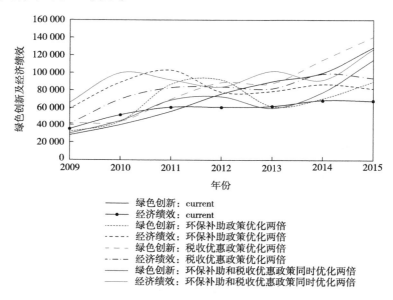

图 8-8 环保补助和税收优惠政策仿真结果

由图 8-8 可知，环保补助和税收优惠两项政策同时翻倍后，绿色创新呈现缓慢增长态势，会形成一个小的波峰，此后依然呈现逐渐上升趋势，相比而言，低于税收优惠政策优化后的增幅，与环保补助政策优化的结果趋势一致，但低于其波峰；经济绩效整体呈上升趋势，会出现小幅度波动，形成两个波峰。从经济绩效与绿色创新两者的对比来看，经济绩效呈现动荡性，但整体明显高于绿色创新。

2）环保补助和环境税同时调整两倍

将环保补助和环境税同时调整两倍，对比该组合与每项政策单独调整两倍及当前影响，如图 8-9 所示。

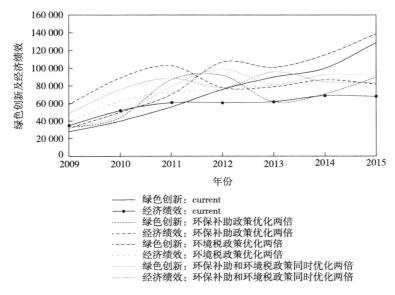

图 8-9 环保补助和环境税政策仿真结果

由图 8-9 可知，环保补助和环境税两项政策同时翻倍后，绿色创新呈现缓慢增长态势，会形成一个小的波峰，此后依然呈现逐渐上升趋势，相比而言，低于税收优惠政策优化后的增幅，与环保补助政策优化的结果趋势一致，但低于其波峰；经济绩效整体呈上升趋势，会出现小幅度波动，形成两个波峰。从经济绩效与绿色创新两者的对比来看，经济绩效呈现动荡性，但整体明显高于绿色创新。

3）环保补助和绿色采购同时调整两倍

将环保补助和绿色采购同时调整两倍，对比该组合与每项政策单独调整两倍及当前影响，如图 8-10 所示。

由图 8-10 可知，环保补助和绿色采购两项政策同时翻倍后，绿色创新呈现增长态势，达到临界点后，增速变缓趋于平稳，相比而言，初始阶段很明显低于环保补助政策优化后的增幅，与绿色采购政策优化的结果大体一致；在一段时间后于临界点左右，会高于环保补助政策，但远远低于绿色采购政策优化的结果；经济绩效上升的趋势不是很明显，会出现震荡，但波峰与低谷的差距不是很明显。从经济绩效与绿色创新两者的对比来看，经济绩效呈现动荡性，绿色创新呈现缓慢增长，临界点后会超过经济绩效。

4）环保补助和绿色信贷同时调整两倍

将环保补助和绿色信贷同时调整两倍，对比该组合与每项政策单独调整两倍及当前影响，如图 8-11 所示。

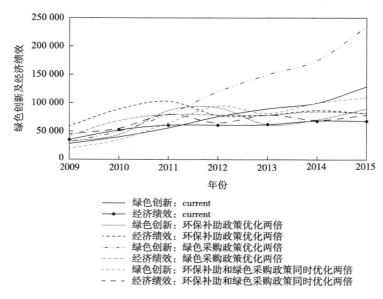

图 8-10　环保补助和绿色采购政策仿真结果

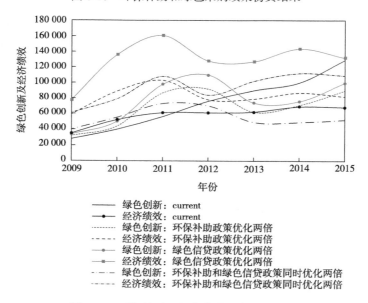

图 8-11　环保补助和绿色信贷政策仿真结果

由图 8-11 可知，环保补助和绿色信贷两项政策同时翻倍后，绿色创新呈现缓慢增长态势，会形成一个小的波峰，此后出现下降趋势，相比而言，在初始阶段高于环保补助政策优化的结果，经过一段时间低于环保补助政策优化的结果，在整个时间段内增幅明显低于绿色信贷政策优化后的增幅；经济绩效会出现一个小高峰，达到临界点后大幅度下降，此后增幅趋于平缓，相比而言，整体增幅略高于绿色信贷政策优化的结果，显著低于绿色信贷政策优化的结果。从经济绩效与绿色创新两者的对比来看，二者均会出现一个小波峰，但绿色创新的峰度较为平缓，且有一定的时间滞后性，整体增幅明显低于经济绩效。

5）税收优惠和环境税同时调整两倍

将税收优惠和环境税同时调整两倍，对比该组合与每项政策单独调整两倍及当前影响，如图 8-12 所示。

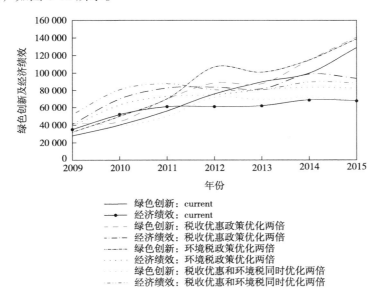

图 8-12　税收优惠和环境税政策仿真结果

由图 8-12 可知，税收优惠和环境税两项政策同时翻倍后，绿色创新起始阶段比较平稳，没有增幅，但逐渐会呈现增长趋势，达到临界点后增速变缓，发展态势趋于平稳，相比而言，在整个发展阶段均低于税收优惠和环境税政策优化的结果；经济绩效一开始增速明显，但到达临界点后增速趋于平稳，有小幅度波动，相比而言，在初始阶段增幅略高于税收优惠和环境税政策优化的结果，在临界点之后会低于税收优惠政策优化的结果，略微高于环境税政策优化的结果。从经济绩效与绿色创新两者的对比来看，经济绩效整体高于绿色创新，绿色创新增速的时间滞后于经济绩效，二者后期增幅不明显，发展态势趋于平稳。

6）税收优惠和绿色采购同时调整两倍

将税收优惠和绿色采购同时调整两倍，对比该组合与每项政策单独调整两倍及当前影响，如图 8-13 所示。

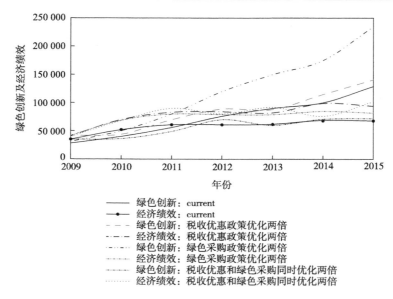

图 8-13　税收优惠和绿色采购政策仿真结果

　　由图 8-13 可知，税收优惠和绿色采购两项政策同时翻倍后，绿色创新呈现缓慢增长态势，起伏波动不明显，相比而言，在整个时间段内增幅明显低于税收优惠和绿色采购政策优化后的增幅；经济绩效在初始阶段增幅比较明显，之后增幅比较缓慢，出现波动性，但震荡幅度比较小，相比而言，整体波动趋势与税收优惠政策优化的结果趋于一致，但小幅度波动的高峰和低谷略低，比绿色信贷政策优化的结果略高。从经济绩效与绿色创新两者的对比来看，经济绩效的整体表现高于绿色创新，绿色创新后期增长幅度比较明显，经济绩效后期增幅不显著，趋于平稳。

　　7）税收优惠和绿色信贷同时调整两倍

　　将税收优惠和绿色信贷同时调整两倍，对比该组合与每项政策单独调整两倍及当前影响，如图 8-14 所示。

　　由图 8-14 可知，税收优惠和绿色信贷两项政策同时翻倍后，绿色创新初始阶段增速缓慢，经过一段时间后增速显著提升，达到临界点后增速减缓，趋于平稳，相比而言，在整个时间段内增长速度和增长幅度均低于环保补助政策优化的结果，在整个时间段内增幅明显低于税收优惠和绿色信贷政策优化后的增幅；经济绩效一开始增速显著，逐渐趋于平缓，呈现小幅度震荡，相比而言，整体增幅明显高于税收优惠政策优化的结果，略微高于绿色信贷政策优化的结果。从经济绩效与绿色创新两者的对比来看，经济绩效增速高于绿色创新，绿色创新的增长速度具有滞后性，二者后期增幅趋于平稳，起伏波动不大。

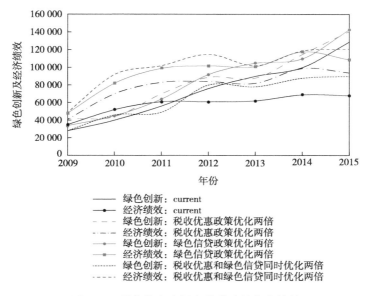

图 8-14　税收优惠和绿色信贷政策仿真结果

8）环境税和绿色采购同时调整两倍

将环境税和绿色采购同时调整两倍，对比该组合与每项政策单独调整两倍及当前影响，如图 8-15 所示。

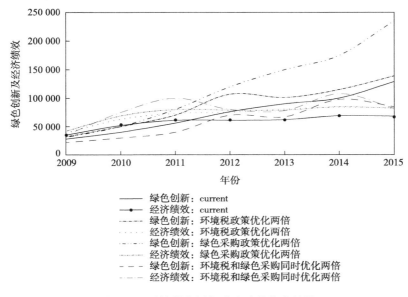

图 8-15　环境税和绿色采购政策仿真结果

由图 8-15 可知，环境税和绿色采购两项政策同时翻倍后，绿色创新初始阶段增速不显著，经过一段时间后呈现增长态势，有小幅度震荡，总体呈现增长态势，相比而言，在整个时间段内增幅明显低于环境税和绿色采购政策优化后的增幅；经济绩效在初始阶段增幅比较明显，之后有小幅度下降，出现两个峰度较缓的波峰，相比而言，在初始阶段增速高于环境税和绿色采购政策优化的结果，后期低于环境税政策优化的结果，与绿色采购政策优化的结果相差不多。从经济绩效与绿色创新两者的对比来看，经济绩效前期的增长速度高于绿色创新，绿色创新在前期增速不显著后期增长幅度比较明显，二者后期增幅趋于一致。

9）环境税和绿色信贷同时调整两倍

将环境税和绿色信贷同时调整两倍，对比该组合与每项政策单独调整两倍及当前影响，如图 8-16 所示。

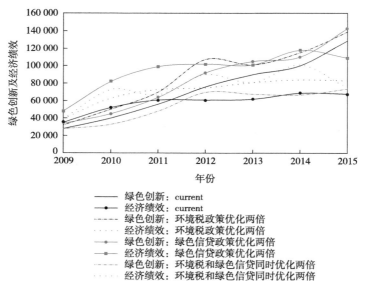

图 8-16　环境税和绿色信贷政策仿真结果

由图 8-16 可知，环境税和绿色信贷两项政策同时翻倍后，绿色创新在初始阶段的增长态势比较明显，达到临界点后增速趋于停滞，此后基本保持水平发展态势，相比而言，在整个时间段内明显低于环境税和绿色信贷政策优化的结果；经济绩效整体呈现增长态势，增幅具有震荡性，峰度较为平缓，相比而言，初始阶段的增幅高于环境税政策优化的结果，后期的整体增幅低于环境税政策优化的结果，整体增幅显著低于绿色信贷政策优化的结果。从经济绩效与绿色创新两者的对比来看，经济绩效的增幅具有震荡性，绿色创新在达到一定阶段后趋于平稳，整体增幅明显低于经济绩效。

10）绿色采购和绿色信贷同时调整两倍

将绿色采购和绿色信贷同时调整两倍，对比该组合与每项政策单独调整两倍及当前影响，如图 8-17 所示。

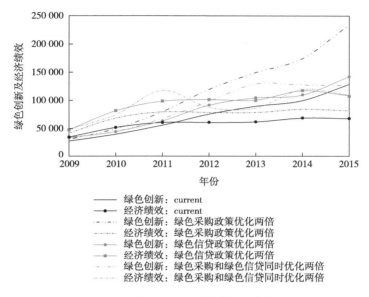

图 8-17　绿色采购和绿色信贷政策仿真结果

由图 8-17 可知，绿色采购和绿色信贷两项政策同时翻倍后，绿色创新在初始阶段的增长趋势比较缓慢，逐渐增速提高，达到临界点后增速下降，略微下降，相比而言，在整个时间阶段内增幅明显低于绿色采购政策优化的结果，初期阶段与绿色信贷政策优化的结果趋于一致，后期明显高于绿色信贷政策优化的结果；经济绩效增长趋势比较明显，呈现动荡性，相比而言，在整个阶段都高于绿色采购政策优化的结果，在波动的峰点会略微高于绿色信贷政策优化的结果，在谷点略微低于绿色信贷政策优化的结果。从经济绩效与绿色创新两者的对比来看，经济绩效的增幅具有震荡性，绿色创新后期的增加幅度逐渐超过经济绩效。

综合比较两两政策组合的仿真结果可以发现，绿色创新在税收优惠和绿色信贷同时优化时增速比较明显，后期在绿色采购和绿色信贷同时优化时达到整体最高水平，形成一个最高峰，在环境税和绿色采购同时优化的前期增幅最小，后期呈现动荡性，在税收优惠和绿色采购同时优化的后期水平较低。经济绩效在税收优惠和绿色信贷同时优化时增长比较明显，整体水平较高，在绿色采购和绿色信贷同时优化的第一个高峰达到前期最高水平，在环保补助和环境税同时优化时整体水平较低。

11）五类政策工具组合

将环保补助、税收优惠、环境税、绿色采购和绿色信贷五类政策同时调整两倍，对比整体组合及当前影响，如图 8-18 所示。

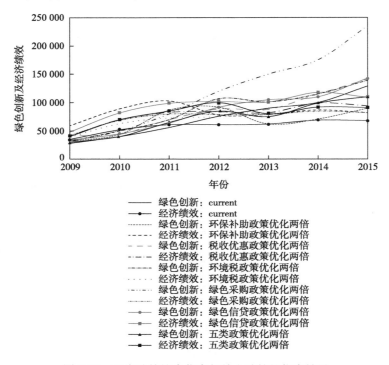

图 8-18　五类政策综合仿真与单个政策的仿真结果

由图 8-18 可知，五类政策同时调整两倍后，绿色创新在初始阶段的增速比较平缓，逐渐形成一个小波峰，之后的增速变缓趋于平稳，与初始值相比，对绿色创新影响最明显的单个政策是绿色采购；经济绩效增长趋势比较明显，呈现浮动较小的动荡性，后期增长趋势趋于平稳，与初始值相比，对经济绩效初始阶段影响比较明显的是环保补助政策，后期绿色信贷的影响比较平稳，略高于其他政策优化的结果。

8.4　结论与讨论

8.4.1　研究结论

本章基于系统动力学仿真研究方法，探索了环保补助、税收优惠、环境税、政府绿色采购和绿色信贷五类政策工具及其组合对绿色创新和企业绩效的影响，主要得到以下研究结论。

第一，就五类政策工具各自对绿色创新和企业绩效的影响结果来看，只有环保补助政策在翻倍以后，对两者的影响都很明显，都表现为先快速增长，然后增速减缓，到达临界点后出现下降趋势；税收优惠和绿色信贷只对经济绩效影响显著，而绿色采购对绿色创新的影响十分明显，且远超过其他政策工具。此外，五类政策工具在翻倍后，都出现了绿色创新明显滞后于企业经济绩效的情况。这是因为政策工具的实施能够直接为企业减少支出或者增加收入，由于企业从了解政策到实施绿色创新存在时间延迟现象，这就导致两者之间存在一个明显的滞后现象。

第二，通过两两政策组合的仿真，结果表明，当两项政策同时翻倍后，绿色创新的增长态势比较缓慢，经济绩效会呈现动荡性，大多会形成峰度较缓的波峰，整体呈现上升趋势。相比而言，经济绩效的增速整体明显高于绿色创新。通过两两政策组合发现，绿色采购和绿色信贷政策组合对绿色创新的优化最明显，且形成一个明显的波峰，在环境税和绿色采购组合前期水平较低，后期在税收优惠和绿色采购组合的低谷达到整体最低水平；经济绩效在税收优惠和绿色信贷政策组合时整体水平比较高，前期在绿色采购和绿色信贷达到一个小高峰，在环保补助和环境税组合时整体水平较低。

第三，五类政策的综合仿真表明，当所有政策均翻倍时，并没有出现优于单个政策的优化情况，绿色创新呈现缓慢增长态势，有波动现象，但幅度较小；经济绩效的增幅虽然高于绿色创新，也呈现波动性，达到临界点后小幅度下降，整体增长缓慢。

8.4.2　研究不足与展望

本章采用仿真的研究方法，寻找促进企业绿色创新及其绩效提升的市场型环境政策组合。但是，受数据可获得性影响，本章仅选取了国家层面的数据作为研究样本，未来研究可以将样本面扩大到微观企业层面。此外，本章仅仅比较了两类市场型环境政策工具组合的影响作用及五类市场型环境政策工具的效果，未来研究可以进一步比较三类或四类市场型环境政策工具的组合效果。

8.5　本 章 小 结

通过仿真模拟，本章探究了单个市场型政策工具及其组合对绿色创新和企业绩效的影响，就单个市场型环境政策工具的应用来看，其翻倍时，对绿色创新和企业绩效的刺激较为明显。绿色采购和绿色信贷政策组合对绿色创新的优化最明显，且形成一个明显的波峰，在环境税和绿色采购组合前期水平较低，后期在税收优惠和绿色采购组合的低谷达到整体最低水平；经济绩效在税收优惠和绿色信贷政策组合时整体水平比较高，前期在绿色采购和绿色信贷达到一个小高峰，在环保补助和环境税组合时整体水平较低。当五类政策工具同时应用时，绿色创新和企业绩效整体上波动变小，增长变慢。

（本章执笔人：廖中举，刘祎）

第 9 章　基于国内外典型经验视角的推进绿色创新的市场型环境政策研究

如何利用市场型环境政策实现经济和环境的双赢是亟待解决的问题。本章采用系统性文献综述的方法，选择 132 篇核心文献作为研究样本，对文献中涉及的国外市场型环境政策工具的类型、政策工具的严厉性、政策工具的组合等进行了剖析。同时，以浙江省为研究对象，选取《浙江日报》113 篇报道作为研究样本，采用扎根理论的研究方法，构建市场型环境政策、绿色创新与企业绩效之间的整体作用框架，梳理出浙江省的政策经验。本章为市场型环境政策、绿色创新和企业绩效之间关系的研究提供了经验证据，丰富了研究的多样性，同时为政府如何更好地推动绿色创新及企业如何抓住政策机遇推动自身发展提供了有益参考。

9.1　国外促进企业绿色创新的市场型环境政策研究
——文献归纳的视角

9.1.1　引言

由于绿色创新具有双重外部性的特征（Rennings and Zwick，2002），为了提高企业绿色创新的积极性，在很大程度上还需要依赖于政策扶持、政策制定和法制的完善，尤其是具有灵活性的市场型环境政策（林枫等，2018）。因此，市场型环境政策和制度的设计、开发及完善将会有效地推动绿色创新活动的开展。

关于国外推进绿色创新的市场型环境政策，许多学者也展开了相关的研究。例如，李凯等（2006）通过对美国、欧盟国家绿色电力产业政策的系统描述，探寻了发达经济体的政策经验；邓翔等（2012）选取欧盟作为研究对象，并针对欧盟的市场型环境政策作了评价。然而，从以往的研究成果来看，虽然关于国外市场型环境政策的研究较多，但是多数研究仅选取了少数几类政策工具，并且不同类型的市场型环境政策的特性对绿色创新的作用效果如何，仍缺乏统一的结论（Kemp and Pontoglio，2011）。因此，对国外关于推进绿色创新的市场型环境政策进行系统和深入的研究显得尤为重要。

鉴于此，本节基于 Science Direct、Web of Science 等数据库，采用系统性文献综述方法，梳理国外推进绿色创新的市场型环境政策的经验，总结出市场型环境政策工具该如何更好地发挥推动绿色创新的经验，以期为市场型环境政策的优化提供借鉴。

9.1.2　研究方法

系统性文献综述是一种结构化的研究方法，与以往常见的叙事性综述不同，它的研究内容是已经发表的学术成果（Tranfield et al.，2003）。此外，系统性文献综述方法可以通过提供研究人员的研究和决策过程，使其他研究人员更加方便地对文献综述进行修订和更新（Cook et al.，1997）。

市场型环境政策对创新的影响作用研究，特别是对绿色创新的影响，处于一个有限但快速扩大的研究领域，积累了大量的研究成果（Guerzoni and Raiteri，2015；Cantner et al.，2016；Reichardt and Rogge，2016；Uyarra et al.，2016）。为了更加有序和系统地梳理国外关于推进绿色创新的市场型环境政策的经验，本节采用系统性文献综述的方法。该方法也被越来越多的学者应用于经济、管理等多个研究领域（Tranfield et al.，2003）。

1. 数据来源与检索过程

本节的数据来源最初仅限于 Science Direct 数据库，主要有三个方面的原因：第一，广泛的搜索参数需要缩小数据库，以保持收集的文章数量缩小到可管理的范围；第二，Science Direct 数据库包含了大量的相关期刊，如 *Journal of Cleaner Production*、*Ecological Economics*、*Technological Forecasting and Social Change*；第三，许多数据库限制了文献全文的显示和导出，而 Science Direct 大部分的文献是没有限制的。初始文献检索的完整标准，如表 9-1 所示。

表 9-1　文献搜索的标准（包含参数和排除参数）

判断细则	包含项	排除项
研究范围	Web of science；Science Direct；Wiley（Journals）	
数据来源	研究领域内专家推荐期刊	其他资源
研究方法	不限制	

续表

判断细则	包含项	排除项
时间范围	1992 年至今	1992 年之前
搜索参数	标题中的关键词；摘要内容；作者提供的关键词	
语言	英文	其他语言
相关性	关于绿色创新的环境政策工具	

注：本系统文献回顾的开始日期定为1992年，即里约热内卢联合国环境与发展会议（里约首脑会议）举办的年份。全文文本中出现的关键词被拒绝，因为它导致搜索结果数量无法管理（由于采用了广泛的搜索参数）

　　系统性文献综述的第一阶段是进行范围性的测试，即定义、说明和细化文献搜索参数的一个迭代过程（Cook et al.，1997）。这一过程包括联系市场型环境政策研究领域的专家，通过专家的建议来选择文献的范围。同时，该过程还包括进行一些初始范围的文献搜索，以提炼出能够充分捕获相关性较高的文献的字符串，即对哪些字符串进行组合能够更全面地收集相关文献。测试出的关键词和英文字符串，如表 9-2 所示。

表 9-2　系统文献综述的关键词和英文搜索字符串

搜索的字符串主题	关键词（同义词和近义词）
eco-innovation	ecological innovation；eco-technology innovation；green innovation；green technical innovation；environmental sound technology innovation；green tech innovation
sustainability	sustain；environment；eco-innovation；green；renewable；triple bottom line；eco-efficient；eco-effective；cradle to cradle；biomimicry；frugal；ecology；circular economy
policy	fiscal policy；governance；policy instrument；regulate；behavioral policy；toolkit

　　最初的范围性测试集中在关键词"创新"和"政策"上，搜索出 222 591 条结果。通过抽样分析发现，只有极少数文献符合研究范围。这一结果的产生主要是由于搜索字符串界定的范围太广泛，有限的搜索关键字不能准确地捕捉到相关文献。根据 Adams 等（2016）的观点，本节需要在接下来的文献搜索中增加新的搜索参数。

　　通过加入新的搜索关键词"生态"进行组合，得到 20 042 条结果，约缩小到了前一次范围的 10%。同时，还增加时间参数，将审查的时间范围限定为 1992 年之后，因为里约热内卢联合国环境与发展会议举办于 1992 年，之后各国开始注重可持续性。虽然这种方法能够减少搜索结果中文献的数量，但是仍然有很多超出研究范围的文献。因此，本节进一步通过文献标题、关键词、摘要等来提高搜索结果的精准度。

　　第二阶段是将关键词应用于数据库检索，主要使用 eco-innovation，sustainability 和 policy 三个搜索英文字符串组合。利用这三个英文字符串组合分别进行搜索，其中，字符串组合 1 的搜索结果为 16 194，字符串组合 2 的搜索结果为 22 629，字符串组合 3 的搜索结果为 20 042。在 58 865 条搜索结果中，有 24 863 条是重叠的，本节进一步将这个数量缩减到 34 002 篇。如果对每一篇文献都进行审查的话将是一项非常具有挑战性的工作，因此需要使用特定的程序对文献进行审查。审查过程包括最初的标题筛选、摘要和全文审查；如果在审查的过程中出现疑问，或者不能准确判断，则该文章被保存在数据集中，以便之后再进行彻底的筛选（Jones，2004）。通过最初的标题和摘要筛选，本节将可能相关的文献数量缩小到 156 篇，随后进行全文审查进一步将文献数量减少到 82 篇。

2. 雪球取样

虽然在初始阶段的文献搜索中使用了较多的参数进行限制，但是收集到的文献数据结果还是会受到搜索关键词和字符串组合的影响。此外，由于国外关于绿色创新的市场型环境政策的研究领域具有多样性，搜集到的相关文献也会受到限制。因此，需要进行下一阶段的文献收集，即对第一轮中确定的 82 篇文献进行引用跟踪和对文献中的参考文献进行 "滚雪球抽样"。

具体而言，以第一轮中的 82 篇文献为基础进行第一次滚雪球抽样，通过追踪引用和参考文献，共收集到 3 892 篇文献。将搜集到的 3 892 篇文献作为副本文献集，剔除已经审查或者重复的文献，然后对文献标题和摘要进行筛选，文献集中文献数量从 3 892 缩小到 49，再对 49 篇文献进行全文审查，其中 41 篇文献被判定为符合研究要求的范围；此时共有 123 篇符合研究要求的文献。同样对前面筛选出的 41 篇文献进行第二次滚雪球抽样，剔除所追踪的 41 篇文献的引用和参考文献集中与前面筛选存在重复的文献，然后再对标题和摘要进行筛选，最后进行全文审查，其中筛选出符合研究要求的文献 9 篇。第三次及之后进行的滚雪球抽样所获得的文献数量较少，可忽略不计，所以最终将第一轮筛选和两次滚雪球抽样收集到 132 篇文献作为研究样本。

9.1.3　数据分析

1. 描述性分析

132 篇文献主要来源于 49 种期刊，也反映了关于绿色创新的市场型环境政策领域研究的多样性。其中，主要以四本期刊为主，约占收集到的核心文献的 51%，如 *Journal of Cleaner Production*（29 篇）、*Energy Policy*（14 篇）、*Technological Forecasting and Social Change*（13 篇）和 *Ecological Economics*（11 篇）。

同时，文献的发表时间主要集中在 2010~2020 年，共有 107 篇文章，占搜集到的核心文献数量的 82%。在研究方法方面，有 78 篇文献采用了案例研究的方法，也涉及了多个领域，如风电技术（Juntunen and Hyysalo，2015）、绿化建筑（Al-Saleh and Mahroum，2015）等，这与 Feola 和 Nunes（2014）观察到的结论一致，即关于市场型环境政策的研究主要是基于案例方法进行。

2. 分类分析

已有很多关于促进绿色创新的产生和扩散的市场型环境政策（Al-Saleh and Mahroum，2015），这些市场型环境政策主要分两种：技术和市场动态；威慑与回报。第一种主要涉及旨在利用技术推动或市场拉动来促进技术变革的市场型环境政策工具（Mowery and Rosenberg，1979）。例如，公共采购、生态标签等属于通过市场拉动来促进技术变革的政策工具。第二种是"奖励"与"威慑"，又被称为"胡萝卜"加"大棒"，指的是利用奖励和惩罚来诱导绿色创新行为（Al-Saleh and Mahroum，2015）。例如，燃烧税、碳税等都属于"威慑"类型的政策工具，而税款减免、资本成本补贴、贷款担保等属于"奖励"类型的政策工具。

在前两种类别的基础上，一些经济学家又提出了对公众产生影响的第三种环境政策工具，即"布道"型环境政策工具（Bemelmans-Videc et al.，1998）。尽管在一些研究中，第一种分析类别也被使用，但是从基础科学到应用研究再到商业化的线性发展，技术推动或需求拉动类型都是相对过时的研究线索（Horbach et al.，2012）。因此，为了在审查核心文献的过程中更加方便地将文献中的研究结果与政策工具相映射，本节结合"胡萝卜、大棒和布道"的观点，将市场型环境政策工具进行更加详细的分类。

然而，Brouillat 和 Oltra（2012）、Kemp 和 Pontoglio（2011）等以往的研究表明，市场型环境政策工具对创新影响是由政策设计特征而不是政策工具的类型决定的；而且 Yin 和 Powers（2010）、Rogge 等（2011）、Bel 和 Joseph（2018）等的研究越来越关注市场型环境政策工具的严厉性和可预测性。因此，本节在系统文献综述过程中也注重分析和比较不同国家政策的设计特征。

9.1.4　研究结果

1. 市场型环境政策工具类型

在"胡萝卜、大棒和布道"三种类型工具的基础上，结合不同文献中关于市场型环境政策工具的分类，本节发现市场型环境政策工具主要分为五类，即环保补助、税收优惠、环境税、绿色采购和绿色信贷。这五类市场型环境政策工具，并不仅仅是国外发达国家在使用，我国也在使用，但是不同市场型环境政策工具受到经济发展阶段、环境问题实际情况、环保理念等因素的影响，使得不同市场型环境政策工具的应用和表现与其他国家有所差异。

（1）环保补助。虽然我国采用的环保补助政策工具与国外存在相通之处，但也具有一定的差异。国内和国外的很多学者认为绿色创新过程可能会产生不确定风险和高交易成本，政府应当继续增强环保补助力度（范莉莉和褚媛媛，2019）。例如，Yasmeen等（2020）提出政府部门除了应该改进"经济激励"的环境法规，建立合理的税费标准，加强污染检测和管理，使其经济激励措施可以得到充分地利用，还应该积极加大对各种环境污染治理的投资力度。但是，在环保补助的种类方面，我国的环保补助形式以节能减排补助和环境治理补助为主，少部分是通过环保奖励资金等来促进绿色创新（盛丽颖等，2021），而国外的环保补助政策工具涉及风险基金、奖励奖补、保障体系建立、财政支持、经费补充、政府补助、专项资金等更多的类别（Cuerva et al.，2014；Kiefer et al.，2019）。

（2）税收优惠。部分发达国家的税收优惠覆盖范围较宽，涉及经济活动的各环节，以及从生产、研发、销售、消费、回收等多个阶段（Bergek et al.，2014；Criscuolo and Menon，2015）。Criscuolo和Menon（2015）提出，决策者可以在市场发展过程的不同阶段发挥重要作用，以促进企业的绿色创新，如政府通过赠款、贷款、奖励和高级研发支持，或者一些特殊项目，如美国的高级研究项目——能源项目，采用销售税或增值税削减机制，刺激绿色创新产品的需求和供应。此外，欧盟的税收优惠种类更多，它们主要通过税前扣除、税率优惠、税费改革、加计扣除、税前扣除、加速折旧等政策措施来助推绿色创新（Borghesi et al.，2015；Criscuolo and Menon，2015）。例如，瑞典的免税和补贴，旨在鼓励消费者减少购买对环境产生污染的车辆，进而拉动绿色创新（Beltrán-Esteve and Picazo-Tadeo，2017）。

（3）环境税。多数研究表明，由于部分污染商品的价格弹性低或者企业的税收负担很小使得税的减排效果很小，但是通过引入税收可以引导绿色创新来有效地减少污染（Hattori，2017）。然而，相比发达国家而言，我国环境税的发展相对较晚，缺乏成熟完善的环境税制体系，主要还是针对生产环节，而美国最早在20世纪70年代就将"环境保护税"纳入税法典，已经形成较成熟完善的环保税制体系（廖乾，2017），环境税的征收范围还涉及销售、消费和回收等环节（Borghesi et al.，2015；Criscuolo and Menon，2015）。此外，国外很多国家不仅针对企业设置了环境税，甚至还以个人或者家庭为单位设置了环境税。例如，美国环境税征收范围涉及的领域主要包括生产、消费和资源开采等，并且除了针对企业设置资源保护税、排污费、资源税等这些常见的环境税之外，还将环境税的纳税主体扩展到个人，即涉及消费环节的个人消费行为（Criscuolo and Menon，2015；Beltrán-Esteve and Picazo-Tadeo，2017）。

（4）绿色采购。绿色采购是主要的需求侧政策工具，它通过在招标程序中引入环境标准，减少公共购买对环境的影响，特别是在那些对环境具有高影响的行业部门，如交通、建筑和家具（Caravella and Crespi，2020）。我国绿色采购开始于 2004 年，虽然起步较晚，但是发展速度较快，2007 年就已初步形成了基础的绿色采购框架（陈婉，2021）。但是，通过分析国外关于绿色采购的文献可以发现，西方发达国家在法律保障力度、政府绿色采购覆盖范围、监督机制等方面，具有一定的特点。例如，西方发达国家为推行政府绿色采购通常是采用立法强制的方式，而我国针对绿色采购的规定和要求只是原则性的、宏观的，可操作性并不强（韩琳，2018）。例如，为了给政府绿色采购提供强有力的法律支持和制度保障，美国颁布实施了《联邦政府采购法》、加拿大颁布实施了《环境责任采购法案》。此外，欧盟的公共采购除了注重产品全生命周期的考察，同时考虑到政府采购的类型，分为产品采购、服务采购和工程采购三种，并且根据不同的采购类型在采购过程中遵循不同的原则要求（Borghesi et al.，2015）；美国的绿色采购不仅仅只针对终端产品或者产品类型，同时还注重政府绿色采购过程的考察，在将产品纳入绿色采购范围之前，要对新产品进行试点测试（Meis-Harris et al.，2021）。

（5）绿色信贷。绿色信贷除了对环境污染治理有一定程度的正向影响外，对国家经济发展、产业结构升级也有促进和优化作用。例如，Khan 等（2021）认为，绿色信贷加速了经济增长，并有助于缓解二氧化碳的排放量，因为政府推行绿色信贷政策要求银行用更多的资金来帮助企业的绿色创新活动，使得企业有更多的资源来探索可持续发展的投资计划，减少环境污染和提高资源利用率。通过文献梳理发现，西方发达国家主要采用贷款期限延长、信贷支持、信用评价、贷款贴息、信用担保、质押贷款、优惠贷款等绿色信贷工具；在法律制度方面，西方发达国家针对环境污染明确了各部门的责任，并且制定了详细的评估标准，保障绿色信贷在发展过程中有具体的依据，并且将环境责任考核机制纳入到与环境保护有关的法律法规中（Kuznetsova et al.，2017；Ramanathan et al.，2018）。例如，德国、英国等国家在法律中详细规定了银行向企业贷款的环境标准，为银行向企业贷款提供了法律依据，其中德国尤其重视绿色信贷运行机制的透明度，积极征询各相关群体的意见（Ramanathan et al.，2018）。美国也在环保法律中规定，若银行支持的融资项目对环境造成了破坏，银行需要承担相关责任及环境治理的费用（Criscuolo and Menon，2015）。

2. 政策设计特征

在通常情况下，企业进行绿色创新所获得的收益一旦超过了采用的早期阶段，创新的强度就会变得极其重要（Battisti and Stoneman，2003）。通过系统地梳理相关核心文献发现，市场型环境政策的严厉性、预期和灵活性、政策组合这三方面的设计特征，不仅会影响企业是否采取绿色创新，而且也会刺激企业绿色创新的强度。

（1）严厉性。市场型环境政策的严厉性是指政府相关部门实施法规向企业施加压力以促进绿色创新的程度（van Kemenade and Teixeira，2017）。早期研究认为，严厉的环境政策会导致生产因素的成本上升，从而降低利润率，削弱竞争优势；然而，Porter 和 van der Linde（1995a）认为，严厉的政策不仅可以促进绿色创新，还可以提高企业的竞争力。例如，van Kemenade 和 Teixeira（2017）研究表明，虽然更严厉的政策会增加企业的成本，但是随着成本的增加，企业在国际竞争中的优势也会增加；环境法规的严厉性在诱导绿色创新方面比选择灵活标准和技术标准更为重要，而且严厉的法规能够使绿色技术提升竞争力（Mercure et al.，2014）。

此外，相比环境政策的严厉性，还有很多其他因素被认为是绿色创新绩效的重要决定因素，如成本节约、公司规模、环境技术研发和环境管理系统等（Cuerva et al.，2014；Madaleno et al.，2020）。其中，Ceschin（2014）、Foxon 和 Pearson（2008）等认为企业在发展过程中会遇到很多阻碍绿色创新活动实施的障碍，这些障碍通常可能包括企业现存的基础设施、消费者的行为和监管环境；通常需要政府采取措施，通过严厉的法律法规或政策来积极推动支持激进创新或改变消费者的消费行为和习惯（Schot and Geels，2008）。

（2）预期和灵活性。通过分析国外学者关于绿色创新的政策研究文献发现，市场型环境政策的预期和灵活性影响绿色创新。例如，Ramanathan 等（2018）提出，为了促进绿色创新活动，政府部门在制定新的环境政策时，必须要考虑政策是否是可信的、可预见的及政策的灵活性是否有助于绿色创新活动的探索。同样，Mazzanti 和 Rizzo（2017）也提出，市场型环境政策的预期和灵活性是政策法规影响绿色创新活动的关键方面，而且在某些情况下，政策法规的灵活性可能会导致新的、创造性的绿色技术的出现或扩散。因此，政府在制定或实施市场型环境政策的过程中应该考虑到政策的预期和灵活性对绿色创新活动的影响。

为了提高市场型环境政策的灵活性，很多学者也进行了探索。例如，Ramanathan 等（2018）指出，为了保证企业绿色创新活动的灵活高效，政策制定者的一项关键任务是修改旧的、不灵活的政策法规，使其符合关于环境政策的新发展理念；关于新的环境政策法规的设计，应更多地咨询企业并与其保持联系，这样才能掌握企业的需求和发展方向。Grimm 等（2020）也提出通过有效设计政策工具——试点、测试和示范项目来建立政府部门与企业间的反馈机制，使政府与企业之间建立透明连续的信息流，以便帮助政策制定者为企业提供更加灵活的监管和激励政策方案。

（3）政策组合。为了克服单一政策工具的局限性，一些学者提出了政策组合的概念。政策组合是指使用多种而不是一种政策工具来解决特定的环境问题

（Braathen，2007）；政策组合不仅指简单的政策工具的组合，还包括这些工具相互作用的过程（Flanagan et al.，2011）。为了更好地描述政策组合的表现和性质，Reichardt 和 Rogge（2016）提出了政策组合的四个特征：一致性、连贯性、可信度和全面性。Lehmann（2012）在分析关于使用政策组合来控制污染的研究时，确定了两个主要理由：政策组合可以减少多重强化的市场失败，如污染外部性和技术溢出；当高交易成本与单一政策的实施相关联时，就可以使用政策组合。

通过文献梳理发现，政策组合在促进绿色创新方面比单一政策工具的效果要好。例如，Hille 等（2020）发现，更全面的可再生能源支持政策组合促进了与太阳能和风能相关的创新；Noailly 和 Ryfisch（2015）指出，由于环境的外部性和知识的公共性质，应当将碳税与研发的税收抵免相结合使用，以进一步促进绿色技术的发展。Neicu 等（2016）也提出将研发补贴和税收抵免相组合，获得研发补贴的企业更有可能利用税收抵免提供的资金进行创新。虽然政策组合工具的重要性在不同行业的生态创新方面有所不同，但它们对绿色创新的影响方向比较相似（Costantini et al.，2017b；Dumont，2017）。此外，以往研究通过分析也发现，市场型环境政策组合的有效性还会受到企业生命周期、产品市场规模和实际供求关系等因素的影响（Neicu et al.，2016；Neicu，2019）。

9.1.5　结论与启示

1. 研究结论

本节采用系统的文献综述方法，基于对 Science Direct、Web of Science 等数据库中的文献的筛选，构建了关于推进绿色创新的市场型环境政策工具的文献集并进行了剖析，主要得出以下研究结论。

（1）国外推进绿色创新综合运用了五类市场型环境政策工具。国外推进绿色创新综合运用了环保补助、税收优惠、环境税、绿色采购和绿色信贷政策工具，虽然这五种市场型环境政策工具国内也都有采用，但仍存在差异。针对环保补助，除了以通过节能减排补助和环境治理补助为主，以及通过环保奖励资金的方式，国外还应用了更多其他种类的补助；针对税收优惠，国外的税收覆盖范围比较广泛，从研发到生产到销售再到消费和回收，具有多层次的特点并且税收优惠的种类具有多样性；与税收优惠相似，国外的环境税也具有多层次和多样性特点，环境税除了税收范围覆盖到生产、消费和资源开采等方面之外，还针对企业设置环境税，甚至对个人或者家庭设置相应的环境税；国外为保障绿色采购开展，将绿色采购相关要求上升到了法律层面，为政府绿色采购提供了强有力的法律支持和制度保障；国外一些发达国家不仅将环境责任考核机制纳入环境保护相关的法律法规中，还明确规定了银行关于环境污染治理的责任。

（2）政策的严厉性、预期和灵活性是影响绿色创新的两个重要特征。大部分学者在研究市场型环境政策工具时会关注政策设计特征对绿色创新的影响，这也与本节在构建映射框架时考虑政策设计特征相符。市场型环境政策的严厉性和灵活性都会不同程度地影响企业的绿色创新活动。多数研究表明，环境政策的严厉性不仅可以影响企业绿色创新的积极性，还可以提高企业的国际竞争力（Mercure et al.，2014）。然而，也有一部分学者的研究表明，政策严厉性对绿色创新的影响作用不如事先预期（van Kemenade and Teixeira，2017）。在市场型环境政策的灵活性方面，多国学者研究均提出，政策制定者在制定政策的过程中应当考虑政策的灵活性，灵活的政策不仅能够鼓励企业在绿色创新活动中探索新的发展方向，还能够减少企业绿色创新的障碍（Ramanathan et al.，2018）。

（3）不同的政策工具对绿色创新的影响具有互补作用。针对政策组合，大多数学者的研究表明，政策组合在促进企业绿色创新方面比单一的环境政策的效果相对较好（Neicu，2019；Hille et al.，2020）。关于具体的政策工具组合，国外大部分学者主要聚焦于环境税和环保补助两类政策工具。其中，环保补助政策工具通过降低企业技术研发成本，直接发挥绿色技术创新的诱导作用，而环境税通过提高环境成本，间接发挥绿色技术创新的诱导效应；同时，也有部分研究探索了环保补助和税收优惠的组合效应，指出两者旨在通过不同的研发支持机制提供更多的研发资源，强化对企业绿色创新的引导效应（Noailly and Ryfisch，2015；Neicu et al.，2016）。此外，在设计政策组合的过程中，Neicu（2019）、Neicu 等（2016）提出政府部门应当考虑企业的行业性质、市场规模、市场的供求关系等因素，针对不同企业征收不同的环境税，同时予以相应的环保补助，这样才能保证政策组合更加有效。

2. 政策启示

根据研究结果，本节得出的结论具有以下几点启示。第一，我国应建立健全市场型环境政策体系。完善的市场型环境政策体系不仅能够为政府在开展促进企业绿色创新的过程中提供政策依据，还能够引导企业绿色创新的方向。同时，我国应扩大市场型环境政策工具的应用范围，全面发挥市场型环境政策工具的作用。第二，在设计市场型环境政策时，应综合考虑政策工具的严厉性、预期和灵活性。在执行市场型环境政策的过程中，根据各种政策工具的设计特征、执行力度、应用情境等来平衡经济增长与绿色创新的关系。第三，正确合理使用市场型环境政策组合工具，提升绿色创新绩效。在设计市场型环境政策组合时，应当结合我国实际情况在不同的政策工具中选择特定的政策工具，并不断对其运行结果进行评价。同时，为了使市场型环境政策工具的组合在实施过程中更加有效，应针对不同行业的企业设计相应的环境政策组合，并且要考虑企业生命周期、市场规模、市场的供需关系等因素。

3. 研究不足与未来展望

虽然本节使用的是系统性文献综述方法，但是在数据收集过程中不可能将所有符合研究范围的文献都搜集到，而且相关的文献数量也随着时间的变化在不断增加，因此，研究样本的覆盖面还存在不足。此外，本节主要是针对国外市场型环境政策的研究，得出的结论具有一定的地理局限性。基于国内外关于绿色创新的市场型环境政策的研究现状，本节提出两方面的研究展望。第一，未来研究需要完善市场型环境政策设计的方法。虽然国外对市场型环境政策的研究较多，但是大部分研究主要是实证性研究，很少有学者针对市场型环境政策的设计方法展开研究。第二，未来研究需要扩大市场型环境政策工具、绿色创新与个体之间关系的研究。当前国外学者的研究主要聚焦于政府和企业层面，针对个体层面的研究相对较少。例如，个体对市场型环境政策的推动作用的影响、个体对企业绿色创新拉动作用的内在机理研究等相对偏少。

9.2　国内促进企业绿色创新的市场型环境政策研究
——以浙江省为例

9.2.1　引言

改革开放以来，中国以高投入、高消耗、高排放的生产方式获得了经济的快速发展（Triguero et al.，2018），一跃成为世界第二大经济体，但也带来了一系列的环境问题。随着市场体系的不断完善，政府开始转变治理方式，逐渐通过基于市场的方式激励企业绿色转型，实现经济增长和环境保护的双赢。市场型环境政策能够弥补命令控制型政策的僵化模式（Zhang et al.，2020；Borsatto and Bazani，2021），并更有利于优化资源配置（Aghion et al.，2016；Dissou and Karnizova，2016），激励企业进行创新（Acemoglu et al.，2016；Tang et al.，2020）。因此，从命令控制型政策向市场型环境政策的转型成为一种必然趋势（Li et al.，2019b）。在此背景下，学者们开始了对市场型环境政策的研究。例如，Ren 等（2018）根据 2000~2013 年中国 30 个省区市的数据，采用 STIRPAT 模型比较了命令控制型政策、市场型环境政策和自愿监管三类政策对中国东部、中西部地区生态效率的影响差异；Tang 等（2020）基于 2007~2015 年中国 30 个地区的省级数据，通过分析环境法规的减排成本与环境法规的创新补偿效应之间的权衡，确定了从命令控制型政策到市场型环境政策的最优过渡时间。

　　虽然目前对于市场型环境政策的研究较为丰富，但在文献回顾过程中，本节发现以往研究中还存在一些不足之处。其一，以往研究大多从实证角度探索市场型环境政策与绿色创新（Bai et al.，2019；Wu and Hu，2020）、绿色创新与企业绩效（de Azevedo Rezende et al.，2019；Przychodzen et al.，2020）之间的关系，缺乏从质性研究的角度和整合视角将市场型环境政策、绿色创新与企业绩效联结起来进行整体探索的研究；其二，现有研究大多从单一视角研究某一种市场型环境政策与绿色创新或企业绩效之间的关系，未从整体视角将不同的环境政策纳入同一框架之中，如 Wu 等（2020）基于 2011~2016 年中国沪深两市高新技术企业的样本数据，采用回归分析的方法探讨了所有权背景下政府补贴对企业绿色创新绩效的影响，并进一步讨论了股权集中度在政府补贴和绿色创新绩效之间的调节效应；基于自然基础观，Song 等（2017）利用二手数据构建了绿色采购的维度并探索了绿色采购与企业绩效之间的作用关系。

　　鉴于此，本节选择绿色发展经验丰富且具有代表性的浙江省作为研究对象，从市场型环境政策实施的视角切入，借助扎根理论的研究方法，通过逐层编码，细致分析市场型环境政策、企业绿色创新与企业绩效之间的作用关系，剖析内在作用机理并发现其中隐含的情境因素，构建市场型环境政策、绿色创新与企业绩效之间的理论模型。具体而言，本节具有以下几个方面的意义：第一，为市场型环境政策、绿色创新、企业绩效之间关系的研究提供了经验证据，并明晰三者之间的完整演化脉络；第二，为其他省区市有效利用市场型环境政策推动绿色创新提供了经验借鉴；第三，帮助企业正确认识市场型环境政策，并为企业在市场型环境政策下推动自身发展提供了指导。

9.2.2　研究设计

1. 研究方法

　　扎根理论是由哥伦比亚大学两位学者 Glaser 和 Strauss 共同开发的一种质性研究方法，其特点在于通过自下而上的方式从经验及事实中提取和挖掘出新的概念和范畴，通过不断分析和比较建立范畴间的联系从而形成理论框架（Robrecht，1995）。扎根理论包括开放性编码、主轴性编码、选择性编码及理论饱和度检验四个步骤（Strauss，1987）。在编码过程中，本节借助专业的质性分析软件 Nvivo 12 对文本内容进行分析和编码，以提高编码的准确性。

2. 数据选择和收集

2005 年，时任浙江省委书记的习近平在调研时提出"绿水青山就是金山银山"的发展理念，自此浙江省始终把环境保护作为发展的底线，生动阐释了经济发展与环境保护的辩证关系，走出了一条绿色发展之路。2020 年，浙江省绿色发展综合得分居全国前列，率先通过国家生态省建设试点验收。因此，本节选取浙江省作为研究对象。

《浙江日报》是浙江历史上第一个在全省范围内公开出版发行的党报，发行量一直位居全国省级党报前列，在报刊中具有一定的权威性。作为中国共产党浙江省委机关报，《浙江日报》的报道范围覆盖全省，报道内容除具有客观真实性以外，还具有典型性和代表性，蕴含着大量有关浙江省市场型环境政策、绿色创新和企业绩效的相关信息及各种现实影响因素。因此，为提高研究的有效性，本节将《浙江日报》作为样本来源。通过中国知网，搜索《浙江日报》中发表的与浙江省市场型环境政策及企业的绿色创新、绿色发展相关的文章，将时间限定为 2006~2020 年，共搜索到 271 篇报道。通过对 271 篇报道进行简要阅读，删除不符合研究目的的报道 158 篇（如与浙江省绿色发展及绩效相关的区域性文章），最终筛选出 113 篇报道作为文本资料进行编码处理。

9.2.3　数据编码与模型构建

1. 开放性编码

开放性编码就是将原始资料的文字内容进行归纳、总结和提炼，从而将其概念化和范畴化；在进行开放性编码时，要求研究人员摒弃个人偏见，在不被任何框架和思想束缚的情况下以中立和开放的态度对原始资料的内容进行全面解读，实现概念和范畴的客观"涌现"（Patton，1990）。开放性编码遵循发现现象→定义概念→提炼范畴的程序步骤，即第一步通过对文本内容进行逐句阅读，标记资料中与市场型环境政策及企业状况等相关的词句，对其进行总结，使之概念化；第二步将表达同一现象的概念整合到一起，形成初始范畴。通过对《浙江日报》113 篇报道进行开放性编码，剔除重复率低于三次且不具有代表性的概念后，共得到 171 个有效概念和 13 个范畴。将得到的有效概念用"a"进行编码和标记，初始范畴用"A"进行编码和标记。由于开放性编码的篇幅较长，本节仅抽取 10 个概念及每个初始范畴中出现频率最高的三个概念进行展示。开放性编码的示例如表 9-3 和表 9-4 所示。

表 9-3　开放性编码概念化示例

概念	原始资料
a14 专利授权	据统计，这 7 个重中之重学科，4 年来共承担国家级项目 151 项，省部级项目 412 项，申请发明专利 434 项，授权发明专利 202 项，占该校 4 年来授权发明专利的 70%。不少科研成果、发明专利已转化为企业的经济效益。
a27 调整信贷结构	绿色是农行本色。农行浙江省分行主动调整信贷结构，通过建立绿色信用体系、创新绿色信贷产品、支持新旧动能转换等措施，在服务地方供给侧结构性改革、推动"两美"浙江建设的同时，主动谋求自身转型，走出了一条既服务实体经济发展、又充满"绿意"的新路子。新时代，绿色金融方兴未艾，农行浙江省分行信心满满，踏上新征程。
a30 发展前景	"公司研发、生产的分解回收利用废旧轮胎的机械设备，前景很好。我手头现有 8 个项目在谈，不停在路上奔波。上海这个项目谈成的话，就是一个亿。"
a43 环保一票否决	如工商银行绍兴分行在信贷全流程中执行"环保一票否决"制，并在借款合同中增设关于环保的限制性条款。华夏银行绍兴分行要求各经营单位将绿色信贷信息平台的查阅和使用作为日常工作，发现企业环保信息有缺失或疑义的，应与企业联系了解后进行补充更正，并要求信贷业务相关人员在上报授信业务时将查询结果在授信调查报告中明确列示。
a55 技术转移中心	为让科研成果及时服务企业转型升级，去年，浙工大在全省各地建立各种形式的技术转移中心。浙工大党委书记汪晓村说，此举不仅要帮助企业解决当前技术难题，同时建立起高校教授与企业良性互动的技术转化平台，及时捕捉企业技术需求信息。目前，浙工大已在丽水、衢州、嵊州、洞头、湖州等地建立了 10 多个技术转移中心，到今年年底建成 20 个技术转移中心。
a77 利润增长	在税收优惠政策的扶持下，企业的利润总额从 2003 年的 2.26 亿元增加到 2008 年的 10 亿元。
a103 绿色研发	公司自主研发的 NV 系列 CASNOVOR 锂离子电池水性黏结剂，是一款以海洋天然生物多糖为主原料的全新锂电池水性黏结剂，其天然生物的特性保证了其具有"绿色环保、安全、高性价比"等特点。
a119 税额抵扣	我们是增值税转型政策的受益者，今年上半年我们购买了 1 000 多万元的生产设备，直接抵扣了进项税，等于购买设备便宜了 170 多万元。海能环保电源有限公司是生产环保蓄电池和节能设备的民营企业。该公司董事长陈春法说，他们公司是新办企业，开办之初处都得花钱，而享受到的 170 多万元利好对他们来说真是雪中送炭！
a142 研发费用加计扣除	费用加计扣除新政，仅此一项每年就可少缴税款 125 万元。值得注意的是，企业符合新政的研发费用加计扣除条件，但在 2016 年 1 月 1 日以后未及时享受该项税收优惠的，可以追溯享受并履行备案手续，追溯期限最长为 3 年。
a148 引进国外技术	为了更快、更好地把激光制造技术应用于国民生产中，激光加工技术工程研究中心还及时走上了国际合作路线，通过引进技术和海外智力，实现跨越式发展，以满足制造业的需求。

表 9-4　开放性编码范畴化示例

初始范畴	概念	出现频次
A1 环保补助	a84 污染物排放专项资金	26
	a2 环保设施补助	23
	a3 环保技术资金补助	15
A2 税收优惠	a119 税额抵扣	43
	a57 即征即退	38
	a71 结构性减税	30

续表

初始范畴	概念	出现频次
A3 绿色技术引进	a51 技术入股	16
	a37 国外环保技术对接	11
	a148 引进国外技术	9
A4 环境税	a86 排污许可	19
	a59 环境保护税	15
	a38 环保罚款	9
A5 经济绩效	a75 经济增长	39
	a76 产值增加	28
	a77 利润增长	26
A6 绿色采购	a151 优先购买	28
	a39 环保认证	16
	a42 环保采购清单	12
A7 绿色技术创新	a14 专利授权	32
	a144 研发投入	30
	a70 节能制造工艺	21
A8 政策推广	a156 政策辅导	39
	a158 政策宣传	38
	a162 政策咨询	30
A9 绿色信贷	a27 调整信贷结构	27
	a43 环保一票否决	23
	a98 绿色审批	15
A10 环境绩效	a28 污染防治	31
	a40 减少污染废弃物排放	19
	a85 资源利用效率	14
A11 优化服务	a62 最多跑一次	43
	a124 税收调研	28
	a63 线上办税	21
A12 绿色技术转化	a113 合作开发	49
	a33 技术许可费	27
	a54 技术转让	19
A13 企业资源	a111 企业声誉	21
	a73 扩大生产线	20
	a9 流动资金	14

2. 主轴性编码

主轴性编码是通过对原始资料的进一步挖掘，发现初始范畴之间的内在联系，从而提炼出主范畴的过程（Strauss and Corbin，1998）。围绕"市场型环境政策、绿色创新与企业绩效之间的关系研究"这一核心问题，将开放性编码中形成的 13 个初始范畴作为副范畴，按照归属关系模型进行联结，最终得到 6 个主范畴。联结结果及内在联系如表 9-5 所示。其中，A1 环保补助、A2 税收优惠、A6 绿色采购、A9 绿色信贷联结为 B1 激励型政策工具；A4 环境税联结为 B2 约束型政策工具；A3 绿色技术引进、A7 绿色技术创新与 A12 绿色技术转化联结为 B3 绿色创新；A8 政策推广和 A11 优化服务联结为 B4 政府行为；A13 企业资源联结为 B5 冗余资源；A5 经济绩效和 A10 环境绩效联结为 B6 企业绩效。

表 9-5　由主轴性编码形成的主、副范畴及其内在联系

主范畴	副范畴	主、副范畴内在联系
B1 激励型政策工具	A1 环保补助	主要指政府通过向企业提供补贴的方式分担企业的资金压力（Zhou and Wang，2020），属于直接资金激励
	A2 税收优惠	主要指政府通过税率优惠、加计扣除及税额抵免等方式减轻企业的税赋负担（Swiech-Kujawska，2020；Yang et al.，2020），是一种基于减税的激励
	A6 绿色采购	主要指政府通过优先购买及集中采购等方式拉动市场需求，激发企业生产绿色产品的热情（Song et al.，2017；Yang et al.，2019），是一种基于市场需求的激励
	A9 绿色信贷	主要指政府通过低利率、质押贷款及信用贷款等方式帮助企业解决绿色项目融资难题（Cui et al.，2018；He and Liu，2018），从而激励企业开展绿色项目，是一种基于融资的激励
B2 约束型政策工具	A4 环境税	主要指政府通过征收环境保护税的方式提高企业的排污成本，从而约束企业的污染行为（Shen and Li，2019）
B3 绿色创新	A3 绿色技术引进	主要指企业通过外部技术引进的方式实现绿色创新，是企业实现绿色创新的快速方式
	A7 绿色技术创新	主要指企业通过自主或联合研发方式实现创新，体现了企业的绿色创新能力
	A12 绿色技术转化	主要指企业将所拥有的科技成果进行继续开发和推广，将其转化为实际绩效的过程（Lin et al.，2021），是实现绿色创新的重要环节
B4 政府行为	A8 政策推广	主要表现为政府为普及政策所进行的政策宣传和辅导等，是政府行为的具体体现
	A11 优化服务	主要表现为政府通过税收调研建立完善的税收保障体系，以及用简化税收程序等方式更好地服务于人民，是政府行为的外在体现
B5 冗余资源	A13 企业资源	主要表现为企业潜在的、可利用的有形及无形资源（Bourgeois，1981；Gentry et al.，2016）
B6 企业绩效	A5 经济绩效	主要表现为利润、市场份额及营业收入等的增长（Chi and Gursoy，2009；Wang Z and Wang N，2012）
	A10 环境绩效	主要表现为企业在减少污染方面所取得的成绩（Corbett and Pan，2002）

3. 选择性编码

选择性编码是对主轴性编码中形成的主范畴进行不断分析和比较，归纳出核心范畴，并探索和发现核心范畴与各主范畴之间的内在联系，最终将各范畴之间的因果关系及脉络以故事线的形式串联起来形成完整的理论框架（Pandit，1996）。 在对原始资料进行深度挖掘的基础上对主轴性编码中形成的 6 个主范畴进行反复分析与比较后，以市场型环境政策（条件）—企业绿色创新（过程）—企业绩效（结果）作为"故事主线"，将政府行为与资源冗余作为情境因素嵌入故事模型之中，逐步勾画出市场型环境政策、绿色创新与企业绩效之间的作用机理模型。完整的故事脉络为：由激励型政策工具和约束型政策工具构成的市场型环境政策对绿色创新具有驱动作用，两者形成"政策—创新"模型；绿色创新对企业绩效具有促进作用，二者形成"创新—绩效"模型；政府行为与冗余资源对"政策—创新"模型具有调节作用，属于情境因素。其中，政府行为属于外部情境因素，资源冗余属于企业内部情境因素。典型关系结构及其内涵如表 9-6 所示；最终形成的理论模型，如图 9-1 所示。

表 9-6　主范畴典型结构关系及内涵

关系编码	典型结构	结构内涵
①	激励型政策工具+约束型政策工具→市场型环境政策	激励型政策工具和约束型政策工具主要通过拉动市场需求及改变企业成本等基于市场的方式激发企业行为
②	市场型环境政策→绿色创新	市场型环境政策通过绿色信贷、环保补助等激励方式，以及具有约束性的环境税激发企业的绿色创新行为
③	绿色创新→企业绩效	企业通过绿色技术引进、技术创新及技术转化使企业获得成本优势和差异化优势，从而促进绩效提升（Cai and Li，2018；Xie et al.，2019）
④	政府行为→②	政府通过对市场型环境政策的推广及服务改进，使得政策惠及更多企业，政策对绿色创新的促进作用进一步加强
⑤	资源冗余→②	冗余资源是企业抓住政策机遇进行绿色创新的自信与保障

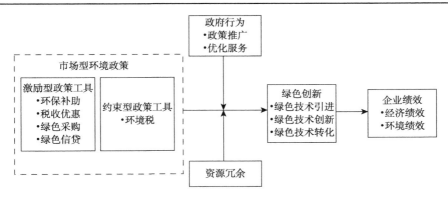

图 9-1　市场型环境政策、绿色创新与企业绩效的理论模型

4. 理论饱和度检验

理论饱和度是指即使再加入其他数据进行研究也不再有新范畴出现的时刻（Strauss and Corbin，1998）。为检验研究结果的理论饱和度，本节对现有的 113 个样本进行随机抽样，抽取 20 个样本进行再次编码，没有发现新的范畴，每一范畴也没有新的概念产生。因此，所得到的模型编码及模型构建在理论上是饱和的。

9.2.4　模型阐释与分析

1. 政策—创新模型

（1）市场型环境政策与绿色创新。市场型环境政策主要指政府通过优化市场资源配置的方式引导企业进行环境治理，降低污染排放水平的制度（Ren et al.，2018），包括激励型政策工具与约束性政策工具两种类型。与命令控制型政策工具相比，市场型环境政策具有效率高、灵活性强及成果显著的优点（Zhang and Wei，2010）。市场型环境政策工具的有效实施，可以使企业将政府的排污目标与自身利润最大化目标相结合，在不断的自我发展和转型中承担起减排责任，从而实现企业和政府的双赢。

从计划行为理论的角度出发，激励型政策工具以激励引导的治理方式取代了命令控制型政策的强硬治理方式，并向企业传达出风险共担和成本共摊的信息，在分担企业绿色创新成本的同时减轻了绿色创新的不确定性风险，从而改变了企业对绿色创新的行为态度，提高了企业的绿色创新意愿，促进了企业的绿色技术引进、绿色技术创新及绿色技术转化（Freire，2018）。具体地，激励型政策工具主要包括环保补助、税收优惠、绿色信贷和绿色采购四种类型。环保补助缓解了研发创新活动的高成本和低收益问题，从而提高了企业绿色创新的积极性（Wang et al.，2020a，2020b）；税收优惠减轻了企业的税赋负担，增加了企业的现金流，能够使企业实现资金的转移使用，即将更多的资金用于创新研发、技术引进及技术转化（Swiech-Kujawska，2020；Yang et al.，2020）；绿色信贷政策通过调整信贷结构将资金引入绿色行业，解决了企业绿色创新的融资难题（Cui et al.，2018），提高了企业进行绿色创新技术引进、技术研发及技术转化的意愿和可能性；绿色采购对绿色创新的驱动可以分为基于自我意愿的绿色创新和基于市场反应的绿色创新两条路径。基于市场反应的绿色创新路径为政策（条件）—需求（刺激）—创新（反应），即政府通过绿色采购向市场传递绿色信号，这种绿色信号不仅能够通过政府的优先购买和集中购买产生小规模的市场需求，而且能够通过政府的公共形象起到榜样力量，引导消费者树立绿色消费观念（Liao and Tsai，2019），从而产生更大规模的绿色产品需求，在市场需求的驱使下，企业进行绿色创新；基于自我意愿的绿色创新实现路径为政策（条件）—声誉（策略）—创新（发展），即企业接收到绿色信号以后，主动进行绿色创新并积极参与绿色采购，出于对政治声誉及绿色声誉的追求而主动进行绿色创新（Forsman，2013），以响应政府的绿色采购，塑造良好的企业形象。

约束型政策工具旨在通过对企业的污染行为进行约束，从而逐步减少企业的污染行为，引导企业进行清洁生产（Shen and Li，2019）。环境税是最常见的约束型政策工具。环境税通过环境治理费用内部化，增加企业的生产成本（Borsatto and Bazani，2021），当企业的边际成本大于或等于边际利润时，倒逼企业通过绿色技术引进、技术创新及技术转化进行绿色转型。

（2）市场型环境政策、政府行为与绿色创新。政府行为是影响"政策—创新"关系的外部情境因素，是市场型环境政策对绿色创新促进关系中的外部激励来源。浙江省政府通过政策推广和优化服务为市场型环境政策的执行营造了良好的制度环境，具体措施包括：通过发放问卷、实地调研等方式收集政策执行中的难点和问题，根据实际情况制定配套措施，为税收优惠、环保补助及环境税等政策的执行制定完整的实施和保障体系；通过简化税收程序，让群众"最多跑一次"，提高政策的实施效率；通过政策宣传和上门辅导等方式，将政策细节向纳税人普及，并指导企业进行税收优惠、环保补助等的申报，使政策更好地被落实。在良好的制度环境下，市场型环境政策的执行力度和效率得到提高，增强了对绿色创新的促进作用。

（3）市场型环境政策、资源冗余与绿色创新。资源冗余是影响"政策—创新"关系的内部情境因素，也是市场型环境政策激发企业绿色创新行为的内在条件。环保补助、税收优惠、环境税、绿色采购、绿色信贷等基于市场的政策会激发企业的绿色创新意愿（Long et al.，2017），而将绿色创新意愿转化为实际行动则取决于企业资源冗余数量和质量。企业能够支配的流动资源提高了企业在绿色创新链中的自我效能感（Li et al.，2019a），即在绿色技术引进、技术创新及技术转化过程中，企业拥有的资源越多，克服困难的能力就越强，从而取得成功的可能性就越高（Long et al.，2017）；另一方面，绿色创新具有风险高、回报周期长的特点（Zhang and Zhu，2019），冗余资源提高了企业的风险承担能力，从而增强了企业抓住政策机遇进行环境创新的可能性。

2. 创新—绩效模型

绿色创新是一种通过技术改进从而减少污染物的排放和提高资源利用率的创新（Alfred and Adam，2009），主要包括绿色技术引进、绿色技术创新与绿色技术转化三个阶段。绿色技术引进是绿色创新的第一个阶段，也是企业获得绿色技术最快、风险最小的方式（Lin et al.，2021）；绿色技术创新具有高风险和高投入的特点（Zhang and Zhu，2019）；绿色技术转化则是继续对绿色成果进行研究、开发和扩散，从而转化为实际生产力的过程（Lin et al.，2021），是绿色创新的最后一个阶段，也是产生实际效益的阶段。

绿色创新是企业应对日益增长的经济压力和环境压力的有效手段（Chen et al.，2006；Chen，2008；Schiederig et al.，2012），也是改善环境绩效和获得可持续竞争优势的关键因素（Rennings，2000）。波特假说认为，创新能够引导企业实现从传统的技术范式向新的技术范式的转变，技术创新产生的预期效益能够弥补创新所产生的成本（Porter and van der Linde，1995a；Bai et al.，2019），因此，创新能够提高企业绩效。具体地，企业通过绿色技术引进、技术研发及技术转化等方式在生产过程中实现能源节约、污染防治及废物循环利用（Zhang and Zhu，2019），从而减少企业的污染排放，在提高环境绩效的同时减少企业的污染治理成本（Chen et al.，2017），实现清洁生产和成本节约的双重效益。此外，企业通过绿色技术创新生产出具有新颖性的绿色产品，使企业获得差异化竞争优势（Liao，2016；Kong et al.，2016）。这种差异化优势由于绿色创新具有成本高、周期长等特点（Berrone et al.，2013），在很长一段时间内难以被模仿和替代，逐渐内化成企业的稀缺资源，发展为企业的长期和持续竞争优势（Demirel and Kesidou，2011；You et al.，2019），最终为企业带来良好的经济效益。

9.2.5　结论与展望

1. 研究结论

本节通过对文本资料的收集，采用扎根理论的研究方法对文本进行编码，提炼了市场型环境政策、绿色创新及企业绩效的维度构成，并进一步对原始资料进行挖掘，根据条件—过程—结果的逻辑关系构建了市场型环境政策、企业绿色创新与绩效之间的作用机理模型。具体地，本节的主要结论如下。

第一，作为条件的市场型环境政策由激励型政策工具和约束型政策工具构成，激励型政策工具包括环保补助、税收优惠、绿色信贷和绿色采购；约束型政策工具包括环境税。作为过程的绿色创新包括绿色技术引进、绿色技术创新及绿色技术转化三个阶段，作为结果的企业绩效包括环境绩效和经济绩效两个维度。第二，市场型环境政策能够促进企业的绿色创新，绿色创新能够提升企业绩效，由此将市场型环境政策、绿色创新与企业绩效纳入整体框架之中，形成市场型环境政策（条件）—绿色创新（过程）—企业绩效（结果）的作用链。第三，资源冗余作为内部情境因素，通过增强企业的自我效能和风险承担能力提高企业的绿色创新意愿，从而强化市场型环境政策对企业绿色创新的促进作用；政府行为作为外部情境因素，通过政策推广及优化服务等方式为政策的实施和发挥创造良好的政策环境，从而促进市场型环境政策对绿色创新的效果。

2. 理论贡献

本节的理论价值体现在以下两个方面。第一，从质性研究的角度揭示了市场型环境政策（条件）—绿色创新（过程）—企业绩效（结果）三者间的作用关系。以往研究大多从实证角度探索市场型环境政策、绿色创新与企业绩效之间的关系，缺少将三者联结起来进行系统考察的研究及质性研究。因此，本节采用扎根理论的方法为市场型环境政策、绿色创新与企业绩效之间的关系研究提供了经验证据，弥补了以往研究的不足，也对相关理论的发展起到一定促进作用。第二，从情境因素的视角打开了市场型环境政策与企业绿色创新之间的"黑箱"，丰富和完善了绿色创新理论。本节通过对《浙江日报》相关内容的深度挖掘，发现了资源冗余及政府行为作为内外部情境因素在市场型环境政策与企业绿色创新之间发挥的作用，加深了市场型环境政策驱动企业绿色创新的这一作用机制的系统研究。

3. 管理启示

本节得出的结论对企业具有以下三方面启示。首先，市场型环境政策有利于企业的绿色创新，因此，企业应当提高对政策的灵敏度，及时抓住政策机遇进行绿色创新以形成先发优势，如利用环保补助政策进行绿色技术引进；利用绿色信贷政策启动绿色技术创新项目及进行绿色技术转化，运用政策机遇推动自身发展。其次，在利用政策进行绿色创新的过程中，企业应当根据绿色创新阶段的不同合理分配和投入资源，保证绿色技术引进、绿色技术创新及绿色技术转化各环节的顺利衔接，促进绿色创新的成功。最后，绿色创新能够提高企业绩效，因此企业应当合理规划绿色技术引进、绿色技术创新及绿色技术转化的强度和比例，从而加大绿色创新的力度，实现经济效益和环境效益的双赢。

4. 研究不足与未来展望

本节在取得进展的同时也存在一些不足。例如，本节仅采用扎根理论的研究方法进行了探索，编码过程可能存在一定的主观性，实际结果与研究结果之间可能存在一定偏差。因此未来研究可以通过实证研究与质性研究相结合的方法进行再次探索。此外，本节仅基于《浙江日报》探索了浙江省市场型环境政策、绿色创新与企业绩效的关系，未来研究可以突破省份界限选择更具代表性的样本研究更具普适性的结论。

9.3　本　章　小　结

　　为了挖掘国内外推进绿色创新的市场型环境政策的经验，本章采用系统性文献综述的方法，对文献中涉及的国外市场型环境政策工具进行了分析，结果表明：国外推进绿色创新综合运用了环保补助、税收优惠、环境税、绿色采购和绿色信贷五类市场型环境政策工具；五类市场型环境政策工具运用于绿色创新的多个环节，并且有相关的法律体系以确保政策工具作用的发挥；在市场型环境政策的设计中，应考虑政策的严厉性、预期和灵活性与政策工具的组合，以及影响这些政策设计特征的因素。此外，本章以浙江省为研究对象，采用扎根理论的研究方法，分析了浙江省构建市场型环境政策推进绿色创新与提升企业绩效的经验，研究发现，由激励型政策工具和约束型政策工具构成的市场型环境政策工具对绿色创新具有促进作用；资源冗余和政府行为作为内外部情境因素对市场型环境政策与绿色创新之间的关系具有调节作用；绿色创新能够促进企业绩效的提升。

（本章执笔人：廖中举，刘燕，朱相）

第 10 章 完善推进绿色创新的市场型环境政策体系的对策建议

上述 4~9 章梳理了国内外推进绿色创新的市场型环境政策、评估了不同的市场型环境政策工具对绿色创新的影响作用及基于仿真研究寻找了促进绿色创新的市场型环境政策工具的优化路径等，本章基于前面的研究，提出相应的对策建议。

10.1 单一市场型环境政策的实现机制研究

10.1.1 完善环保补助政策的对策建议

1）规范环保补助发放流程，制定科学的发放标准

一是制定严格的审批流程，提高补贴效果。针对环保补助，政府应制定更加严格的审批流程，采取多样化的调查方式。除对项目的贡献率、绿色化程度及技术难度进行审核外，还应对企业的绿色技术能力、研发成果及绿色研发投入情况等进行考察，确保企业获得的环保补助与其研发意愿和实力相符，从而提高环保补助资金的使用效率。二是制定科学的补贴标准，实现环保补助的激励效应。环保补助对企业绿色创新的作用效果受补贴数额、企业产权性质、市场竞争及地区差异等因素的影响。例如，环保补助的数额并非越多越好，过高的补贴可能会使企业产生依赖，增加政府的负担并影响企业的绿色创新。因此，应制定更加科学合理的补贴发放标准，使环保补贴的效果最大化。

2）强化环保补助的事后监督，提高环保补助的使用效率

一是建立环保补助信息公示平台，形成全面监督。提高环保补助的使用效率，真正发挥环保补助的激励效用。可以建立环保补助信息公示平台，解决公众与政府、企业之间的信息不对称问题，提高环保补助过程中政府审批环节到企业资金

利用整体过程的透明度。二是建立惩罚机制，规范资金使用。为确保环保补助资金真正用于绿色项目的研发和建设，减少企业的寻租行为，应建立定期和不定期相结合的审查机制和相应的惩罚机制，对资金的不规范使用进行处罚。三是明确环保补助项目的验收责任主体，制定更加严格的验收标准。明确各责任主体的验收责任，细化验收程序及验收标准，扩大绿色成果质量在成果认定中的占比，突出其重要程度，着重对绿色专利质量、污染物排放量的减少比例及资源节约率等进行审查和验收。

10.1.2　完善税收优惠政策的对策建议

1）完善税收优惠的法律体系，全方位促进企业的绿色创新

一是提高政策的权威性，形成完整的政策体系。目前，我国有关税收优惠的政策多以通知、暂行条例等形式存在，无法给企业带来足够的安全感，导致企业进行绿色创新的热情不高。因此，应对绿色创新相关的税收政策进行详细的整合，以明晰和权威的法律法规为企业指引发展方向。二是合理设置税收环节，实现全过程优惠。我国税收优惠实行的是事后补贴，即在创新过程中，企业需要率先投入资金启动项目，在纳税时对与创新相关的部分费用进行减免或加计扣除。应合理设置税收环节，加大税收优惠力度，使税收优惠作用于绿色技术研发至成果转移转化的全过程，减轻企业的资金负担和绿色创新风险。

2）加大政策宣传力度，提高企业对税收优惠政策的熟知度

政府部门应主动向企业传达政策内容，并通过走访、调研等形式制定针对企业的政策培训，利用税收优惠政策为企业的绿色发展指明方向。针对一些未上市的中小企业对政策的敏感度不强问题，税务机关和政策宣传部门可以加大有关绿色创新的税收优惠政策的宣传力度，尤其是在政策刚刚颁布或试行时，采用电视新闻、网络、电台等方式加大对政策的宣传和讲解，明确税收优惠的政策内容及申报条件，争取使满足条件及通过努力能够满足条件的企业知晓，促进企业为满足税收优惠条件不断进行绿色创新。

10.1.3　完善环境税政策的对策建议

1）进一步加强环境税的征收力度，提高绿色发展成效

一是逐步完善课税对象，扩大征税范围。在合理监测和衡量计税依据的基础上逐步完善课税对象，扩大环境税的征收范围，在最大程度上对环境污染进行整治，从而促进绿色发展。可以借鉴美国、荷兰、芬兰、英国等的环境税征管体系，将家

庭产出的超标污染物、移动污染源、挥发性有机物等纳入征税体系，并建立全方位覆盖的监管系统，真正发挥环境税的作用。二是合理调整征税税率，促进企业绿色转型。在部分行业，企业需要缴纳的环境税远远低于治理成本，导致企业绿色转型的意愿较低；而较高水平的环境税则会加重企业的负担，挤占企业的资金用途，从而抑制企业的绿色创新。因此，应合理调整环境税的征税税率，使环境税真正起到促进企业绿色创新的作用。在设置环境税的税率范围时，除考虑地区差异以外，还应综合考虑企业的利润水平及排放的污染物对环境产生的影响等。

2）规范纳税人和计税依据管理，完善税收征收管理过程

一是建立信息共享平台，掌握纳税人的动态信息。例如，借鉴荷兰、美国等国家的发展经验，加强环保部门和税务部门及其他部门之间的合作和交流，建立信息共享平台，防止漏征情况。此外，环保部门定期将监测到的及手工整理的企业排污数据上传到平台，提高税务部门与环保部门之间的信息沟通效率及沟通质量，提高环境税的征收效率，完善环境税的征收管理。二是规范第三方中介市场，确保监测报告的准确性。加强对第三方中介机构的管理，规范其市场行为，确保环境监测报告的准确性。加强对中介机构的违法惩治力度，定期对中介机构进行抽检，一旦发现其出具的监测报告数据存在作假行为则要求其停业接受调查，采取多种措施加重惩罚力度。通过规范第三方中介机构的市场行为，提高监测报告的准确性，逐步完善环境税的计税依据。

10.1.4 完善绿色采购政策的对策建议

1）促进企业的绿色生产，扩大绿色采购的范围和选择

一是转变消费者的购买意愿，以绿色消费需求促进企业绿色生产。政府可通过线上线下多种渠道向消费者传达绿色消费观念，加大对绿色发展的宣传，引导消费者在购买商品或服务时优先选择绿色产品。把绿色消费观念全方位渗入消费者的生活，以需求拉动供应，吸引更多企业加入绿色生产行列，逐渐进行转型升级，达到政府的绿色招标要求，从而使政府在绿色招标时拥有更多的选择，提高绿色采购产品的性价比及绩效。二是吸引民间资本加入绿色投资，为绿色生产提供更多融资和机会。政府应不断出台和完善与绿色发展相关的法律法规，制定相应的风险补偿和预警机制，平衡私人投资者绿色投资的风险和回报，引导私人资金流向绿色领域，激发企业绿色发展和绿色制造的热情和可能性。

2）建立完善的政策实施体系和统一的标准认证体系，提高绿色采购清单的科学性

一是完善绿色采购的相关立法，形成详细的政策实施体系。借鉴美国、欧盟

及韩国等较早制定绿色采购政策且较为成功的经验，加强部门之间的沟通协调，形成统一和完整的政策实施体系，明确实施细则，提高政策的可执行性。二是建立统一的认证标准。为确保绿色采购的环境效益和长期发展，应根据产品生命周期制定统一的认证标准，严格规范绿色产品认证。三是优化和改进绿色采购清单。绿色产品不仅体现为终端绿色，还包括初始设计、材料获取等各个环节的环保特征。借鉴欧盟的做法，对产品从"生产—使用—废弃"整个生命周期进行考量，对绿色采购清单进行优化，扩大绿色采购清单的范围和科学性。

3）完善绿色采购的过程监督和事后评估，提高绿色采购绩效

一是建立监督机制，做到最大限度地公开透明。建立内外部相结合的权力监督机制，对绿色采购过程进行监督。内部监督形成"事前—事中—事后"的全过程监督，事前监督主要对绿色采购预算、整体计划及实施方案进行审核，事中监督主要对绿色采购实际实施过程进行监督，事后监督主要对绿色采购实施效果进行审核。二是建立经济效益和环境效益相结合的综合评价体系，科学衡量绿色采购绩效。根据产品或服务特征，制定具有针对性的效益评估方法，综合评价绿色采购获得的产品或服务所产生的经济效益和环境效益。通过对绿色采购效果的科学评估进一步改进和优化绿色采购方案，使绿色采购能够在最高性价比的基础上最大限度实现绿色化，节约能源的消耗及后期污染治理费用，提高绿色采购绩效。

10.1.5　完善绿色信贷政策的对策建议

1）完善绿色信贷相关的政策体系

建议政府进一步优化绿色信贷政策法规，明确政策实施的相关细节。鼓励多部门联合发布政策，确保政策的客观性和合理性，形成完整、全方位的政策链；在中央政策的基础上，地方政府根据本地企业发展实际情况、经济发展水平等制定更加详细和具体的绿色信贷政策，对中央政策实行细节补充的同时使其适应本地发展，形成从中央到地方上下一体的、详细的绿色信贷政策，运用金融政策加强产业指导，扶持绿色产业的同时促进"两高一剩"行业的转型。此外，高耗能、高污染行业仍然是部分地区经济发展的主导力量，对此，国家应加强对地方政府的监督，严格审查和控制地方政府对环保资质证书等环保凭证的出具和颁布，确保国家能够获取真实的环境信息，从而能够合理确定绿色信贷的实施力度。

2）建立共享的环境信息流通网络，提高金融机构的绿色意识

一是鼓励企业"上云"，利用互联网大数据实时获取和监测企业的环境数据。对标德国、日本、美国、韩国等国家，重点推进工业环境污染实时监测系统的研发，采用政策鼓励、银行支持、企业自愿等方式推动企业加入污染监测系统云平

台，使政府和银行能够得到最真实准确的环境信息，从而解决绿色信贷主体之间的信息不对称问题，降低绿色信贷的风险。二是提高金融机构的绿色意识，将绿色信贷的发展推向正轨。商业银行发展绿色信贷和履行社会责任的动力来自政府的强制性法规、社会公众的期望、媒体监督等外部因素。因此，将商业银行发展绿色信贷的外部监督驱动转化为内部自我意愿和自我认识将大大推动绿色信贷的发展规模和质量。政府应进一步完善绿色信贷的实施体系、保障体系、激励体系等综合体系的建设，引导商业银行注重长远发展，转变商业银行对绿色信贷的看法，即发展和推行绿色信贷不是政府强制下的一种公益行为，而是塑造品牌形象及提高核心竞争力的一种方式，从而提高商业银行推动绿色发展的积极性。

10.2　市场型环境政策组合的实现机制研究

10.2.1　根据不同的创新阶段设置具有针对性的市场型政策组合

绿色创新是一个连续的过程，包括绿色技术引进、绿色技术创新及绿色技术转化，每一项政策对每一环节的激励效果都有所差异，因此，应根据每一环节的特点调整政策的实施强度，实现政策的协同效应最大化。

1. 完善绿色技术引进阶段政策工具组合的对策建议

在绿色技术引进阶段，需要强化绿色信贷政策的实施力度。绿色技术引进是企业实现绿色创新的有效方式，也是需要一次性投入资金较多的方式。绿色信贷政策能够解决企业的资金投入问题，在不挤占其他项目资源的情况下预先将技术引入企业，后通过技术产生的收益归还银行贷款，使企业以压力最轻的方式实现清洁生产。为促进企业绿色技术的引进，政府应当制定以绿色信贷为主、税收优惠及绿色采购等政策为辅的政策激励组合。

一是细化绿色信贷的相关政策，将绿色信贷政策向绿色技术引进端倾斜，适当放宽绿色技术引进的绿色信贷要求，并适当扩大技术引进的资金数额，最大限度利用政策优惠激发企业的技术引进热情。二是银行内部应建立绿色信贷动态评价机制，企业应当提交需要引进的技术的相关资料及企业当前状况的详细资料，由专业的金融及环境管理人员对企业技术引进的风险及预期收益进行评估，包括技术能够在企业成功实施的概率、成功实施后能够产生的经济效益及环境效益，以此确定企业的贷款额度。三是在解决企业绿色技术引进资金问题的基础上辅之以税收优惠及政府绿色采购政策，进一步激发企业的绿色技术引进热情，实现政策间的协同效应。

2. 完善绿色技术创新阶段政策工具组合的对策建议

绿色技术创新是绿色创新链中风险最大的一环，为了在提高企业激励效应的同时培养企业的自主创新能力，防止企业对政府的过度依赖，应当提高环保补助政策的实施强度并合理搭配以环保补助与税收优惠、绿色采购及环境税为主的组合政策，相应降低绿色信贷政策的实施力度。

一是降低绿色信贷政策的实施力度。政策之间除存在协同效应外，还存在挤出和替代效应，如环保补助是政府拨付给企业的一项专项资金或者资源，不仅能够减轻企业的经济压力，而且能够分担企业的绿色创新风险，而绿色信贷也是一种直接向企业提供资金的方式，当两种激励方式同时存在时，可能会降低彼此单独使用时的效果。因此，为确保环保补助资金的定向使用和提高资金的使用效率，应当适当提高获得环保补助的企业的绿色信贷申请门槛，避免企业的寻租行为和政策的挤出效应。

二是根据项目性质和特点构建并强化以环保补助为主体的政策组合体系，包括补助-优惠、补助-采购及补助-税收组合。对于技术创新类项目，强化以环保补助和税收优惠为主的政策组合，对于获得环保补助的绿色创新项目，可按照阶段性成果享受不同的税收优惠政策，不仅能在一定程度上确保环保补助资金的专项使用，而且能够使企业获得的税收优惠重新投入创新环节，增加绿色创新项目的资源，也能提高企业绿色创新成功的可能性；对于绿色产品创新项目，强化环保补助和绿色采购的政策组合，环保补助下发到企业后，由于缺少事后监督和追踪，资金可能被企业挪作他用，从而无法实现环保补助政策的效果，而绿色采购政策的存在成为企业进行专款专用的催化剂和原因。政府绿色采购拉动了市场需求，对企业环保补助的专项资金使用产生了软性约束和隐性监督，提高了企业的绿色创新意愿，从而使环保补助资金达到了专款专用的效果，促进企业的绿色产品创新，因此，政府在扩大环保补助范围和强度的同时，应扩大绿色采购范围和额度，激发政策的协同效应；对于创新难度大、风险高的绿色项目，强化以环保补助及环境税为主体的政策组合，降低环保补助的申请门槛，同时提高环境税的征收力度和范围，以软性和硬性相结合的方式鼓励企业申请环保补助并利用所得的环保补助进行绿色技术创新，通过绿色技术创新降低污染排放量，实现经济与环境的协调发展。

3. 完善绿色技术转移转化阶段政策工具组合的对策建议

在绿色技术转化阶段，强化以税收优惠为核心的政策组合，推动建立绿色技术创新向创新成果的转化机制。绿色技术转化是将创新成果转化为实际生产力的过程，也是绿色创新的最后一个阶段。在这一阶段，政府可以采取税收优惠+绿色信贷的双重直接激励，也可以采取税收优惠+绿色采购的双重间接激励，辅之以环境税的反向激励推动企业进行绿色创新转化。

一是政府应强化税收优惠和绿色信贷的激励作用，通过在绿色技术转化过程中采用税额抵扣、税收减免及即征即退等方式加大对绿色生产和绿色管理的税收优惠力度，提高企业的绿色创新意愿和动机，同时进一步推广绿色信贷政策，将企业的绿色创新成果作为融资的审批依据之一，鼓励企业通过绿色抵押和信用贷款等方式进行绿色融资，为企业的绿色技术转化提供直接支持，促进企业的绿色生产和绿色转型。

二是突出税收优惠和绿色采购的间接激励，并强化环境税收的反向激励。扩大绿色技术转化过程中的税收优惠范围及实现清洁生产的优惠力度，同时提高绿色采购在政府采购中的比例，逐渐扩大绿色采购的范围，利用绿色采购的影响力转变消费者的消费观念，推行绿色消费，拉动绿色产品的市场需求，利用税收优惠及绿色采购的间接激励强化市场型环境政策对企业绿色技术转化的激励作用。在此基础上，扩大环境税的征税范围，提高环境税的征收额度，使企业的违规成本、治污成本及放弃绿色发展和绿色转型的机会成本之和大于进行绿色技术转化的成本，从而促进企业的绿色技术转化。

10.2.2　根据地区差异确定各项市场型环境政策工具的实施力度

首先，完整的市场型环境政策体系的建立应综合考量其对环境污染的治理、对企业绿色转型的激励等多种情况，使政策组合后的协同效应能够产生最大化的综合影响。国家应制定弹性的市场型环境政策体系，适当扩大地方的权利，使地方能够根据本地的环境污染情况、经济发展情况及企业发展阶段、规模和实际需求等制定具有针对性的市场型环境政策体系，合理规划本地区的环保支出与激励及税收力度，在实现绿色发展的同时降低对经济发展的负向影响。此外，为监督地方对环保权力的正确和充分使用，中央应扩大环境考核在地方考核中的比重，通过各个地区的努力和环境治理，进一步推动国家整体的生态文明建设。

其次，通过环境考核评选绿色发展模范省份、模范地市，总结模范省市的绿色发展经验并进行推广，为绿色发展落后的地区提供经验借鉴，鼓励污染严重和治理成效差的省市努力向市场型环境政策体系综合效果显著的省市学习，在经验借鉴的基础上构建适用于本地情况的市场型环境政策体系。通过对绿色发展经验的学习与借鉴提升本地政策的经济效应与减排效应，将统筹发展理念融入环境治理。此外，通过模范省市构建绿色发展集群。将经济发展情况、产业结构、污染情况及资源状况等相近的省份或地市划定为同一绿色发展集群，打破地域限制，加强区域间在市场型环境政策体系构建中的交流与合作。在各个省市针对自身优势产业制定的政策组合取得成效的基础上，可将这些成功经验进行结合形成对相似产业普遍约束的综合环境政策，对集群内的相似产业采取统一的政策，通过对成功政策组合的复制、集合和发展，形成具有强劲约束力且效率高、成效显著的政策体系。

最后，根据经济发展实力和环境状况适当进行政策倾斜。不同地区由于地方经济发展存在差异，因此对政策的敏感度有所不同。国家应当根据地方发展的实际需求，适当进行政策倾斜，推动重污染行业的绿色转型和地方的绿色发展。西部地区经济发展相对落后，绿色创新能力和水平不高，且缺乏相应的绿色创新人才，因此西部地区应推广以环保补助、税收优惠、绿色信贷及绿色采购为核心的金融激励型政策，且将政策向技术引进端倾斜，鼓励西部地区通过绿色技术引进快速实现绿色发展和绿色转型。使绿色信贷侧重于绿色技术引进阶段，使环保补助侧重于绿色技术转化阶段，加大绿色技术引进方面的税收优惠，加强西部地区的绿色技术创新的人才培养，减轻重污染行业的转型难度并提高其转型速度。在中部地区实施激励+惩罚型政策组合，并且将政策向绿色技术创新端倾斜。通过环保补助及税收优惠为核心的正向激励以及环境税的反向激励，共同激发中部地区的绿色创新能力，实现中部地区的绿色发展。相对于西部和中部地区，东部地区经济更加发达，拥有更多创新人才和资源。因此，在东部地区建立补助加需求型政策体系，并将政策向绿色技术转化端倾斜。通过以环保补助和绿色采购为核心的政策体系，激发东部地区的重污染行业企业利用自身资源优势和区位优势进行创新的积极性，在不损害自身经济发展的情况下逐渐进行绿色转型，实现可持续发展。

10.2.3　根据行业差异确定激励型政策工具与约束型政策工具的比例

第一，根据行业特点制定市场型环境政策体系。不同行业的利润率、污染物的产生和流动过程及转型难度存在较大差异，因此政府应根据行业的不同特点确定不同政策的实施强度，实现激励效应最大化。在出台相关政策时，应明确政策影响的具体行业，从而提高政策的精准性和有效性。例如，针对高耗能行业，采取激励+惩罚的政策组合，突出环境税、绿色信贷和环保补助的核心作用；针对低耗能行业，采取税收优惠+绿色信贷+环保补助的金融激励型政策。在政策保障及约束的基础上，政府应做好资本投资方面的引导，加大对环保产业的扶持和税收优惠力度，为环保产业的发展营造良好的市场环境，使资金按照市场规律流向环保产业，增加高耗能行业除绿色融资以外的其他融资的融资难度，促使高耗能行业主动进行绿色转型。

第二，政府应制定不同的政策组合，并通过不同的途径引导产业优化升级。在技术含量高的行业，提高税收惩罚的实施力度，而在技术含量低的行业则采取优惠大于惩罚的方式推动企业的绿色发展。此外，政府应加大对高耗能行业的替代品产业的扶持力度和税收优惠力度，并加大对替代产品的购买补贴力度和基础设施建设。以替代品产业的快速发展挤压高耗能行业的市场份额，优化资源配置，倒逼高耗能行业进行绿色转型。

10.3　本 章 小 结

本章基于前面几个部分的研究，从单一政策工具和政策工具组合的视角提出了完善推进绿色创新的市场型政策工具的对策建议。从单一政策工具视角，提出"强化环保补助的事后监督，提高环保补助的使用效率；完善税收优惠的法律体系，全方位促进企业的绿色创新"等对策建议。从政策工具组合视角，提出"根据不同的创新阶段设置具有针对性的政策组合，实现协同效应最大化；根据地区差异确定各项市场型环境政策工具的实施力度，实现政策组合与实施环境的最优匹配；根据行业差异确定激励型政策工具与约束型政策工具的比例，实现正向激励与反向激励的最优综合管理"等对策建议。

（本章执笔人：廖中举，刘燕）

参 考 文 献

白俊红，李瑞茜. 2013. 政府R&D资助企业技术创新研究述评. 中国科技论坛，1（9）：32-37.

毕茜，于连超. 2016. 环境税的企业绿色投资效应研究——基于面板分位数回归的实证研究. 中国人口·资源与环境，26（3）：76-82.

蔡栋梁，闫懿，程树磊. 2019. 碳排放补贴、碳税对环境质量的影响研究. 中国人口·资源与环境，29（11）：59-70.

蔡海静，汪祥耀，谭超. 2019. 绿色信贷政策、企业新增银行借款与环保效应. 会计研究，（3）：88-95.

曹阳，易其其. 2018. 政府补助对企业研发投入与绩效的影响——基于生物医药制造业的实证研究. 科技管理研究，38（1）：40-46.

陈红，刘霞，刘东霞，等. 2021. 企业双元战略、互补资产与创新绩效——基于模糊集定性比较分析. 中国科技论坛，（4）：102-109.

陈红，张玉，刘东霞. 2019. 政府补助、税收优惠与企业创新绩效——不同生命周期阶段的实证研究. 南开管理评论，22（3）：187-200.

陈利锋. 2019. 环境保护税与环保技术进步的宏观经济效应. 南方金融，（11）：11-22.

陈琪. 2019. 中国绿色信贷政策落实了吗——基于"两高一剩"企业贷款规模和成本的分析. 当代财经，（3）：120-131.

陈琪，张广宇. 2019. 绿色信贷对企业债务融资的影响研究——来自重污染企业的经验数据. 财会通讯，（8）：36-40.

陈诗一. 2011. 边际减排成本与中国环境税改革. 中国社会科学，（3）：85-100，222.

陈帅，张会亚. 2019. 钢铁行业节能减排补贴政策技术进步效应实证研究——基于17家上市公司面板数据. 环境保护，47（2）：44-48.

陈婉. 2021. 深入推进绿色采购，加速打造低碳竞争力. 环境经济，（6）：44-45.

陈毓佳. 2018. 绿色信贷、技术进步与产业结构优化——基于中国省际面板数据的实证分析. 浙江工商大学硕士学位论文.

陈远燕，何明俊，张鑫媛. 2018. 财政补贴、税收优惠与企业创新产出结构——来自中国高新技术上市公司的证据. 税务研究，（12）：48-54.

陈志刚，吴丽萍. 2021. 政府采购、信贷约束与企业技术创新. 科技管理研究，41（6）：1-10.

程华，廖中举. 2011. 中国区域环境创新绩效评价与研究. 中国环境科学，31（3）：522-528.

程建平. 2020. 企业绿色创新激励选择：环境税还是环境执法监管. 财会通讯，（16）：43-46.

程曦，蔡秀云.2017.税收政策对企业技术创新的激励效应——基于异质性企业的实证分析.中南财经政法大学学报，（6）：94-102，159-160.

程仲鸣，张鹏.2017.财税激励政策、政府质量与企业技术创新.南京财经大学学报，（3）：53-64.

储德银，纪凡，杨珊.2017.财政补贴、税收优惠与战略性新兴产业专利产出.税务研究，（4）：99-104.

褚睿刚.2018.环境创新税收政策解构与重构：由单一工具转向组合工具.科技进步与对策，35（10）：107-114.

褚媛媛.2019.企业环保支出、政府环保补助对绿色技术创新的影响研究.西南交通大学硕士学位论文.

崔广慧，刘常青.2017.政府环保补助与企业价值创造——新会计准则实施的调节作用.财会通讯，（12）：71-73.

崔森，肖咪咪，王淑娟.2019.组织创新氛围研究的元分析.南开管理评论，22（1）：98-110.

戴鸿轶，柳卸林.2009.对环境创新研究的一些评论.科学学研究，27（11）：1601-1610.

邓翔，瞿小松，路征.2012.欧盟环境政策的新发展及启示.财经科学，（11）：109-116.

邓雪琳.2015.改革开放以来中国政府职能转变的测量——基于国务院政府工作报告（1978—2015）的文本分析.中国行政管理，（8）：30-36.

董颖，石磊.2010.生态创新的内涵、分类体系与研究进展.生态学报，30（9）：2465-2474.

杜运周，贾良定.2017.组态视角与定性比较分析（QCA）：管理学研究的一条新道路.管理世界，（6）：155-167.

范丹，梁佩凤，刘斌，等.2018.中国环境税费政策的双重红利效应——基于系统 GMM 与面板门槛模型的估计.中国环境科学，38（9）：3576-3583.

范莉莉，褚媛媛.2019.企业环保支出、政府环保补助与绿色技术创新.资源开发与市场，35（1）：20-25，37.

方文雷，何赛.2016.政府补贴与企业 R&D 投入、产出的门槛效应——基于上市高新技术企业的实证分析.金融纵横，（1）：65-72.

封红旗，吴芸芸，熊亮亮.2019.基于系统动力学的政府补贴政策对绿色采购供应链的影响机制研究.中国矿业大学学报（社会科学版），21（3）：80-91.

冯海红，曲婉，李铭禄.2015.税收优惠政策有利于企业加大研发投入吗.科学学研究，33（5）：665-673.

扶乐婷.2018.环保补助、产权性质与企业环境绩效.湖南师范大学硕士学位论文.

傅利平，李小静.2014.政府补贴在企业创新过程的信号传递效应分析——基于战略性新兴产业上市公司面板数据.系统工程，32（11）：50-58.

高太平.2012.加快中小企业发展的财税政策探析.企业经济，31（1）：182-184.

葛剑雄.1997.我看东西方文化.天津社会科学，6：41-45.

耿云江，赵欣欣.2020.环境规制、绿色创新与企业绩效——基于重污染上市公司的经验检验.财务研究，（2）：15-24.

郭玲玲，王东辉.2019.财政透明度、政治关联与政府补助——基于反腐败背景的研究.财会通讯，（15）：87-90.

郭佩霞.2011.促进创新型中小企业发展的财税政策取向.税务研究，（6）：10-15.

郭然, 原毅军. 2020. 环境规制、研发补贴与产业结构升级. 科学学研究, 38（12）: 2140-2149.

郭韬, 丁小洲, 任雪娇. 2019. 制度环境, 商业模式与创新绩效的关系研究——基于系统动力学的仿真分析. 管理评论, 31（9）: 193-206.

郭英远, 张胜, 张丹萍. 2018. 环境规制、政府研发资助与绿色技术创新: 抑制或促进？——一个研究综述. 华东经济管理, 32（7）: 40-47.

韩琳. 2018. 我国政府绿色采购发展的现实困境与政策建议. 中国市场,（25）: 157-158.

何欢浪. 2015. 不同环境政策对企业出口和绿色技术创新的影响. 兰州学刊,（10）: 154-158.

何凌云, 黎姿, 梁宵, 等. 2020. 政府补贴、税收优惠还是低利率贷款？——产业政策对环保产业绿色技术创新的作用比较. 中国地质大学学报（社会科学版）, 20（6）: 42-58.

何凌云, 梁宵, 杨晓蕾, 等. 2019. 绿色信贷能促进环保企业技术创新吗. 金融经济学研究, 34（5）: 109-121.

何小钢. 2014. 绿色技术创新的最优规制结构研究——基于研发支持与环境规制的双重互动效应. 经济管理, 36（11）: 144-153.

洪连埔, 刘嫣, 张翔. 2019. 企业 R&D 税收优惠政策效应分析——基于中国经验数据的实证研究. 税收经济研究, 24（1）: 63-70.

胡凯, 吴清. 2018. R&D 税收激励产业政策与企业生产率. 产业经济研究,（3）: 115-126.

扈瑞鹏, 马玉琪, 赵彦云. 2016. 高新技术产业创新效率及影响因素的实证研究——以中关村科技园为例. 现代管理科学,（10）: 21-23.

黄春元. 2015. 中国能源税问题研究——基础理论、经验借鉴与制度设计. 对外经济贸易大学博士学位论文.

黄永明, 何伟. 2006. 技术创新的税收激励: 理论与实践. 财政研究,（10）: 47-49.

黄钟仪, 赵骅, 许亚楠. 2020. 众创空间创新产出影响因素的协同作用研究——基于 31 个省市众创空间数据的模糊集定性比较分析. 科研管理, 41（5）: 21-31.

孔繁彬, 原毅军. 2019. 环境规制、环境研发与绿色技术进步. 运筹与管理, 28（2）: 98-105.

李长英, 赵忠涛. 2020. 技术多样化对企业创新数量和创新质量的影响研究. 经济学动态,（6）: 15-29.

李传喜, 赵讯. 2016. 我国高新技术企业财税激励研发投入效应研究. 税务研究,（2）: 105-109.

李大宇, 米加宁, 徐磊. 2011. 公共政策仿真方法: 原理、应用与前景. 公共管理学报, 8（4）: 8-20, 122-123.

李昊洋, 程小可, 高升好. 2017. 税收激励影响企业研发投入吗？——基于固定资产加速折旧政策的检验. 科学学研究, 35（11）: 1680-1690.

李红侠. 2014. 民营企业绿色技术创新与环境税政策. 税务研究,（3）: 12-15.

李靖华, 常晓然. 2013. 基于元分析的知识转移影响因素研究. 科学学研究, 3（31）: 394-406.

李凯, 王秋菲, 许波. 2006. 美国、欧盟、中国绿色电力产业政策比较分析. 中国软科学,（2）: 54-60.

李楠, 于金. 2016. 政府环保政策对企业技术创新的影响. 世界科技研究与发展, 38（5）: 932-936, 954.

李瑞, 彭邦军, 沈佳豪. 2020. 我国环境税对制造业绿色创新影响的实证研究. 公共经济与政策研究,（100）: 179-193.

李香菊，杜伟，王雄飞. 2017. 环境税制与绿色发展：基于技术进步视角的考察. 当代经济科学，39（4）：117-123，128.

李香菊，贺娜. 2018. 地区竞争下环境税对企业绿色技术创新的影响研究. 中国人口·资源与环境，28（9）：73-81.

李香菊，贺娜. 2019. 激励企业研发创新的税制研究：国际经验借鉴. 中国科技论坛，（4）：174-180.

李扬. 1990. 财政补贴经济分析. 上海：上海三联书店.

李毓，胡海亚，李浩. 2020. 绿色信贷对中国产业结构升级影响的实证分析——基于中国省级面板数据. 经济问题，（1）：37-43.

李云鹤，李湛. 2009. 改革开放30年中国科技创新的演变与启示. 中国科技论坛，（1）：7-11.

连莉莉. 2015. 绿色信贷影响企业债务融资成本吗？——基于绿色企业与"两高"企业的对比研究. 金融经济学研究，30（5）：83-93.

梁富山. 2021. 加计扣除税收优惠对企业研发投入的异质性效应研究. 税务研究，（3）：134-143.

梁伟，张慧颖，姜巍. 2013. 环境税"双重红利"假说的再检验——基于地方税视角的分析. 财贸研究，24（4）：110-117，125.

廖乾. 2017. 环境税制度的国际经验及其对我国的启示. 财会月刊，（9）：71-77.

廖中举，黄超. 2017. 生态创新的最新研究进展与述评. 应用生态学报，28（12）：4150-4156.

廖中举，黄超，程华. 2017. 基于共词分析法的中国大学生创业政策研究. 教育发展研究，37（1）：79-84.

廖中举，杨晓刚. 2013. 国内外环境创新的内涵界定与测量研究. 未来与发展，36（1）：18-21.

林枫，徐悦，张雄林. 2018. 环境政策工具对生态创新的影响：研究回顾及实践意义. 科技进步与对策，35（14）：152-160.

刘海英，郭文琪. 2021. 环境税与研发补贴政策组合的绿色技术创新诱导效应. 科技管理研究，41（1）：194-202.

刘汉初，樊杰，周侃. 2018. 中国科技创新发展格局与类型划分——基于投入规模和创新效率的分析. 地理研究，37（5）：910-924.

刘晔，周志波. 2015. 不完全竞争市场结构下环境税效应研究述评. 中国人口·资源与环境，25（2）：121-128.

卢洪友，刘啟明，徐欣欣，等. 2019. 环境保护税能实现"减污"和"增长"么？——基于中国排污费征收标准变迁视角. 中国人口·资源与环境，29（6）：130-137.

卢现祥，许晶. 2012. 不同环境保护制度的绩效比较研究——基于省级动态面板数据. 贵州社会科学，（5）：82-87.

罗天正，关皓. 2020. 政治关联、营商环境与企业创新投入——基于模糊集定性比较分析. 云南财经大学学报，36（1）：67-77.

吕久琴，郁丹丹. 2011. 政府科研创新补助与企业研发投入：挤出、替代还是激励. 中国科技论坛，（8）：21-28.

吕志华，郝睿，葛玉萍. 2012. 开征环境税对经济增长影响的实证研究——基于十二个发达国家二氧化碳税开征经验的面板数据分析. 浙江社会科学，（4）：13-21，155.

马永军，张志武，赵泽. 2021. 技术引进、吸收能力与创新质量——来自中国高技术产业的经验证据. 宏观质量研究，9（2）：59-73.

孟科学，雷鹏飞. 2017. 企业生态创新的组织场域、组织退耦与环境政策启示. 经济学家，（2）：43-49.

孟猛猛，雷家骕，焦捷. 2021. 专利质量，知识产权保护与经济高质量发展. 科研管理，42（1）：135-145.

潘孝珍，燕洪国. 2018. 税收优惠、政府审计与国有企业科技创新——基于央企审计的经验证据. 审计研究，（6）：33-40.

彭辉. 2017. 基于内容分析法的上海市科技创新政策文本分析. 大连理工大学学报（社会科学版），38（1）：157-163.

彭雪蓉，刘洋，赵立龙. 2014. 企业生态创新的研究脉络，内涵澄清与测量. 生态学报，34（22）：6440-6449.

齐绍洲，林屾，崔静波. 2018. 环境权益交易市场能否诱发绿色创新？——基于我国上市公司绿色专利数据的证据. 经济研究，53（12）：129-143.

祁毓. 2019. 环境税费理论研究进展与政策实践. 国外社会科学，（1）：53-63.

钱霞，庄杨，黄晋. 2012. 推进企业自主创新的财税政策研究. 软科学，26（2）：94-97.

乔俊娜. 2017. 支持大气污染治理的财政政策研究. 东北财经大学硕士学位论文.

任海军，张艳婷. 2019. 绿色信贷助力绿色发展的机理研究. 社科纵横，34（2）：21-27.

任海云，聂景春. 2018. 企业异质性、政府补助与R&D投资. 科研管理，39（6）：37-47.

芮超超，吴清，韩瑞玲. 2018. 政府创新激励、环境不确定性与企业技术创新——基于创业板和中小板民营制造企业的实证分析. 开发研究，（3）：137-143.

尚洪涛，宋雅希. 2020. 中国新能源企业政府环境研发补贴的动态激励效应. 科技进步与对策，37（22）：65-72.

邵学峰，王爽. 2012. 激励企业科技创新的税收政策研究. 经济纵横，（1）：118-121.

申晨，贾妮莎，李炫榆. 2017. 环境规制与工业绿色全要素生产率——基于命令—控制型与市场激励型规制工具的实证分析. 研究与发展管理，29（2）：144-154.

盛光华，张志远. 2015. 补贴方式对创新模式选择影响的演化博弈研究. 管理科学学报，（9）：34-45.

盛丽颖，冯艳茹，刘名川，等. 2021. 政府环保补助分类及其激励效应研究——基于企业社会责任视角. 会计之友，（7）：144-150.

石光，周黎安，郑世林，等. 2016. 环境补贴与污染治理——基于电力行业的实证研究. 经济学（季刊），（4）：1439-1462.

斯坦迪什 P，高洁. 2019. 理解数据：客观性与主观性，事实与价值. 苏州大学学报（科学教育版），7（3）：120-128.

宋河发，张思重. 2014. 自主创新政府采购政策系统构建与发展研究. 科学学研究，32（11）：1639-1645.

苏婧，李思瑞，杨震宁. 2017. "歧路亡羊"：政府采购、股票投资者关注与高技术企业创新——基于A股软件企业的实证研究. 科学学与科学技术管理，38（5）：37-48.

苏昕，周升师. 2019. 双重环境规制，政府补助对企业创新产出的影响及调节. 中国人口·资源与环境，29（3）：31-39.

孙焱林,施博书. 2019. 绿色信贷政策对企业创新的影响——基于 PSM-DID 模型的实证研究. 生态经济, 35（7）: 87-91, 160.

谭媛元. 2021. 网络媒体关注、环境税征收与制造业企业绿色技术创新. 财会通讯,（5）: 80-83, 88.

滕云. 2021. 绿色信贷政策对企业创新的影响. 合作经济与科技,（4）: 66-69.

田红娜, 刘思琦. 2019. 政府补贴对绿色研发投入的影响研究——基于医药制造企业的实证检验. 科技与管理, 21（6）: 45-52.

童健, 武康平, 薛景. 2017. 我国环境财税体系的优化配置研究——兼论经济增长和环境治理协调发展的实现途径. 南开经济研究,（6）: 40-58.

万伦来, 朱泳丽, 万小雨. 2016. 排污费、环保补助与中国工业两阶段环境效率——来自中国30 个省份的经验数据. 生态经济, 32（8）: 47-52, 72.

王班班, 齐绍洲. 2016. 市场型和命令型政策工具的节能减排技术创新效应——基于中国工业行业专利数据的实证. 中国工业经济,（6）: 91-108.

王保辉. 2019. 绿色信贷、企业社会责任披露与债务融资成本——基于 2011—2017 年 A 股上市重污染企业的实证研究. 金融理论与实践,（7）: 47-54.

王春元. 2016. 地方政府行为, 政府 R&D 投资与创新. 财经论丛,（10）: 29-39.

王春元, 于井远. 2020. 财政补贴、税收优惠与企业自主创新: 政策选择与运用. 财经论丛,（10）: 33-43.

王锋正, 郭晓川. 2016. 政府治理、环境管制与绿色工艺创新. 财经研究, 42（9）: 30-40.

王辉. 2008. 区域财力差异的财税政策研究. 西北师范大学硕士学位论文.

王明. 2010. 政府绿色采购影响因素与实践研究. 大连理工大学硕士学位论文.

王薇, 艾华. 2018. 政府补助、研发投入与企业全要素生产率——基于创业板上市公司的实证分析. 中南财经政法大学学报,（5）: 88-96.

王旭, 何玉. 2017. 政府补贴, 税收优惠与企业研发投入——基于动态面板系统 GMM 分析. 技术经济与管理研究,（4）: 92-96.

王旭, 王非. 2019. 无米下锅抑或激励不足? 政府补贴、企业绿色创新与高管激励策略选择. 科研管理, 40（7）: 131-139.

魏玮, 曹景林. 2019. 产业升级视角下绿色信贷与环保财政政策协同效应研究. 科技进步与对策, 36（12）: 21-27.

魏月如. 2018. 绿色创新驱动下制造业绿色转型的税收政策影响. 改革与战略, 34（1）: 98-100, 128.

温湖炜, 周凤秀. 2019. 环境规制与中国省域绿色全要素生产率——兼论对《环境保护税法》实施的启示. 干旱区资源与环境, 33（2）: 9-15.

吴清. 2011. 环境规制与企业技术创新研究——基于我国 30 个省份数据的实证研究. 科技进步与对策, 28（18）: 100-103.

吴晟, 武良鹏, 吕辉. 2019. 绿色信贷对企业生态创新的影响机理研究. 软科学, 33（4）: 53-56.

吴晟, 赵湘莲, 武良鹏. 2020. 绿色信贷制度创新研究——以推动企业生态创新为视角. 经济体制改革,（1）: 36-42.

吴松彬, 张凯, 黄惠丹. 2018. R&D 税收激励与中国高新制造企业创新的非线性关系研究——基于企业规模, 市场竞争程度的调节效应分析. 现代经济探讨,（12）: 61-69.

夏力. 2012. 税收优惠能否促进技术创新: 基于创业板上市公司的研究. 中国科技论坛,（12）: 56-61.

谢佩洪, 于诗荟. 2021. 制度视角下中国 OFDI 区位选择的路径研究——基于模糊集的定性比较分析（FsQCA）. 上海管理科学, 43（1）：89-99.

谢乔昕, 张宇. 2021. 绿色信贷政策、扶持之手与企业创新转型. 科研管理, 42（1）：124-134.

谢青, 田志龙. 2015. 创新政策如何推动我国新能源汽车产业的发展——基于政策工具与创新价值链的政策文本分析. 科学学与科学技术管理, 36（6）：3-14.

解学梅, 朱琪玮. 2021. 企业绿色创新实践如何破解"和谐共生"难题. 管理世界, 37（1）：128-149.

徐进亮, 袁婷婷, 常亮. 2014. 北京市政府绿色采购促进科技成果转化的实证. 中国人口·资源与环境, 24（11）：161-167.

徐胜, 赵欣欣, 姚双. 2018. 绿色信贷对产业结构升级的影响效应分析. 上海财经大学学报, 20（2）：59-72.

徐伟民, 李志军. 2011. 政府政策对高新技术企业专利产出的影响及其门槛效应——来自上海的微观实证分析. 上海经济研究, （7）：77-83.

许冠南, 王秀芹, 潘美娟, 等. 2016. 战略性新兴产业国外经典政策工具分析——政府采购与补贴政策. 中国工程科学, 18（4）：113-120.

许君如. 2019. 新经济形态下高技术产业创业孵化发展研究——基于政府资本效用发挥视角. 软科学, 33（4）：48-52.

许士春. 2012. 市场型环境政策工具对碳减排的影响机理及其优化研究. 中国矿业大学博士学位论文.

许士春, 龙如银. 2012. 考虑环保产业发展下的环境政策工具优化选择. 运筹与管理, 21（5）：187-192.

闫华红, 廉英麒, 田德录. 2019. 政府补助与税收优惠哪个更能促进企业创新绩效. 中国科技论坛, （9）：40-48.

杨朝均, 呼若青, 冯志军. 2018. 环境规制政策、环境执法与工业绿色创新能力提升. 软科学, 32（1）：11-15.

杨登才, 李国正. 2021. 高校专利质量评价体系重构与测度——基于 23 所高校的实证分析. 北京工业大学学报（社会科学版）, 21（2）：109-121.

杨旭东. 2018. 环境不确定性、税收优惠与技术创新——基于我国中小上市公司的实证分析. 税务研究, （3）：86-91.

杨艳琳, 许淑嫦. 2010. 中国中部地区资源环境约束与产业转型研究. 学习与探索, （3）：154-157.

杨燕, 邵云飞. 2011. 生态创新研究进展及展望. 科学学与科学技术管理, 32（8）：107-116.

殷贺, 王露, 刘楠楠. 2019. 绿色信贷与碳排放：减排效果与传导路径. 环境科学与管理, 44（11）：9-14.

游达明, 邓颖蕾. 2019. 企业清洁技术创新水平及其影响因素的区域差异——基于市场型环境规制视角. 湖南农业大学学报（社会科学版）, 20（2）：62-67.

于佳曦, 李新. 2018. 我国环境保护税减排效果的实证研究. 税收经济研究, 23（5）：76-82.

于连超, 张卫国, 毕茜. 2019. 环境税对企业绿色转型的倒逼效应研究. 中国人口·资源与环境, 29（7）：112-120.

余蓉. 2020. 税收优惠激励节能环保产业研发创新投入的效应分析. 江西财经大学硕士学位论文.

袁建国, 范文林, 程晨. 2016. 税收优惠与企业技术创新——基于中国上市公司的实证研究. 税务研究,(10):28-33.

臧传琴,赵海修,王静,等.2012.环境税的技术创新效应——来自1995~2010年中国经验数据的实证分析.税务研究,(9):32-36.

展刘洋,鞠美庭,刘金鹏,等.2015.基于生命周期方法的政府绿色采购环境效益评估方法研究——以天津市2010年政府采购为例.生态经济,31(7):56-59.

张驰,郑晓杰,王凤彬.2017.定性比较分析法在管理学构型研究中的应用:述评与展望.外国经济与管理,39(4):68-83.

张发明,叶金平,完颜晓盼.2021.新型城镇化质量与生态环境承载力耦合协调分析——以中部地区为例.生态经济,37(4):63-69.

张果.2014.财政补贴对低碳技术投入的影响效应.山东工商学院学报,28(1):104-108.

张慧,周小虎.2019.企业社会资本与组织绩效的关系——基于元分析的文献综述.技术经济,38(3):114-121.

张慧雪,沈毅,郭怡群.2020.政府补助与企业创新的"质"与"量"——基于创新环境视角.中国科技论坛,(3):44-53.

张明,陈伟宏,蓝海林.2019.中国企业"凭什么"完全并购境外高新技术企业——基于94个案例的模糊集定性比较分析(fsQCA).中国工业经济,(4):117-135.

张明,杜运周.2019.组织与管理研究中QCA方法的应用:定位、策略和方向.管理学报,16(9):1312-1323.

张明斗.2020.政府激励方式对高新技术企业创新质量的影响研究——促进效应还是挤出效应.西南民族大学学报(人文社科版),41(5):122-134.

张倩.2015.环境规制对绿色技术创新影响的实证研究——基于政策差异化视角的省级面板数据分析.工业技术经济,34(7):10-18.

张信东,贺亚楠,马小美.2014.R&D税收优惠政策对企业创新产出的激励效果分析——基于国家级企业技术中心的研究.当代财经,(11):35-45.

张彦博,李琪.2013.政府环保补助与环境质量改进的相关性研究.经济纵横,(9):50-53.

张伊丹,董战峰,葛察忠,等.2019.环境保护税减征优惠的激励机制与创新研究.生态经济,35(4):167-171.

张翼,王书蓓.2019.政府环境规制、研发税收优惠政策与绿色产品创新.华东经济管理,33(9):47-53.

张颖,吴桐.2019.绿色信贷对上市公司信贷融资成本的影响——基于双重差分模型的估计.金融与经济,(12):8-12.

张云辉,赵佳慧.2019.绿色信贷、技术进步与产业结构优化——基于PVAR模型的实证分析.金融与经济,(4):43-48.

赵娜.2021.绿色信贷是否促进了区域绿色技术创新?——基于地区绿色专利数据.经济问题,(6):33-39.

郑春美,李佩.2015.政府补助与税收优惠对企业创新绩效的影响——基于创业板高新技术企业的实证研究.科技进步与对策,32(16):83-87.

朱平芳,徐伟民.2003.政府的科技激励政策对大中型工业企业R&D投入及其专利产出的影响——上海市的实证研究.经济研究,(6):45-53,94.

朱小会，陆远权. 2017. 环境财税政策与金融支持的碳减排治理效应——基于财政与金融相结合的视角. 科技管理研究，37（3）：203-209.

朱云鹃，李颖，李丹. 2017. "大众创业、万众创新"战略溯源研究——改革开放以来中国技术创新演变脉络. 科技进步与对策，34（1）：9-14.

Acemoglu D，Aghion P，Bursztyn L，et al. 2012. The environment and directed technical change. American Economic Review，102（1）：131-166.

Acemoglu D，Akcigit U，Hanley D，et al. 2016. Transition to clean technology. Journal of Political Economy，124（1）：52-104.

Acs Z J，Anselin L，Varga A. 2002. Patents and innovation counts as measures of regional production of new knowledge. Research Policy，31（7）：1069-1085.

Adams R，Jeanrenaud S，Bessant J，et al. 2016. Sustainability-oriented innovation: a systematic review. International Journal of Management Reviews，18（2）：180-205.

Aghion P，DechezleprÊTre A，Hemous D，et al. 2016. Carbon taxes，path dependency，and directed technical change: evidence from the auto industry. Journal of Political Economy，124（1）：1-51.

Aguilera-Caracuel J，Ortiz-De-Mandojana N. 2013. Green innovation and financial performance: an institutional approach. Organization & Environment，26（4）：365-385.

Ahi P，Searcy C. 2013. A comparative literature analysis of definitions for green and sustainable supply chain management. Journal of Cleaner Production，52：329-341.

Albort-Morant G，Leal-RodríGuez A L，De Marchi V. 2018. Absorptive capacity and relationship learning mechanisms as complementary drivers of green innovation performance. Journal of Knowledge Management，22：432-452.

Alexander R M，Organ A J. 2015. Business tax incentives. Business Horizons，58（4）：363-369.

Alfred A M，Adam R F. 2009. Green management matters regardless. Academy of Management Perspectives，23（3）：17-26.

Almus M，Czarnitzki D. 2003. The effects of public R&D subsidies on firms' innovation activities: the case of eastern Germany. Journal of Business & Economic Statistics，21（2）：226-236.

Al-Saleh Y，Mahroum S. 2015. A critical review of the interplay between policy instruments and business models: greening the built environment a case in point. Journal of Cleaner Production，109：260-270.

Álvarez-Martínez M T，Barrios S，d'Andria D，et al. 2021. How large is the corporate tax base erosion and profit shifting? A general equilibrium approach. Economic Systems Research，34（2）：167-198.

Ambec S，Lanoie P. 2008. Does it pay to be green? A systematic overview. The Academy of Management Perspectives，22（4）：45-62.

Andreoni V. 2019. Environmental taxes: drivers behind the revenue collected. Journal of Cleaner Production，221：17-26.

Anthony S D. 2017. The Little Black Book of Innovation，With A New Preface: How it Works，How to do it. Boston: Harvard Business Review Press.

Antonelli C，Crespi F. 2013. The "Matthew Effect" in R&D public subsidies: the Italian evidence.

Technological Forecasting and Social Change, 80（8）: 1523-1534.

Anwar Y, Dewi M S, Mulyadi M S. 2017. Are tax incentives beneficial to support corporate performance in digital TV industry. International Journal of Business Excellence, 13（4）: 536-545.

Arguedas C, van Soest D P. 2009. On reducing the windfall profits in environmental subsidy programs. Journal of Environmental Economics and Management, 58（2）: 192-205.

Arias A D, van Beers C. 2013. Energy subsidies, structure of electricity prices and technological change of energy use. Energy Economics, 40（11）: 495-502.

Arundel A, Kemp R. 2009. Measuring eco-innovation. UNU-MERIT Working Papers.

Aschhoff B, Sofka W. 2009. Innovation on demand: can public procurement drive market success of innovations. Research Policy, 38（8）: 1235-1247.

Ashworth J, Geys B, Heyndels B. 2006. Determinants of tax innovation: the case of environmental taxes in Flemish municipalities. European Journal of Political Economy, 22（1）: 223-247.

Ashworth J, Heyndels B. 2002. Tax structure turbulence in OECD countries. Public Choice, 111: 347-376.

Bacon N, Wright M, Meuleman M, et al. 2012. The impact of private equity on management practices in European buyouts: short-termism and Anglo-Saxon, or host country effects. Industrial Relations, 51（S1）: 605-626.

Baghana R, Mohnen P. 2009. Effectiveness of R&D tax incentives in small and large enterprises in Quebec. Small Business Economics, 33（1）: 91-107.

Bai Y, Hua C, Jiao J, et al. 2018. Green efficiency and environmental subsidy: evidence from thermal power firms in China. Journal of Cleaner Production, 188: 49-61.

Bai Y, Song S, Jiao J, et al. 2019. The impacts of government R&D subsidies on green innovation: evidence from Chinese energy-intensive firms. Journal of Cleaner Production, 233: 819-829.

Bakir S, Khan S, Ahsan K, et al. 2018. Exploring the critical determinants of environmentally oriented public procurement using the DEMATEL method. Journal of Environmental Management, 225（1）: 325-335.

Barney J. 1991. Firm resources and sustained competitive advantage. Journal of Management, 17（1）: 99-120.

Battisti G, Stoneman P. 2003. Inter-and intra-firm effects in the diffusion of new process technology. Research Policy, 32（9）: 1641-1655.

Beese J, Haki M K, Aier S, et al. 2019. Simulation-based research in information systems. Business & Information Systems Engineering, 61（4）: 503-521.

Beise M, Rennings K. 2005. Lead markets and regulation: a framework for analyzing the international diffusion of environmental innovations. Ecological Economics, 52（1）: 5-17.

Bel G, Joseph S. 2018. Policy stringency under the European Union emission trading system and its impact on technological change in the energy sector. Energy Policy, 117: 434-444.

Beltrán-Esteve M, Picazo-Tadeo A J. 2017. Assessing environmental performance in the European Union: eco-innovation versus catching-up. Energy Policy, 104: 240-252.

Bemelmans-Videc M L, Rist R C, Vedung E. 1998. The sermon: information programs in the public policy process—choice, effects, and evaluation//Bemelmans-Videc M L, Rist R C, Vedung E. Carrots, Sticks, and Sermons: Policy Instruments and Their Evaluation. New Brunswick, NJ: Transaction: 103-128.

Bergek A, Berggren C, KITE Research Group. 2014. The impact of environmental policy instruments on innovation: a review of energy and automotive industry studies. Ecological Economics, 106: 112-123.

Bernstein J I. 1986. The effect of direct and indirect tax incentives on Canadian industrial R&D expenditures. Canadian Public Policy, 12 (3): 438-448.

Berrone P, Fosfuri A, Gelabert L, et al. 2013. Necessity as the mother of "green" inventions: institutional pressures and environmental innovations. Strategic Management Journal, 34 (8): 891-909.

Berry F S. 1988. Tax policy innovation in the American States. Ph. D Dissertation, University of Michigan.

Bertamino F, Bronzini R, de Maggio M, et al. 2016. Local policies for innovation: the case of technology districts in Italy. Bank of Italy Occassional Paper No.313.

Bian J, Guo X, Li K W. 2018. Decentralization or integration: distribution channel selection under environmental taxation. Transportation Research Part E-Logistics and Transportation Review, 113: 170-193.

Bian J, Zhao X. 2020. Tax or subsidy? An analysis of environmental policies in supply chains with retail competition. European Journal of Operational Research, 283 (3): 901-914.

Bitencourt C C, de Oliveira Santini F, Zanandrea G, et al. 2020. Empirical generalizations in eco-innovation: a meta-analytic approach. Journal of Cleaner Production, 245: 118721.

Blanes J V, Busom I. 2004. Who participates in R&D subsidy programs? The case of Spanish manufacturing firms. Research Policy, 33 (10): 1459-1476.

Bloom N, Griffith R, van Reenen J. 2002. Do R&D tax credits work? Evidence from a panel of countries 1979—1997. Journal of Public Economics, 85 (1): 1-31.

Borghesi S, Crespi F, D'Amato A, et al. 2015. Carbon abatement, sector heterogeneity and policy responses: evidence on induced eco innovations in the EU. Environmental Science & Policy, 54: 377-388.

Borozan D. 2019. Unveiling the heterogeneous effect of energy taxes and income on residential energy consumption. Energy Policy, 129: 13-22.

Borsatto J M L S, Bazani C L. 2021. Green innovation and environmental regulations: a systematic review of international academic works. Environmental Science and Pollution Research, 28 (45): 63751-63768.

Bourgeois III L J. 1981. On the measurement of organizational slack. Academy of Management Review, 6 (1): 29-39.

Bouwer M, de Jong K, Jonk M, et al. 2005. Green public procurement in Europe 2005–status overview. Virage Milieu & Management Bv, Korte Spaarne, 31: 2011.

Bovenberg A L, de Mooij R A. 1997. Environmental tax reform and endogenous growth. Journal of Public Economics, 63（2）: 207-237.

Bovenberg A L, Goulder L H. 2002. Environmental taxation and regulation. Handbook of Public Economics, 3: 1471-1545.

Bowen F E, Cousins P D, Lamming R C, et al. 2001. The role of supply management capabilities in green supply. Production and Operations Management, 10（2）: 174-189.

Braathen N A. 2007. Instrument mixes for environmental policy: how many stones should be used to kill a bird. International Review of Environmental and Resource Economics, 1（2）: 185-236.

Brännlund R, Färe R, Grosskopf S. 1995. Environmental regulation and profitability: an application to Swedish pulp and paper mills. Environmental and Resource Economics, 6（1）: 23-36.

Braulio-Gonzalo M, Bovea M D. 2020. Criteria analysis of green public procurement in the Spanish furniture sector. Journal of Cleaner Production, 258: 120704.

Brouillat E, Oltra V. 2012. Extended producer responsibility instruments and innovation in eco-design: an exploration through a simulation model. Ecological Economics, 83: 236-245.

Brunnermeier S B, Cohen M A. 2003. Determinants of environmental innovation in US manufacturing industries. Journal of Environmental Economics and Management, 45（2）: 278-293.

Cai W, Li G. 2018. The drivers of eco-innovation and its impact on performance: evidence from China. Journal of Cleaner Production, 176: 110-118.

Cantner U, Graf H, Herrmann J, et al. 2016. Inventor networks in renewable energies: the influence of the policy mix in Germany. Research Policy, 45（6）: 1165-1184.

Cappelen A, Raknerud A, Rybalka M. 2012. The effects of R&D tax credits on patenting and innovations. Research Policy, 41（2）: 334-345.

Caravella S, Crespi F. 2020. Unfolding heterogeneity: the different policy drivers of different eco-innovation modes. Environmental Science & Policy, 114: 182-193.

Carboni M. 2017. The Financial Impact of Political Connections: Industry-Level Regulation and the Revolving Door. Switzerland: Springer.

Cecere G, Corrocher N, Gossart C, et al. 2014. Lock-in and path dependence: an evolutionary approach to eco-Innovations. Journal of Evolutionary Economics, 24（5）: 1037-1065.

Ceschin F. 2014. How The design of socio-technical experiments can enable radical changes for sustainability. International Journal of Design, 8（3）: 1-21.

Chen H, Liu C, Xie F, et al. 2019. Green credit and company R&D level: empirical research based on threshold effects. Sustainability, 11（7）: 1918.

Chen J, Cheng J, Dai S. 2017. Regional eco-innovation in China: an analysis of eco-innovation levels and influencing factors. Journal of Cleaner Production, 153: 1-14.

Chen J, Heng C S, Tan B C Y, et al. 2018. The distinct signaling effects of R&D subsidy and non-R&D subsidy on IPO performance of IT entrepreneurial firms in China. Research Policy, 47（1）: 108-120.

Chen M C, Gupta S. 2017. The incentive effects of R&D tax credits: an empirical examination in an emerging economy. Journal of Contemporary Accounting & Economics, 13（1）: 52-68.

Chen Y S. 2008. The driver of green innovation and green image–green core competence. Journal of Business Ethics, 81（3）: 531-543.

Chen Y S, Lai S B, Wen C T. 2006. The influence of green innovation performance on corporate advantage in Taiwan. Journal of Business Ethics, 67（4）: 331-339.

Cheng C C J, Yang C, Sheu C. 2014. The link between eco-innovation and business performance: a taiwanese industry context. Journal of Cleaner Production, 64: 81-90.

Cheng W, Appolloni A, D'Amato A, et al. 2018. Green public procurement, missing concepts and future trends–a critical review. Journal of Cleaner Production, 176: 770-784.

Chiang S, Lee P, Anandarajan A. 2012. The effect of R&D tax credit on innovation: a life cycle analysis. Innovation-Management Policy & Practice, 14（4）: 510-523.

Chi C G, Gursoy D. 2009. Employee satisfaction, customer satisfaction, and financial performance: an empirical examination. International Journal of Hospitality Management, 28（2）: 245-253.

Chintrakarn P. 2008. Environmental regulation and US States' technical inefficiency. Economics Letters, 100（3）: 363-365.

Chiou T Y, Chan H K, Lettice F, et al. 2011. The influence of greening the suppliers and green innovation on environmental performance and competitive advantage in Taiwan. Transportation Research Part E: Logistics and Transportation Review, 47（6）: 822-836.

Choi J, Lee J. 2017. Repairing the R&D market failure: public R&D subsidy and the composition of private R&D. Research Policy, 46（8）: 1465-1478.

Clement S, Plas G, Erdmenger C. 2003. Local experiences: green purchasing practices in six European cities. Buying Into the Environment : Experiences , Opportunities and Potential for Eco-Procurement. Greenleaf, Sheffield, 69-93.

Coduras A, Clemente J A, Ruiz J. 2016. A novel application of fuzzy-set qualitative comparative analysis to GEM data. Journal of Business Research, 69（4）: 1265-1270.

Cook D J, Mulrow C D, Haynes R B. 1997. Systematic reviews: synthesis of best evidence for clinical decisions. Annals of Internal Medicine, 126（5）: 376-380.

Corbett C J, Pan J N. 2002. Evaluating environmental performance using statistical process control techniques. European Journal of Operational Research, 139（1）: 68-83.

Costa-Campi M T, Garcia-Quevedo J, Martinez-Ros E. 2017. What are the determinants of investment in environmental R&D? Energy Policy, 104: 455-465.

Costantini V, Crespi F, Marin G, et al. 2017a. Eco-innovation, sustainable supply chains and environmental performance in European industries. Journal of Cleaner Production, 155: 141-154.

Costantini V, Crespi F, Palma A. 2017b. Characterizing the policy mix and its impact on eco-innovation: a patent analysis of energy-efficient technologies. Research Policy, 46（4）: 799-819.

Criscuolo C, Menon C. 2015. Environmental policies and risk finance in the green sector: cross-country evidence. Energy Policy, 83: 38-56.

Cronqvist L, Berg-Schlosser D. 2009. Multi-value QCA（Mvqca）//Rihoux B, Ragin C C.

Configurational Comparative Methods: Qualitative Comparative Analysis (QCA) and Related Techniques. Sage Publications: 69-86.

Cuerva M C, Triguero-Cano Á, Córcoles D. 2014. Drivers of green and non-green innovation: empirical evidence in low-tech SMEs. Journal of Cleaner Production, 68: 104-113.

Cui Y, Geobey S, Weber O, et al. 2018. The impact of green lending on credit risk in China. Sustainability, 10 (6): 2008.

Czarnitzki D, Hand P, Rosa J M. 2011. Evaluating the impact of R&D tax credits on innovation: a microeconometric study on Canadian firms. Research Policy, 40 (2): 217-229.

Davenport M, Delport M, Blignaut J N, et al. 2019. Combining theory and wisdom in pragmatic, scenario-based decision support for sustainable development. Journal of Environmental Planning and Management, 62 (4): 692-716.

Davidescu A A, Paul A M V, Gogonea R M, et al. 2015. Evaluating romanian eco-innovation performances in European context. Sustainability, 7 (9): 12723-12757.

David P A, Hall B H, Toole A A. 2000. Is public R&D a complement or substitute for private R&D? A review of the econometric evidence. Research Policy, 29 (4/5): 497-529.

Davis J P, Eisenhardt K M, Bingham C B. 2007. Developing theory through simulation methods. Academy of Management Review, 32 (2): 480-499.

de Azevedo Rezende L, Bansi A C, Alves M F R, et al. 2019. Take your time: examining when green innovation affects financial performance in multinationals. Journal of Cleaner Production, 233: 993-1003.

Dechezleprêtre A, Einiö E, Martin R, et al. 2016. Do tax incentives for research increase firm innovation? An RD design for R&D. National Bureau of Economic Research.

Dechezlepretre A, Neumayer E, Perkins R. 2015. Environmental regulation and the cross-border diffusion of new technology: evidence from automobile patents. Research Policy, 44 (1): 244-257.

de Marchi V. 2012. Environmental innovation and R&D cooperation: empirical evidence from Spanish manufacturing firms. Research Policy, 41 (3): 614-623.

De Souza J, Snape J. 2000. Environmental tax proposals: analysis and evaluation. Environmental Law Review, 2 (2): 74-101.

Demirel P, Kesidou E. 2011. Stimulating different types of eco-innovation in the UK: government policies and firm motivations. Ecological Economics, 70 (8): 1546-1557.

Desmarchelier B, Djellal F, Gallouj F. 2013. Environmental policies and eco-innovations by service firms: an agent-Based model. Technological Forecasting and Social Change, 80 (7): 1395-1408.

Diabat A, Govindan K. 2011. An analysis of the drivers affecting the implementation of green supply chain management. Resources, Conservation and Recycling, 55 (6): 659-667.

Díaz-García C, González-Moreno Á, Sáez-Martínez F J. 2015. Eco-innovation: insights from a literature review. Innovation: Organization&Management, 17 (1): 6-23.

Dissou Y, Karnizova L. 2016. Emissions cap or emissions tax? A multi-sector business cycle analysis. Journal of Environmental Economics and Management, 79: 169-188.

Dong J Q. 2019. Numerical data quality in simulation research: a reflection and epistemic implications. Decision Support Systems, 126: 113134.

Dong Y, Wang X, Jin J, et al. 2014. Effects of eco-innovation typology on its performance: empirical evidence from Chinese enterprises. Journal of Engineering and Technology Management, 34: 78-98.

Dong Z, He Y, Wang H. 2019. Dynamic effect retest of R&D subsidies policies of China's auto industry on directed technological change and environmental quality. Journal of Cleaner Production, 231: 196-206.

Doran J, Ryan G. 2016. The importance of the diverse drivers and types of environmental innovation for firm performance. Business Strategy and the Environment, 25 (2): 102-119.

Dörschner T, Musshoff O. 2015. How do incentive-based environmental policies affect environment protection initiatives of farmers? An experimental economic analysis using the example of species richness. Ecological Economics, 114: 90-103.

Dresner S, Jackson T, Gilbert N. 2006. History and social responses to environmental tax reform in The United Kingdom. Energy Policy, 34 (8): 930-939.

Driessen P H, Hillebrand B, Kok R A W, et al. 2013. Green new product development: the pivotal role of product greenness. IEEE Transactions on Engineering Management, 60 (2): 315-326.

Duan J, Niu M. 2011. The paradox of green credit in China. Energy Procedia, 5: 1979-1986.

Du J, Liu Y, Diao W. 2019. Assessing regional differences in green innovation efficiency of industrial enterprises in China. International Journal of Environmental Research and Public Health, 16 (6): 940.

Du J, Mickiewicz T. 2016. Subsidies, rent seeking and performance: being young, small or private in China. Journal of Business Venturing, 31 (1): 22-38.

Dumont M. 2017. Assessing the policy mix of public support to business R&D. Research Policy, 46 (10): 1851-1862.

Durlak J A, Lipsey M W. 1991. A practitioner's guide to meta-analysis. American Journal of Community Psychology, 19 (3): 291-332.

Edler J, Georghiou L. 2007. Public procurement and innovation—resurrecting the demand side. Research Policy, 36 (7): 949-963.

Edquist C, Zabala-Iturriagagoitia J M. 2012. Public procurement for innovation as mission-oriented innovation policy. Research Policy, 41 (10): 1757-1769.

Eiadat Y, Kelly A, Roche F, et al. 2008. Green and competitive? An empirical test of the mediating role of environmental innovation strategy. Journal of World Business, 43 (2): 131-145.

El-Kassar A N, Singh S K. 2019. Green innovation and organizational performance: the influence of big data and the moderating role of management commitment and HR practices. Technological Forecasting and Social Change, 144: 483-498.

Endres A, Friehe T, Rundshagen B. 2015. Environmental liability law and R&D subsidies: results on the screening of firms and the use of uniform policy. Environmental Economics and Policy Studies, 17 (4): 521-541.

Ernst H. 2003. Patent information for strategic technology management. World Patent Information,

25（3）: 233-242.

Estache A, Gaspar V. 1995. Why tax incentives don't promote investment in Brazil. ULB Institutional Repository, 148: 309-340.

Fabiani S, Sbragia R. 2014. Tax incentives for technological business innovation in Brazil: the use of the good law-Lei Do Bem （Law No. 11196/2005）. Journal of Technology Management & Innovation, 9（4）: 53-63.

Faccio M, Masulis R W, Mcconnell J J. 2006. Political connections and corporate bailouts. The Journal of Finance, 61（6）: 2597-2635.

Fang H, Wang B, Song W. 2020. Analyzing the interrelationships among barriers to green procurement in photovoltaic industry: an integrated method. Journal of Cleaner Production, 249: 119408.

Feldman M P, Kelley M R. 2006. The exante assessment of knowledge spillovers: government R&D policy, economic incentives and private firm behavior. Research Policy, 35（10）: 1509-1521.

Felix R A, Jr Hines J R. 2013. Who offers tax-based business development incentives? Journal of Urban Economics, 75: 80-91.

Feola G, Nunes R. 2014. Success and failure of grassroots innovations for addressing climate change: the case of the transition movement. Global Environmental Change, 24: 232-250.

Fernández-Sastre J, Montalvo-Quizhpi F. 2019. The effect of developing countries' innovation policies on firms' decisions to invest in R&D. Technological Forecasting and Social Change, 143: 214-223.

Fernando Y, Jabbour C J C, Wah W X. 2019. Pursuing green growth in technology firms through the connections between environmental innovation and sustainable business performance: does service capability matter? Resources, Conservation and Recycling, 141: 8-20.

Fiddaman T S. 2002. Exploring policy options with a behavioral climate-economy model. System Dynamics Review: The Journal of the System Dynamics Society, 18（2）: 243-267.

Filatova T. 2014. Market-based instruments for flood risk management: a review of theory, practice and perspectives for climate adaptation policy. Environmental Science & Policy, 37: 227-242.

Fiss P C. 2007. A set-theoretic approach to organizational configurations. Academy of Management Review, 32（4）: 1180-1198.

Fiss P C. 2011. Building better causal theories: a fuzzy set approach to typologies in organization research. Academy of Management Journal, 54（2）: 393-420.

Flanagan K, Uyarra E, Laranja M. 2011. Reconceptualising the "policy mix" for innovation. Research Policy, 40（5）: 702-713.

Ford A. 2001. Waiting for the boom: a simulation study of power plant construction in California. Energy Policy, 29（11）: 847-869.

Forsman H. 2013. Environmental innovations as a source of competitive advantage or vice versa? Business Strategy and the Environment, 22（5）: 306-320.

Foxon T, Pearson P. 2008. Overcoming barriers to innovation and diffusion of cleaner technologies: some features of a sustainable innovation policy regime. Journal of Cleaner Production, 16（1）:

S148-S161.

Fredriksson P G. 1997. The political economy of pollution taxes in a small open economy. Journal of Environmental Economics and Management, 33（1）: 44-58.

Freire-González J, Ho M S. 2018. Environmental fiscal reform and the double dividend: evidence from a dynamic general equilibrium model. Sustainability, 10（2）: 501.

Freire P A. 2018. Enhancing innovation through behavioral stimulation: the use of behavioral determinants of innovation in the implementation of eco-innovation processes in industrial sectors and companies. Journal of Cleaner Production, 170: 1677-1687.

Frondel M, Horbach J, Rennings K. 2007. End-of-pipe or cleaner production? An empirical comparison of environmental innovation decisions across OECD countries. Business Strategy and the Environment, 16（8）: 571-584.

Frondel M, Horbach J, Rennings K. 2008. What triggers environmental management and innovation? Empirical evidence for Germany. Ecological Economics, 66（1）: 153-160.

Fussler C, James P. 1996. Driving Eco-Innovation: a Breakthrough Discipline for Innovation and Sustainability. London: Pitman Pub.

Galinato G I, Chouinard H H. 2018. Strategic interaction and institutional quality determinants of environmental regulations. Resource and Energy Economics, 53: 114-132.

Gallego-Álvarez I, Ortas E. 2017. Corporate environmental sustainability reporting in the context of national cultures: a quantile regression approach. International Business Review, 26（2）: 337-353.

Gentry R, Dibrell C, Kim J. 2016. Long-term orientation in publicly traded family businesses: evidence of a dominant logic. Entrepreneurship Theory and Practice, 40（4）: 733-757.

Georghiou L, Edler J, Uyarra E, et al. 2014. Policy instruments for public procurement of innovation: choice, design and assessment. Technological Forecasting and Social Change, 86: 1-12.

Gerlagh R. 2008. A climate-change policy induced shift from innovations in carbon-energy production to carbon-energy savings. Energy Economics, 30（2）: 425-448.

Geyskens I, Steenkamp J B E M, Kumar N. 1998. Generalizations about trust in marketing channel relationships using meta-analysis. International Journal of Research in Marketing, 15（3）: 223-248.

Ghaffarzadegan N, Lyneis J, Richardson G P. 2011. How small system dynamics models can help the public policy process. System Dynamics Review, 27（1）: 22-44.

Ghisetti C. 2017. Demand-pull and environmental innovations: estimating the effects of innovative public procurement. Technological Forecasting and Social Change, 125: 178-187.

Ghisetti C, Rennings K. 2014. Environmental innovations and profitability: how does it pay to be green? An empirical analysis on the german innovation survey. Journal of Cleaner Production, 75（15）: 106-117.

Golombek R, Greaker M, Hoel M. 2020. Should environmental R&D be prioritized? Resource and Energy Economics, 60: 101132.

González-Blanco J, Coca-pérez J L, Guisado-González M. 2018. The contribution of technological and non-technological innovation to environmental performance. An analysis with a complementary approach. Sustainability, 10（11）: 4014.

Goolsbee A. 1998. Taxes, organizational form, and the deadweight loss of the corporate income tax. Journal of Public Economics, 69（1）: 143-152.

Görg H, Strobl E. 2007. The effect of R&D subsidies on private R&D. Economica, 74（294）: 215-234.

Goto A, Koga T, Suzuki K. 2002. Determinants of industrial R&D in Japanese manufacturing industries. Econometric Reviews, 53（1）: 18-23.

Govindan K, Khodaverdi R, Vafadarnikjoo A. 2015. Intuitionistic fuzzy based DEMATEL method for developing green practices and performances in a green supply chain. Expert Systems with Applications, 42（20）: 7207-7220.

Gray W B. 1987. The cost of regulation: OSHA, EPA and the productivity slowdown. The American Economic Review, 77（5）: 998-1006.

Grewatsch S, Kleindienst I. 2017. When does it pay to be good? Moderators and mediators in the corporate sustainability–corporate financial performance relationship: a critical review. Journal of Business Ethics, 145（2）: 383-416.

Griliches Z. 1990. Patent statistics as economic indicators: a survey. Journal of Economic Literature, 28: 1661-1707.

Grimm V, Kretschmer S, Mehl S. 2020. Green innovations: the organizational setup of pilot projects and its influence on consumer perceptions. Energy Policy, 142: 111474.

Guan J C, Yam R C M. 2015. Effects of government financial incentives on firms' innovation performance in China: evidences from Beijing in the 1990s. Research Policy, 44（1）: 273-282.

Guellec D, van Pottelsberghe de la Potterie B. 1997. Does government support stimulates private R&D. OECD Economic Studies, 29: 95-122.

Guellec D, van Pottelsberghe de la Potterie B. 2003. The impact of public R&D expenditure on business R&D. Economics of Innovation and New Technology, 12（3）: 225-243.

Guerzoni M, Raiteri E. 2015. Demand-side vs. supply-side technology policies: hidden treatment and new empirical evidence on the policy mix. Research Policy, 44（3）: 726-747.

Guo Q, Zhou M, Liu N, et al. 2019. Spatial effects of environmental regulation and green credits on green technology innovation under low-carbon economy background conditions. Journal of Environmental Research and Public Health, 16: 3027.

Hahn R W, Stavins R N. 1992. Economic incentives for environmental protection: integrating theory and practice. The American Economic Review, 82（2）: 464-468.

Halkos G E, Kitsou D C. 2018. Weighted location differential tax in environmental problems. Environmental Economics and Policy Studies, 20（1）: 1-15.

Hall B H. 2002. The financing of research and development. Oxford Review of Economic Policy, 18（1）: 35-51.

Hall B H, Lerner J. 2010. The financing of R&D and innovation. Handbook of The Economics of Innovation. North-Holland, 1: 609-639.

Hall J, Clark W W. 2003. Special issue: environmental innovation. Journal of Cleaner Production, 11 (4): 343-346.

Hall J, Kerr R. 2003. Innovation dynamics and environmental technologies: the emergence of fuel cell technology. Journal of Cleaner Production, 11 (4): 459-471.

Hanlon M, Maydew E L, Thornock J R. 2015. Taking the long way home: US tax evasion and offshore investments in US equity and debt markets. The Journal of Finance, 70 (1): 257-287.

Harhoff D, Narin F, Scherer F M, et al. 1999. Citation frequency and the value of patented inventions. Review of Economics and Statistics, 81 (3): 511-515.

Hart R. 2008. The timing of taxes on CO_2 emissions when technological change is endogenous. Journal of Environmental Economics and Management, 55 (2): 194-212.

Hart S L. 1995. A natural-resource-based view of the firm. Academy of Management Review, 20 (4): 986-1014.

Hattori K. 2017. Optimal combination of innovation and environmental policies under technology licensing. Economic Modelling, 64: 601-609.

He L Y, Liu L. 2018. Stand by or follow? Responsibility diffusion effects and green credit. Emerging Markets Finance and Trade, 54 (8): 1740-1760.

He L Y, Zhang L, Zhong Z, et al. 2019. Green credit, renewable energy investment and green economy development: empirical analysis based on 150 listed companies of China. Journal of Cleaner Production, 208: 363-372.

Hellgren Z, Serrano I. 2019. Financial crisis and migrant domestic workers in Spain: employment opportunities and conditions during the great recession. International Migration Review, 53 (4): 1209-1229.

Heres D R, Kallbekken S, Galarraga I. 2017. The role of budgetary information in the preference for externality-correcting subsidies over taxes: a lab experiment on public support. Environmental and Resource Economics, 66 (1): 1-15.

Hille E, Althammer W, Diederich H. 2020. Environmental regulation and innovation in renewable energy technologies: does the policy instrument matter? Technological Forecasting and Social Change, 153: 119921.

Ho F N, Wang H M D, Vitell S J. 2012. A global analysis of corporate social performance: the effects of cultural and geographic environments. Journal of Business Ethics, 107 (4): 423-433.

Hojnik J, Ruzzier M. 2016. What drives eco-innovation? A review of an emerging literature. Environmental Innovation & Societal Transitions, 19: 31-41.

Horbach J. 2008. Determinants of environmental innovation – new evidence from German panel data sources. Research Policy, 37 (1): 163-173.

Horbach J. 2020. Impacts of regulation on eco-innovation and job creation. Iza World of Labor, 6: 1-10.

Horbach J, Rammer C, Rennings K. 2012. Determinants of eco-innovations by type of environmental impact—the role of regulatory push/pull, technology push and market pull. Ecological Economics, 78: 112-122.

Huang X, Hu Z, Liu C, et al. 2016. The relationships between regulatory and customer pressure, green organizational responses, and green innovation performance. Journal of Cleaner Production, 112: 3423-3433.

Huang Z, Liao G, Li Z. 2019. Loaning scale and government subsidy for promoting green innovation. Technological Forecasting and Social Change, 144: 148-156.

Huber J. 2008. Pioneer countries and the global diffusion of environmental innovations: theses from the viewpoint of ecological modernisation theory. Global Environmental Change, 18 (3): 360-367.

Hud M, Hussinger K. 2015. The impact of R&D subsidies during the crisis. Research Policy, 44 (10): 1844-1855.

Huergo E, Moreno L. 2017. Subsidies or loans? Evaluating the impact of R&D support programmes. Research Policy, 46 (7): 1198-1214.

Iyer G R, Laplaca P J, Sharma A. 2006. Innovation and new product introductions in emerging markets: strategic recommendations for the Indian market. Industrial Marketing Management, 35 (3): 373-382.

Jaffe A B, Palmer K. 1997. Environmental regulation and innovation: a panel data study. Review of Economics and Statistics, 79 (4): 610-619.

Janssens G, Zaccour G. 2014. Strategic price subsidies for new technologies. Automatica, 50 (8): 1999-2006.

Jenkins G P, Lamech R. 1992. Fiscal Policies to Control Pollution: International Experience. Harvard Institute for International Development, Harvard University.

Jeucken M. 2001. Sustainable Finance and Banking: The Financial Sector and the Future of the Planet. London: Earthscan Publications Ltd.

Jia J, Ma G. 2017. Do R&D tax incentives work? Firm-level evidence from China. China Economic Review, 46: 50-66.

Jo J H, Roh T W, Kim S, et al. 2015. Eco-innovation for sustainability: evidence from 49 countries in Asia and Europe. Sustainability, 7 (12): 16820-16835.

Jones M L. 2004. Application of systematic review methods to qualitative research: practical issues. Journal of Advanced Nursing, 48 (3): 271-278.

Jordan A, Wurzel R, Zito A R. 2003. New Instruments of Environmental Governance: National Experiences and Prospects. London: Routledge.

Juntunen J K, Hyysalo S. 2015. Renewable micro-generation of heat and electricity—review on common and missing socio-technical configurations. Renewable and Sustainable Energy Reviews, 49: 857-870.

Kallbekken S, Garcia J H, Korneliussen K. 2013. Determinants of public support for transport taxes. Transportation Research, 58: 67-78.

Kallbekken S, Sælen H. 2011. Public acceptance for environmental taxes: self-interest, environmental and distributional concerns. Energy Policy, 39 (5): 2966-2973.

Kammerer D. 2009. The effects of customer benefit and regulation on environmental product innovation. Ecological Economics, 68（8/9）: 2285-2295.

Kang H, Jung S, Lee H. 2020. The impact of green credit policy on manufacturers' efforts to reduce suppliers' pollution. Journal of Cleaner Production, 248: 119271.

Karakaya E, Hidalgo A, Nuur C. 2014. Diffusion of eco-innovations: a review. Renewable and Sustainable Energy Reviews, 33: 392-399.

Karydas C, Zhang L. 2019. Green tax reform, endogenous innovation and the growth dividend. Journal of Environmental Economics & Management, 97: 158-181.

Kasahara H, Shimotsu K, Suzuki M. 2014. Does an R&D tax credit affect R&D expenditure? The Japanese R&D tax credit reform in 2003. Journal of The Japanese & International Economies, 31（3）: 72-97.

Kemp R, Pearson P. 2007. Final report MEI project about measuring eco-innovation. UM Merit, Maastricht, 10（2）: 1-120.

Kemp R, Pontoglio S. 2011. The innovation effects of environmental policy instruments—a typical case of the blind men and the elephant? Ecological Economics, 72: 28-36.

Kesidou E, Demirel P. 2012. On the drivers of eco-innovations: empirical evidence from the UK. Research Policy, 41（5）: 862-870.

Khan A, Chenggang Y, Hussain J, et al. 2021. Impact of technological innovation, financial development and foreign direct investment on renewable energy, non-renewable energy and the environment in belt & road initiative countries. Renewable Energy, 171: 479-491.

Kiefer C P, Carrillo-Hermosilla J, Del Río P. 2019. Building a taxonomy of eco-innovation types in firms. A Quantitative Perspective. Resources, Conservation and Recycling, 145: 339-348.

Kim K, Lee S. 2020. The impact of innovation policy mix on SME R&D investment: focusing on financial instruments. Journal of Convergence for Information Technology, 10（1）: 1-12.

Kivimaa P, Kern F. 2016. Creative destruction or mere niche support? Innovation policy mixes for sustainability transitions. Research Policy, 45（1）: 205-217.

Kleer R. 2010. Government R&D subsidies as a signal for private investors. Research Policy, 39（10）: 1361-1374.

Koberg C S, Detienne D R, Heppard K A. 2003. An empirical test of environmental, organizational, and process factors affecting incremental and radical innovation. The Journal of High Technology Management Research, 14（1）: 21-45.

Kong T, Feng T, Ye C. 2016. Advanced manufacturing technologies and green innovation: the role of internal environmental collaboration. Sustainability, 8（10）: 1056.

Kroeber A L, Kluckhohn C. 1952. Culture: a critical review of concepts and definitions. Papers. Peabody Museum of Archaeology & Ethnology, Harvard University, 47（1）: 223.

Krogslund C, Choi D D, Poertner M. 2015. Fuzzy sets on shaky ground: parameter sensitivity and confirmation bias in FSQCA. Political Analysis, 23（1）: 21-41.

Kuznetsova O, Kuznetsova S, Yumaev E, et al. 2017. Formation and development of the training system for innovative development of regional industry. E3S Web of Conferences. EDP Sciences, 15: 04019.

Lach S. 2002. Do R&D subsidies stimulate or displace private R&D? Evidence from Israel. The Journal of Industrial Economics, 50（4）: 369-390.

Lanjouw J O, Schankerman M. 2004. Patent quality and research productivity: measuring innovation with multiple indicators. Economic Journal, 114（495）: 441-465.

Large R O, Thomsen C G. 2011. Drivers of green supply management performance: evidence from Germany. Journal of Purchasing and Supply Management, 17（3）: 176-184.

Lee E Y, Cin B C. 2010. The effect of risk-sharing government subsidy on corporate R&D investment: empirical evidence from Korea. Technological Forecasting and Social Change, 77（6）: 881-890.

Leger A, Oueslati W, SalaniÉ J. 2013. Public tendering and green procurement as potential drivers for sustainable urban development: implications for landscape architecture and other urban design professions. Landscape and Urban Planning, 116: 13-24.

Lehmann P. 2012. Justifying a policy mix for pollution control: a review of economic literature. Journal of Economic Surveys, 26（1）: 71-97.

Li G, Wang X, Wu J. 2019a. How scientific researchers form green innovation behavior: an empirical analysis of China's enterprises. Technology In Society, 56: 134-146.

Li H, Zhu X, Chen J, et al. 2019b. Environmental regulations, environmental governance efficiency and the green transformation of china's iron and steel enterprises. Ecological Economics, 165: 106397.

Li Z, Liao G, Wang Z, et al. 2018. Green loan and subsidy for promoting clean production innovation. Journal of Cleaner Production, 187: 421-431.

Liao Y C, Tsai K H. 2019. Innovation intensity, creativity enhancement, and eco-innovation strategy: the roles of customer demand and environmental regulation. Business Strategy and the Environment, 28（2）: 316-326.

Liao Z. 2016. Temporal cognition, environmental innovation, and the competitive advantage of enterprises. Journal of Cleaner Production, 135: 1045-1053.

Liao Z. 2018a. Content analysis of China's environmental policy instruments on promoting firms' environmental innovation. Environmental Science & Policy, 88: 46-51.

Liao Z. 2018b. Environmental policy instruments, environmental innovation and the reputation of enterprises. Journal of Cleaner Production, 171: 1111-1117.

Liao Z, Xu C, Cheng H, et al. 2018. What drives environmental innovation? A content analysis of listed companies in China. Journal of Cleaner Production, 198: 1567-1573.

Lin B, Jia Z. 2018. The energy, environmental and economic impacts of carbon tax rate and taxation industry: a CGE based study in China. Energy, 159: 558-568.

Lin S, Xiao L, Wang X. 2021. Does air pollution hinder technological innovation in China? A perspective of innovation value chain. Journal of Cleaner Production, 278: 123326.

Lipsey M W, Wilson D B. 2001. Practical Meta-Analysis. Thousand Oaks, CA: Sage Publications.

Liu G, Zhang X, Zhang W, et al. 2019a. The impact of government subsidies on the capacity utilization of zombie firms. Economic Modeling, 83: 51-64.

Liu H, Chen Z M, Wang J, et al. 2017a. The impact of resource tax reform on China's coal industry.

Energy Economics, 61: 52-61.

Liu J, Shi B, Xue J, et al. 2019b. Improving the green public procurement performance of Chinese local governments: from the perspective of officials' knowledge. Journal of Purchasing and Supply Management, 25 (3): 100501.

Liu J, Xue J, Yang L, et al. 2019c. Enhancing green public procurement practices in local governments: Chinese evidence based on a new research framework. Journal of Cleaner Production, 211: 842-854.

Liu J Y, Xia Y, Fan Y, et al. 2017b. Assessment of a green credit policy aimed at energy-intensive industries in China based on a financial CGE model. Journal of Cleaner Production, 163 (1): 293-302.

Liu X, Wang E, Cai D. 2019d. Green credit policy, property rights and debt financing: quasi-natural experimental evidence from China. Finance Research Letters, 29: 129-135.

Liu Z, Li X, Peng X, et al. 2020. Green or nongreen innovation? Different strategic preferences among subsidized enterprises with different ownership types. Journal of Cleaner Production, 245: 118786.

Lokshin B, Mohnen P. 2008. Measuring the effectiveness of R&D tax credits in the Netherlands. MERIT Working Papers.

Long X, Chen Y, Du J, et al. 2017. Environmental innovation and its impact on economic and environmental performance: evidence from Korean-owned firms in China. Energy Policy, 107: 131-137.

Lorena C M, Leonardo R U. 2018. Sustainable procurement with coloured petri nets. Application and Extension of The Proposed Model. Expert Systems with Applications, 114: 467-478.

Lucas M T. 2010. Understanding environmental management practices: integrating views from strategic management and ecological economics. Business Strategy and The Environment, 19 (8): 543-556.

Madaleno M, Robaina M, Ferreira Dias M, et al. 2020. Dimension effects in the relationship between eco-innovation and firm performance: a European comparison. Energy Reports, 6: 631-637.

Magat W A. 1978. Pollution control and technological advance: a dynamic model of the firm. Journal of Environmental Economics and Management, 5 (1): 1-25.

Mansi M. 2015. Sustainable procurement disclosure practices in central public sector enterprises: evidence from India. Journal of Purchasing and Supply Management, 21 (2): 125-137.

Mardones C, Baeza N. 2018. Economic and environmental effects of a CO_2 tax in Latin American countries. Energy Policy, 114: 262-273.

Mardones C, Cabello M. 2019. Effectiveness of local air pollution and GHG taxes: the case of Chilean industrial sources. Energy Economics, 83: 491-500.

Mardones C, Flores B. 2018. Effectiveness of a CO_2 tax on industrial emissions. Energy Economics, 71: 370-382.

Mardones C, Mena C. 2020. Economic, environmental and distributive analysis of the taxes to global and local air pollutants in Chile. Journal of Cleaner Production, 259, 120893.

Marino M, Lhuillery S, Parrotta P, et al. 2016. Additionality or crowding-out? An overall evaluation of public R&D subsidy on private R&D expenditure. Research Policy, 45 (9): 1715-1730.

Marron D B. 1997. Buying green: government procurement as an instrument of environmental policy. Public Finance Review, 25 (3): 285-305.

Marrucci L, Daddi T, Iraldo F. 2019. The integration of circular economy with sustainable consumption and production tools: systematic review and future research agenda. Journal of Cleaner Production, 240: 118268.

Mastor N H. 2007. Review on market based instruments and environmental taxation to environmental protection. Accounting Studies International Conference 2007, Kuala Lumpur.

Mazzanti M, Rizzo U. 2017. Diversely moving towards a green economy: techno-organisational decarbonisation trajectories and environmental policy in EU sectors. Technological Forecasting and Social Change, 115: 111-116.

McKenzie K J. 2008. Measuring tax incentives for R&D. International Tax & Public Finance, 15 (5): 563-581.

Meis-Harris J, Klemm C, Kaufman S, et al. 2021. What is the role of eco-labels for a circular economy? A rapid review of the literature. Journal of Cleaner Production, 306: 127134.

Mercure J F, Pollitt H, Chewpreecha U, et al. 2014. The dynamics of technology diffusion and the impacts of climate policy instruments in the decarbonisation of the global electricity sector. Energy Policy, 73: 686-700.

Metcalfe J S. 2005. Systems failure and the case for innovation policy//Llerena P, Matt M. Innovation Policy in A Knowledge-Based Economy. Berlin Heidelberg: Springer: 47-74.

Meyer J W, Rowan B. 1977. Institutionalized organizations: formal structure as myth and ceremony. American Journal of Sociology, 83 (2): 340-363.

Michelsen O, de Boer L. 2009. Green procurement in Norway: a survey of practices at the municipal and county level. Journal of Environmental Management, 91 (1): 160-167.

Mikesell J L. 1978. Election periods and state tax policy cycles. Public Choice, 33 (3): 99-106.

Miklenčičová R, Čapkovičová B. 2014. Environmental management and green innovation in businesses. Marketing Identity: Explosion of Innovations Book Series: Marketing Identity. FMK, Trnava, 482-493.

Montmartin B, Herrera M. 2015. Internal and external effects of R&D subsidies and fiscal incentives: empirical evidence using spatial dynamic panel models. Research Policy, 44 (5): 1065-1079.

Morren M, Grinstein A. 2016. Explaining environmental behavior across borders: a meta-analysis. Journal of Environmental Psychology, 47: 91-106.

Mowery D, Rosenberg N. 1979. The influence of market demand upon innovation: a critical review of some recent empirical studies. Research Policy, 8 (2): 102-153.

Mukherjee A, Singh M, Zaldokas A. 2017. Do corporate taxes hinder innovation? Journal of Financial Economics, 124 (1): 195-221.

Naill R F. 1992. A system dynamics model for national energy policy planning. System Dynamics Review, 8 (1): 1-19.

Narin F，Noma E，Perry R. 1987. Patents as indicators of corporate technological strength. Research Policy，16（2-4）：143-155.

Neicu D. 2019. Evaluating the effects of an R&D policy mix of subsidies and tax credits. Management and Economics Review，4（2）：192-216.

Neicu D，Teirlinck P，Kelchtermans S. 2016. Dipping in the policy mix: do R&D subsidies foster behavioral additionality effects of R&D tax credits? Economics of Innovation and New Technology，25（3）：218-239.

Nelson R R. 1982. Government and Technical Progress: A Cross-Industry Analysis. New York; Toronto: Pergamon Press.

Noailly J，Ryfisch D. 2015. Multinational firms and the internationalization of green R&D: a review of the evidence and policy implications. Energy Policy，83：218-228.

Nong D. 2020. Development of the electricity-environmental policy CGE model（GTAP-E-Powers）: a case of the carbon tax in South Africa. Energy Policy，140：111375.

Obwegeser N，Müller S D. 2018. Innovation and public procurement: terminology, concepts, and applications. Technovation，74/75：1-17.

OECD. 1999. Consumption tax trends. OECD，Paris.

Oltra V，Jean M S. 2009. Sectoral systems of environmental innovation: an application to the French automotive industry. Technological Forecasting & Social Change，76（4）：567-583.

O'Malley E，Hewitt-Dundas N，Roper S. 2008. High growth and innovation with low R&D: Ireland//Edquist C，Hommen L. Small Country Innovation Systems: Globalization, Change and Policy in Asia and Europe. Edward Elgar Publishing Limited：156-193.

Ong T S，Lee A S，Teh B H，et al. 2019. Environmental innovation, environmental performance and financial performance: evidence from Malaysian environmental proactive firms. Sustainability，11（12）：3494.

Orsato R J. 2006. Competitive environmental strategies: when does it pay to be green? California Management Review，48（2）：127-143.

Oyserman D，Lee S W S. 2008. Does culture influence what and how we think? Effects of priming individualism and collectivism. Psychological Bulletin，134（2）：311-342.

Pacheco-Blanco B，Bastante-Ceca M J. 2016. Green public procurement as an initiative for sustainable consumption. An exploratory study of Spanish public universities. Journal of Cleaner Production，133：648-656.

Pandit N R. 1996. The creation of theory: a recent application of the grounded theory method. The Qualitative Report，2（4）：1-15.

Paraskevopoulou E. 2012. Non-technological regulatory effects: implications for innovation and innovation policy. Research Policy，41（6）：1058-1071.

Patton M Q. 1990. Qualitative Evaluation and Research Methods. London: SAGE Publications，Inc.

Pearce D. 1991. The role of carbon taxes in adjusting to global warming. The Economic Journal，101（407）：938-948.

Peng H，Liu Y. 2018. How government subsidies promote the growth of entrepreneurial companies in clean energy industry: an empirical study in China. Journal of Cleaner Production, 188: 508-520.

Pereira Á, Vence X. 2012. Key business factors for eco-innovation: an overview of recent firm-level empirical studies. Cuadernos de Gestión, 12: 73-103.

Peterson R A, Brown S P. 2005. On the use of beta coefficients in meta-analysis. Journal of Applied Psychology, 90 (1): 175-181.

Pigott T D. 2006. Methods of meta-analysis: correcting error and bias in research findings. Evaluation and Program Planning, 29: 236-237.

Pigou A C. 1920. Co-operative societies and income tax. Economic Journal, 30 (118): 156-162.

Polzin F, von Flotow P, Klerkx L. 2016. Addressing barriers to eco-innovation: exploring the finance mobilisation functions of institutional innovation intermediaries. Technological Forecasting and Social Change, 103: 34-46.

Popp D, Newell R G, Jaffe A B. 2010. Energy, the environment, and technological change. Handbook of The Economics of Innovation, 2: 873-937.

Porter M E, van der Linde C. 1995a. Green and competitive: ending the stalemate. Harvard Business Review, 73 (5): 120-134.

Porter M E, van der Linde C. 1995b. Toward a new conception of the environment-competitiveness relationship. Journal of Economic Perspectives, 9 (4): 97-118.

Portney P R, Stavins R N. 2000. Public Policies for Environmental Protection. Washington: Resources for the Future Press.

Przychodzen W, Leyva-De La Hiz D I, Przychodzen J. 2020. First-mover advantages in green innovation—opportunities and threats for financial performance: a longitudinal analysis. Corporate Social Responsibility and Environmental Management, 7 (1): 339-357.

Putri W H, Sari N Y. 2019. Eco-efficiency and eco-innovation: strategy to improve sustainable environmental performance. IOP Conference Series: Earth and Environmental Science. IOP Publishing, 245 (1): 012049.

Qi G Y, Shen L Y, Zeng S X, et al. 2010. The drivers for contractors' green innovation: an industry perspective. Journal of Cleaner Production, 18 (14): 1358-1365.

Radas S, Anić I D, Tafro A, et al. 2015. The effects of public support schemes on small and medium enterprises. Technovation, 38: 15-30.

Rad M F, Seyedesfahani M M, Jalilvand M R. 2015. An effective collaboration model between industry and university based on the theory of self organization: a system dynamics model. Journal of Science & Technology Policy Management, 6 (1): 2-24.

Ragin C C. 2006. Set relations in social research: evaluating their consistency and coverage. Political Analysis, 291-310.

Ragin C C. 2009. Redesigning Social Inquiry: Fuzzy Sets and Beyond. Chicago and London: Unive-rsity of Chicago Press.

Rainville A. 2017. Standards in green public procurement—a framework to enhance innovation. Journal of Cleaner Production, 167: 1029-1037.

Raiteri E. 2018. A time to nourish? Evaluating the impact of public procurement on technological generality through patent data. Research Policy, 47 (5): 936-952.

Ramanathan R, Ramanathan U, Bentley Y. 2018. The debate on flexibility of environmental regulations, innovation capabilities and financial performance—a novel use of DEA. Omega, 75: 131-138.

Reichardt K, Rogge K. 2016. How the policy mix impacts innovation: findings from company case studies on offshore wind in Germany. Environmental Innovation and Societal Transitions, 18: 62-81.

Rennings K. 2000. Redefining innovation—eco-innovation research and the contribution from ecological economics. Ecological Economics, 32 (2): 319-332.

Rennings K, Zwick T. 2002. Employment impact of cleaner production on the firm level: empirical evidence from a survey in five European countries. International Journal of Innovation Management, 6 (3): 319-342.

Ren S, Li X, Yuan B, et al. 2018. The effects of three types of environmental regulation on eco-efficiency: a cross-region analysis in China. Journal of Cleaner Production, 173: 245-255.

Rihoux B, Ragin C C. 2008. Configurational Comparative Methods: Qualitative Comparative Analysis (QCA) and Related Techniques. California: Sage Publications.

Roberts M J, Spence M. 1976. Effluent charges and licenses under uncertainty. Journal of Public Economics, 5 (3/4): 193-208.

Robrecht L C. 1995. Grounded theory: evolving methods. Qualitative Health Research, 5 (2): 169-177.

Roddis P. 2018. Eco-innovation to reduce biodiversity impacts of wind energy: key examples and drivers in the UK. Environmental Innovation and Societal Transitions, 28: 46-56.

Rogge K S, Schneider M, Hoffmann V H. 2011. The innovation impact of the EU emission trading system—findings of company case studies in the German power sector. Ecological Economics, 70 (3): 513-523.

Roman A V. 2017. Institutionalizing sustainability: a structural equation model of sustainable procurement in US public agencies. Journal of Cleaner Production, 143: 1048-1059.

Romer P M. 1986. Increasing returns and long-run growth. Journal of Political Economy, 94 (5): 1002-1037.

Rothstein H R, Sutton A J, Borenstein M. 2005. Publication Bias in Meta-Analysis: Prevention, Assessment and Adjustments. New York: John Wiley & Sons.

Roy S, Sivakumar K, Wilkinson I F. 2004. Innovation generation in supply chain relationships: a conceptual model and research propositions. Journal of the Academy of Marketing Science, 32 (1): 61-79.

Saastamoinen J, Reijonen H, Tammi T. 2018. Should SMES pursue public procurement to improve innovative performance? Technovation, 69: 2-14.

Sarasini S. 2009. Constituting leadership via policy: Sweden as a pioneer of climate change mitigation. Mitigation and Adaptation Strategies for Global Change, 14 (7): 635-653.

Schade J, Schlag B. 2003. Acceptability of urban transport pricing strategies. Transportation Research

Part F: Traffic Psychology and Behaviour, 6 (1): 45-61.

Schiederig T, Tietze F, Herstatt C. 2012. Green innovation in technology and innovation management—an exploratory literature review. R&D Management, 42 (2): 180-192.

Schimke A, Brenner T. 2014. The role of R&D investments in highly R&D-based firms. Studies In Economics & Finance, 31 (1): 3-45.

Schmid E, Sinabell F, Hofreither M F. 2007. Phasing out of environmentally harmful subsidies: consequences of the 2003 CAP reform. Ecological Economics, 60 (3): 596-604.

Schneider C Q, Wagemann C. 2012. Set-Theoretic Methods for the Social Sciences: A Guide to Qualitative Comparative Analysis. New York: Cambridge University Press.

Schot J, Geels F W. 2008. Strategic niche management and sustainable innovation journeys: theory, findings, research agenda, and policy. Technology Analysis & Strategic Management, 20 (5): 537-554.

Sezen B, Cankaya S Y. 2013. Effects of green manufacturing and eco-innovation on sustainability performance. Procedia-Social and Behavioral Sciences, 99: 154-163.

Sharma S. 2000. Managerial interpretations and organizational context as predictors of corporate choice of environmental strategy. Academy of Management Journal, 43 (4): 681-697.

Shen B, Li Q. 2019. Green technology adoption in textile supply chains with environmental taxes: production, pricing, and competition. IFAC-Papersonline, 52 (13): 379-384.

Shleifer A, Vishny R W. 1994. Politicians and firms. The Quarterly Journal of Economics, 109 (4): 995-1025.

Shrivastava P, Hart S. 1995. Creating sustainable corporations. Business Strategy and the Environment, 4 (3): 154-165.

Shukla S. 2019. Stakeholder adoption of eco-innovation strategies: review of Indian service companies. International Journal of Indian Culture and Business Management, 18(4): 475-495.

Simcoe T, Toffel M W. 2014. Government green procurement spillovers: evidence from municipal building policies in California. Journal of Environmental Economics and Management, 68 (3): 411-434.

Slavtchev V, Wiederhold S. 2016. Does the technological content of government demand matter for private R&D? Evidence from US states. American Economic Journal: Macroeconomics, 8 (2): 45-84.

Smith J, Andersson G, Gourlay R, et al. 2016. Balancing Competing policy demands: the case of sustainable public sector food procurement. Journal of Cleaner Production, 112: 249-256.

Snider K F, Halpern B H, Rendon R G, et al. 2013. Corporate social responsibility and public procurement: how supplying government affects managerial orientations. Journal of Purchasing and Supply Management, 19 (2): 63-72.

Song H, Yu K, Zhang S. 2017. Green procurement, stakeholder satisfaction and operational performance. International Journal of Logistics Management, 28 (4): 1054-1077.

Song M, Wang S, Zhang H. 2020. Could environmental regulation and R&D tax incentives affect green product innovation? Journal of Cleaner Production, 258: 120849.

Stanley T D. 2001. Wheat from chaff: meta-analysis as quantitative literature review. Journal of Economic Perspectives, 15 (3): 131-150.

Starik M, Marcus A A. 2000. Introduction to the special research forum on the management of organizations in the natural environment: a field emerging from multiple paths, with many challenges ahead. Academy of Management Journal, 43 (4): 539-547.

Stead W E, Stead J G. 2015. Management for A Small Planet. New York: Routledge.

Steenblik R. 2003. Subsidy measurement and classification: developing a common framework. Environmentally Harmful Subsidies: Policy Issues and Challenges. OECD Publications, Paris, 101-142.

Sterman J D. 1986. The economic long wave: theory and evidence. System Dynamics Review, 2 (2): 87-125.

Strand J, Toman M. 2010. "Green stimulus" economic recovery, and long-term sustainable development. Policy Research Working Paper Series, 42 (1): 1-28.

Strauss A L. 1987. Qualitative Analysis for Social Scientists. New York: Cambridge University Press.

Strauss A, Corbin J. 1998. Basics of Qualitative Research: Techniques and Procedures for Developing Grounded Theory. London: Sage Publications.

Štreimikienė D. 2015. Impact of environmental taxes on sustainable energy development in Baltic States, Czech Republic and Slovakia. Economics and Management, 18 (4): 4-23.

Sun Y, Garrett T C, Phau I, et al. 2020. Case-based models of customer-perceived sustainable marketing and its effect on perceived customer equity. Journal of Business Research, 117: 615-622.

Swiech-Kujawska K. 2020. Tax and legal instruments of protection of ambient air as seen in the example of the thermal upgrade relief. Journal For European Environmental & Planning Law, 17 (4): 426-442.

Tang M, Li X, Zhang Y, et al. 2020. From command-and-control to market-based environmental policies: optimal transition timing and China's heterogeneous environmental effectiveness. Economic Modelling, 90: 1-10.

Tang M, Walsh G, Lerner D, et al. 2018. Green innovation, managerial concern and firm performance: an empirical Study. Business Strategy and The Environment, 27 (1): 39-51.

Tassey G. 2003. One point of view: R&D investment trends: U.S. needs more high-tech. Research-Technology Management, 46 (2): 9-11.

Teichmann F, Falker M C, Sergi B S. 2020. Gaming environmental governance? Bribery, abuse of subsidies, and corruption in European Union programs. Energy Research & Social Science, 66: 101481.

Testa F, Annunziata E, Iraldo F, et al. 2016. Drawbacks and opportunities of green public procurement: an effective tool for sustainable production. Journal of Cleaner Production, 112: 1893-1900.

Testa F, Iraldo F, Frey M, et al. 2012. What factors influence the uptake of GPP (Green Public Procurement) practices? New evidence from an Italian survey. Ecological Economics, 82:

88-96.

Thompson P, Cowton C J. 2004. Bringing the environment into bank lending: implications for environmental reporting. British Accounting Review, 36 (2): 197-218.

Thomson J, Jackson T. 2007. Sustainable procurement in practice: lessons from local government. Journal of Environmental Planning and Management, 50 (3): 421-444.

Thomson R. 2010. Tax policy and R&D investment by Australian firms. Economic Record, 86 (273): 260-280.

Tietenberg T H. 1990. Economic instruments for environmental regulation. Oxford Review of Economic Policy, 6 (1): 17-33.

Torani K, Rausser G, Zilberman D. 2016. Innovation subsidies versus consumer subsidies: a real options analysis of solar energy. Energy Policy, 92: 255-269.

Trajtenberg M. 1990. A penny for your quotes: patent citations and the value of innovations. The RAND Journal of Economics, 21 (1): 172-187.

Tranfield D, Denyer D, Smart P. 2003. Towards a methodology for developing evidence-informed management knowledge by means of systematic review. British Journal of Management, 14 (3): 207-222.

Triguero A, Fernández S, Sáez-Martinez F J. 2018. Inbound open innovative strategies and eco-innovation in the Spanish food and beverage industry. Sustainable Production and Consumption, 15: 49-64.

Tu Y, Wu W. 2021. How does green innovation improve enterprises' competitive advantage? The role of organizational learning. Sustainable Production and Consumption, 26: 504-516.

Umit R, Schaffer L M. 2020. Attitudes towards carbon taxes across Europe: the role of perceived uncertainty and self-interest. Energy Policy, 140: 111385.

Uttam K, Faith-Ell C, Balfors B. 2012. EIA and green procurement: opportunities for strengthening their coordination. Environmental Impact Assessment Review, 33 (1): 73-79.

Uttam K, Roos C L L. 2015. Competitive dialogue procedure for sustainable public procurement. Journal of Cleaner Production, 86: 403-416.

Uyarra E, Flanagan K. 2010. From regional systems of innovation to regions as innovation policy spaces. Environment & Planning C Government & Policy, 28 (4): 681-695.

Uyarra E, Shapira P, Harding A. 2016. Low carbon innovation and enterprise growth in the UK: challenges of a place-blind policy mix. Technological Forecasting and Social Change, 103: 264-272.

van der Grijp N M. 1998. The Greening of Public Procurement in the Netherlands. Greener Purchasing, Opportunities and Innovations. Sheffield, UK: Greenleaf Publishing, 60-70.

van Kemenade T, Teixeira A A C. 2017. Policy stringency and (eco) -innovation performance: a cross country analysis. Journal on Innovation and Sustainability RISUS, 8 (2): 34-60.

Veugelers R. 2012. Which policy instruments to induce clean innovating? Research Policy, 41 (10): 1770-1778.

Vis B, Dul J. 2018. Analyzing relationships of necessity not just in kind but also in degree:

complementing FSQCA with NCA. Sociological Methods & Research, 47 (4): 872-899.

Vollebergh H R J. 2007. Differential impact of environmental policy instruments on technological change: a review of the empirical literature. OECD Report, (5): 1-34.

Walker H, Brammer S. 2009. Sustainable procurement in the United Kingdom public sector. Supply Chain Management, 14 (2): 128-137.

Walker H, Miemczyk J, Johnsen T, et al. 2010. Sustainable procurement: past, present and future. Journal of Purchasing & Supply Management, 18 (4): 201-206.

Wallsten S J. 2000. The effects of government-industry R&D programs on private R&D: the case of the small business innovation research program. RAND Journal of Economics, 31 (1): 82-100.

Wang L F S, Wang J. 2009. Environmental taxes in a differentiated mixed duopoly. Economic Systems, 33 (4): 389-396.

Wang S, Zhao S, Shao D, et al. 2020a. Impact of government subsidies on manufacturing innovation in China: the moderating role of political connections and investor attention. Sustainability, 12 (18): 7740.

Wang W, Li Y, Lu N, et al. 2020b. Does increasing carbon emissions lead to accelerated eco-innovation? Empirical evidence from China. Journal of Cleaner Production, 251: 119690.

Wang Z, Wang N. 2012. Knowledge sharing, innovation and firm performance. Expert Systems with Applications, 39 (10): 8899-8908.

Warda J. 1994. Canadian R&D tax treatment: an international comparison. Ottawa, Ontario: The Conference Board of Canada, 94-125.

Wesseh P K, Lin B. 2018. Optimal carbon taxes for China and implications for power generation, welfare, and the Environment. Energy Policy, 118: 1-8.

Wong C Y, Wong C W Y, Boon-itt S. 2020. Effects of green supply chain integration and green innovation on environmental and cost performance. International Journal of Production Research, 58 (15): 4589-4609.

Wong J K W, San Chan J K, Wadu M J. 2016. Facilitating effective green procurement in construction projects: an empirical study of the enablers. Journal of Cleaner Production, 135: 859-871.

Wu H, Hu S. 2020. The impact of synergy effect between government subsidies and slack resources on green technology innovation. Journal of Cleaner Production, 274: 122682.

Wu H, Liu S, Hu S. 2020. Visible hand: do government subsidies promote green innovation performance–moderating effect of ownership concentration. Polish Journal of Environmental Studies, 30 (1): 881-892.

Wu P L, Yeh S S, Huan T C, et al. 2014. Applying complexity theory to deepen service dominant logic: configural analysis of customer experience-and-outcome assessments of professional services for personal transformations. Journal of Business Research, 67 (8): 1647-1670.

Xia L, Gao S, Wei J, et al. 2022. Government subsidy and corporate green innovation-does board governance play a role? Energy Policy, 161: 112720.

Xiang H, Kuang Y. 2020. Who benefits from China's coal subsidy policies? A computable partial equilibrium analysis. Resource and Energy Economics, 59: 101124.

Xie X, Huo J, Zou H. 2019. Green process innovation, green product innovation, and corporate financial performance: a content analysis method. Journal of Business Research, 101: 697-706.

Xue M, Boadu F, Xie Y. 2019. The penetration of green innovation on firm performance: effects of absorptive capacity and managerial environmental concern. Sustainability, 11 (9): 2455.

Xu X, Li J. 2020. Asymmetric impacts of the policy and development of green credit on the debt financing cost and maturity of different types of enterprises in China. Journal of Cleaner Production, 264: 121574.

Yang F, Yang M. 2015. Analysis on China's eco-innovations: regulation context, intertemporal change and regional differences. European Journal of Operational Research, 247 (3): 1003-1012.

Yang S, Su Y, Wang W, et al. 2019. Research on developers' green procurement behavior based on the theory of planned behavior. Sustainability, 11 (10): 2949.

Yang W, Zhang Y. 2012. Research on factors of green purchasing practices of Chinese. Journal of Business Management and Economics, 3 (5): 222-231.

Yang X, Yuan W, Li Z. 2020. An analysis on the dynamic impact of corporate income tax on technological innovation in China with the construction of ecological civilization for water conservation, energy conservation and emission reduction. Journal of Coastal Research, 115 (SI): 535-538.

Yasmeen H, Tan Q, Zameer H, et al. 2020. Manuscript title: exploring the impact of technological innovation, environmental regulations and urbanization on ecological efficiency of China in the context of COP21. Journal of Environmental Management, 274: 111210.

Yi M, Wang Y, Yan M, et al. 2020. Government R&D subsidies, environmental regulations, and their effect on green innovation efficiency of manufacturing industry: evidence from the Yangtze River economic belt of China. International Journal of Environmental Research and Public Health, 17 (4): 1330.

Yin H, Powers N. 2010. Do state renewable portfolio standards promote in-state renewable generation? Energy Policy, 38 (2): 1140-1149.

You D, Zhang Y, Yuan B. 2019. Environmental regulation and firm eco-innovation: evidence of moderating effects of fiscal decentralization and political competition from listed Chinese industrial companies. Journal of Cleaner Production, 207: 1072-1083.

Yu F, Guo Y, Le-Nguyen K, et al. 2016. The impact of government subsidies and enterprises' R&D investment: a panel data study from renewable energy in China. Energy Policy, 89: 106-113.

Yu F, Wang L, Li X. 2020. The effects of government subsidies on new energy vehicle enterprises: the moderating role of intelligent transformation. Energy Policy, 141: 111463.

Zaidi S A H, Mirza F M, Hou F, et al. 2019. Addressing the sustainable development through sustainable procurement: what factors resist the implementation of sustainable procurement in Pakistan? Socio-Economic Planning Sciences, 68: 100671.

Zailani S, Govindan K, Iranmanesh M, et al. 2015. Green innovation adoption in automotive supply chain: the Malaysian Case. Journal of Cleaner Production, 108: 1115-1122.

Zandi G R, Ghani E K, Lestari R M E, et al. 2019. The impact of management accounting systems, eco-innovations and energy efficacy on firm's environmental and economic performance. International Journal of Energy Economics and Policy, 9 (6): 394-400.

Zhang F, Zhu L. 2019. Enhancing corporate sustainable development: stakeholder pressures, organizational learning, and green innovation. Business Strategy and the Environment, 28 (6): 1012-1026.

Zhang J J, Guan J. 2018. The time-varying impacts of government incentives on innovation. Technological Forecasting and Social Change, 135: 132-144.

Zhang J, Liang G, Feng T, et al. 2020. Green innovation to respond to environmental regulation: how external knowledge adoption and green absorptive capacity matter? Business Strategy and The Environment, 29 (1): 39-53.

Zhang K, Wang Q, Liang Q M, et al. 2016. A bibliometric analysis of research on carbon tax from 1989 to 2014. Renewable & Sustainable Energy Reviews, 58: 297-310.

Zhang X, Zhang C. 2015. Optimal new energy vehicle production strategy considering subsidy and shortage cost. Energy Procedia, 75: 2981-2986.

Zhang Y J, Wei Y M. 2010. An overview of current research on EU ETS: evidence from its operating mechanism and economic effect. Applied Energy, 87 (6): 1804-1814.

Zhang Z X, Baranzini A. 2004. What do we know about carbon taxes? An inquiry into their impacts on competitiveness and distribution of income. Energy Policy, 32 (4): 507-518.

Zhao S, Xu B, Zhang W. 2018. Government R&D subsidy policy in China: an empirical examination of effect, priority, and specifics. Technological Forecasting and Social Change, 135: 75-82.

Zhao X, Sun B. 2016. The influence of Chinese environmental regulation on corporation innovation and competitiveness. Journal of Cleaner Production, 112 (4): 1528-1536.

Zhou G, Wang J. 2020. The impact of government subsidies on private R&D investment in different markets. Mathematical Problems in Engineering, 1-21.

Zhu Q, Geng Y, Sarkis J. 2013. Motivating green public procurement in China: an individual level perspective. Journal of Environmental Management, 126: 85-95.

Zubeltzu-Jaka E, Erauskin-Tolosa A, Heras-Saizarbitoria I. 2018. Shedding light on the determinants of eco-innovation: a meta-analytic study. Business Strategy and the Environment, 27 (7): 1093-1103.